RESPONSABILIDADE EXTREMA

O amanhecer irradia sobre o Centro-sul de Ramadi. Unidade de Tarefas Bruiser; o sniper do Pelotão Charlie vigia minuciosamente o território inimigo com a aeronave AH-64 Apache sobrevoando. Os combatentes inimigos dispararam amiúde contra o helicóptero enquanto ele sobrevoava a cidade.

(Fotografia dos autores)

RESPONSABILIDADE EXTREMA

COMO OS NAVY SEALS LIDERAM E VENCEM

JOCKO WILLINK
E LEIF BABIN
AUTORES DE *DICOTOMIA DA LIDERANÇA*

ALTA BOOKS
EDITORA

Rio de Janeiro, 2021

Responsabilidade Extrema
Copyright © 2021 da Starlin Alta Editora e Consultoria Eireli. ISBN: 978-85-508-1555-8

Translated from original Extreme Ownership. Copyright © 2015, 2017 by Jocko Willink and Leif Babin. ISBN 978-1-250-18386-6. This translation is published and sold by permission of St. Martin's Press, the owner of all rights to publish and sell the same. PORTUGUESE language edition published by Starlin Alta Editora e Consultoria Eireli, Copyright © 2021 by Starlin Alta Editora e Consultoria Eireli.

Todos os direitos estão reservados e protegidos por Lei. Nenhuma parte deste livro, sem autorização prévia por escrito da editora, poderá ser reproduzida ou transmitida. A violação dos Direitos Autorais é crime estabelecido na Lei nº 9.610/98 e com punição de acordo com o artigo 184 do Código Penal.

A editora não se responsabiliza pelo conteúdo da obra, formulada exclusivamente pelo(s) autor(es).

Marcas Registradas: Todos os termos mencionados e reconhecidos como Marca Registrada e/ou Comercial são de responsabilidade de seus proprietários. A editora informa não estar associada a nenhum produto e/ou fornecedor apresentado no livro.

Impresso no Brasil — 1ª Edição, 2021 — Edição revisada conforme o Acordo Ortográfico da Língua Portuguesa de 2009.

Produção Editorial Editora Alta Books	**Produtor Editorial** Juliana de Oliveira	**Equipe de Marketing** Livia Carvalho Gabriela Carvalho marketing@altabooks.com.br	**Editor de Aquisição** José Rugeri j.rugeri@altabooks.com.br
Gerência Editorial Anderson Vieira		**Coordenação de Eventos** Viviane Paiva eventos@altabooks.com.br	
Gerência Comercial Daniele Fonseca			
Equipe Editorial Ian Verçosa Illysabelle Trajano Luana Goulart Maria de Lourdes Borges Raquel Porto	Rodrigo Ramos Thales Silva Thiê Alves	**Equipe de Design** Larissa Lima Marcelli Ferreira Paulo Gomes	**Equipe Comercial** Daiana Costa Daniel Leal Kaique Luiz Tairone Oliveira Vanessa Leite
Tradução Carolina Gaio	**Revisão Gramatical** Hellen Suzuki Kamila Wozniak	**Diagramação** Joyce Matos	

Publique seu livro com a Alta Books. Para mais informações envie um e-mail para autoria@altabooks.com.br

Obra disponível para venda corporativa e/ou personalizada. Para mais informações, fale com projetos@altabooks.com.br

Erratas e arquivos de apoio: No site da editora relatamos, com a devida correção, qualquer erro encontrado em nossos livros, bem como disponibilizamos arquivos de apoio se aplicáveis à obra em questão.
Acesse o site **www.altabooks.com.br** e procure pelo título do livro desejado para ter acesso às erratas, aos arquivos de apoio e/ou a outros conteúdos aplicáveis à obra.

Suporte Técnico: A obra é comercializada na forma em que está, sem direito a suporte técnico ou orientação pessoal/exclusiva ao leitor.
A editora não se responsabiliza pela manutenção, atualização e idioma dos sites referidos pelos autores nesta obra.

Ouvidoria: ouvidoria@altabooks.com.br

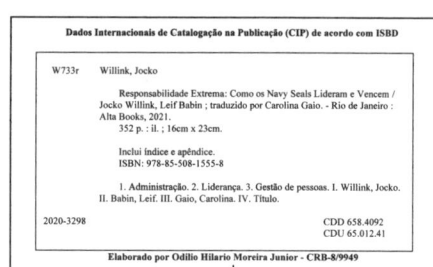

Dados Internacionais de Catalogação na Publicação (CIP) de acordo com ISBD

W733r   Willink, Jocko
         Responsabilidade Extrema: Como os Navy Seals Lideram e Vencem / Jocko Willink, Leif Babin ; traduzido por Carolina Gaio. - Rio de Janeiro : Alta Books, 2021.
         352 p. : il. ; 16cm x 23cm.

         Inclui índice e apêndice.
         ISBN: 978-85-508-1555-8

         1. Administração. 2. Liderança. 3. Gestão de pessoas. I. Willink, Jocko. II. Babin, Leif. III. Gaio, Carolina. IV. Título.

2020-3298   CDD 658.4092
         CDU 65.012.41

Elaborado por Odílio Hilario Moreira Junior - CRB-8/9949

Rua Viúva Cláudio, 291 — Bairro Industrial do Jacaré
CEP: 20.970-031 — Rio de Janeiro (RJ)
Tels.: (21) 3278-8069 / 3278-8419
www.altabooks.com.br — altabooks@altabooks.com.br
www.facebook.com/altabooks — www.instagram.com/altabooks

Dedicado a Marc Lee, Mike Monsoor e Ryan Job — três corajosos guerreiros, amigos e companheiros de equipe SEAL — que empunharam valentemente suas metralhadoras nas perigosas ruas de Ramadi e sacrificaram suas vidas para que outros vivessem.

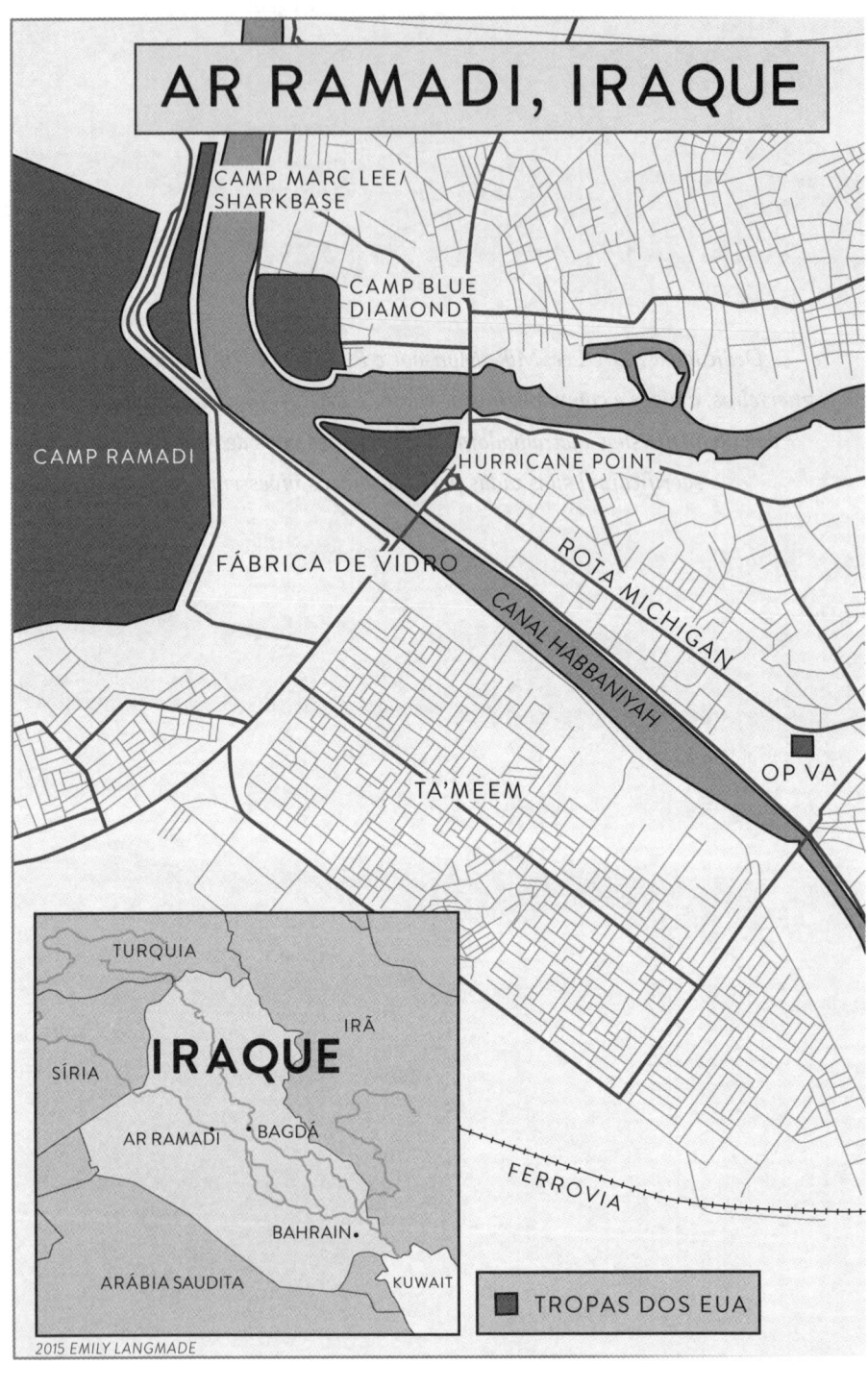

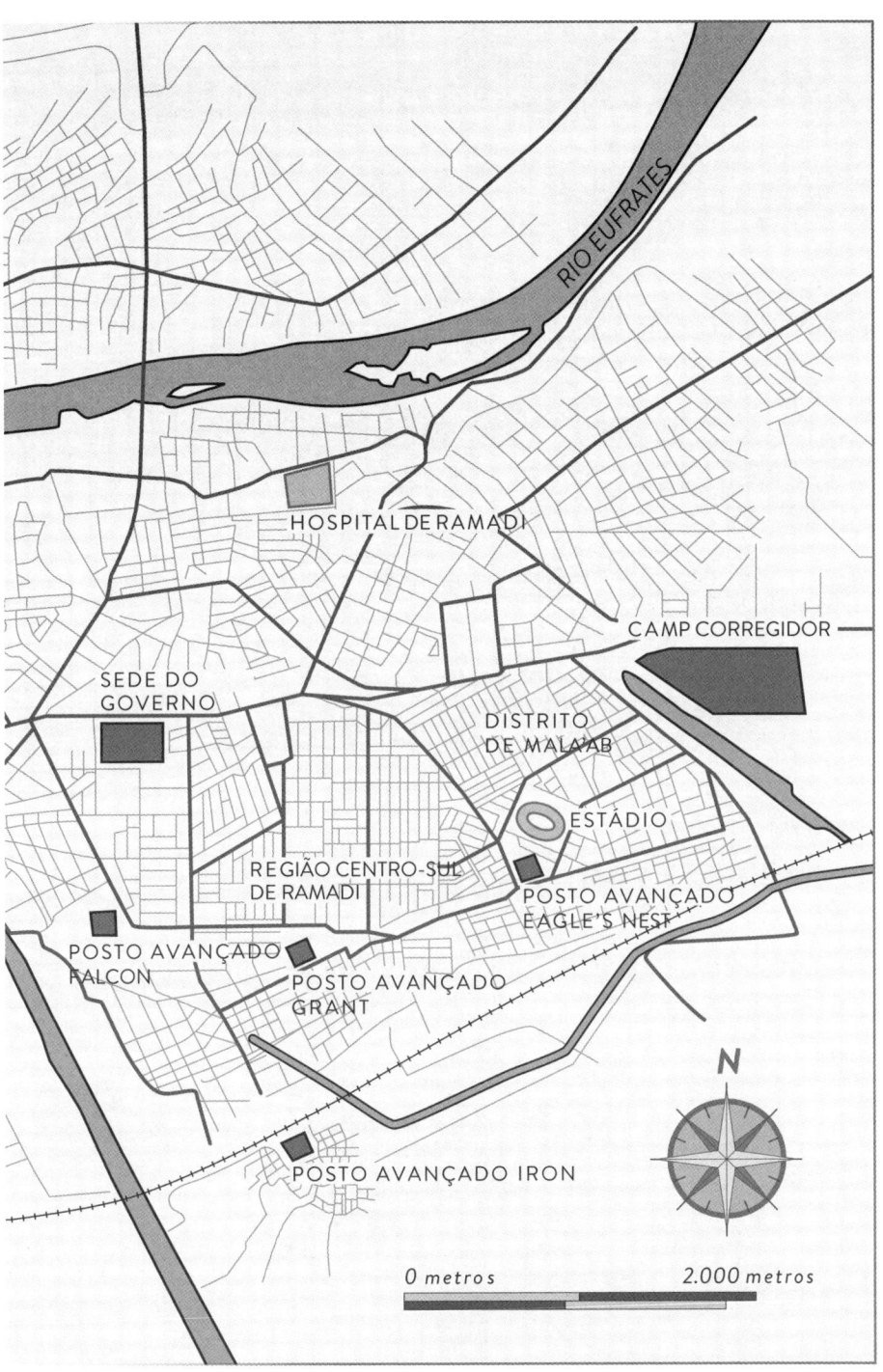

SUMÁRIO

Prefácio xi
Prefácio xvii
Introdução 1

PARTE I: VENCENDO A BATALHA INTERIOR
Capítulo 1: Responsabilidade Extrema 19
Capítulo 2: Não Existem Equipes Ruins, Só Líderes Ruins 43
Capítulo 3: Crença 67
Capítulo 4: Controle o Ego 91

PARTE II: AS LEIS DO COMBATE
Capítulo 5: Cobrir e Mobilizar 113
Capítulo 6: Simplificar 133
Capítulo 7: Priorizar e Executar 155
Capítulo 8: Descentralizar o Comando 175

PARTE III: MANTENDO A VITÓRIA

Capítulo 9: Plano 201

Capítulo 10: Liderando Acima e Abaixo na
Cadeia de Comando 227

Capítulo 11: Decidir em Meio à Incerteza 251

Capítulo 12: Disciplina É Liberdade —
A Dicotomia da Liderança 271

Posfácio 291

Apêndice: Perguntas e Respostas sobre
Liderança do *Jocko Podcast* 295

Índice 321

PREFÁCIO

Entre os muitos líderes excepcionais a que servimos em nossas carreiras militares, o diferencial que os levou à excelência foi exercer o domínio absoluto — Responsabilidade Extrema — não apenas pelo que eram responsáveis, mas por tudo que influenciava a missão. Esses líderes assumiam toda a responsabilidade. Não arranjavam desculpas. Em vez de reclamar de dificuldades ou contratempos, desenvolviam soluções para os problemas. Eles alavancavam ativos, relações e recursos para concluir o trabalho. Silenciavam os próprios egos em prol da missão e de suas tropas. Esses líderes realmente *lideravam*.

Desde que saímos do serviço militar, trabalhamos com vários profissionais de negócios, de executivos seniores a gerentes de linha de frente, em uma ampla gama de setores, como finanças, construção, manufatura, tecnologia, energia, varejo, farmácia, saúde e também militares, policiais, bombeiros e socorristas. Os homens e mulheres de maior sucesso do mundo civil exercem a mesma Responsabilidade Extrema. Da mesma forma, as equipes de alto desempenho mais bem-

-sucedidas com as quais trabalhamos demonstram essa mentalidade em suas organizações.

Desde a publicação de *Responsabilidade Extrema*, ouvimos leitores de todo o mundo cujas vidas foram impactadas para sempre. Eles nos contaram como a implementação desses princípios mudou suas vidas e os tornou melhores: um funcionário mais produtivo, um cônjuge mais solidário ou um pai mais comprometido. Quando as pessoas param de inventar desculpas e de culpar os outros, e dominam tudo em suas vidas, são obrigadas a agir para resolver seus problemas. São melhores líderes e seguidores, membros de equipe mais confiáveis e contribuintes mais capazes de buscar a realização da missão com todo o vigor. Porém também são humildes — capazes de impedir que seus egos prejudiquem relações e prejudiquem a missão e a equipe.

Ouvimos inúmeras histórias de como a aplicação desses princípios de liderança de combate ajudou os leitores a realizar o que outros, e até eles mesmos, pensavam ser impossível. *Responsabilidade Extrema* ajudou pessoas de todo o mundo a realizar grandes feitos, como fundar uma empresa ou organização sem fins lucrativos, receber uma grande promoção, conseguir um emprego melhor com mais responsabilidade e oportunidade de crescimento, atingir números muito além das expectativas, obter reconhecimento como um membro essencial da equipe ou realizar seus objetivos, quaisquer que fossem.

Todos os dias ouvimos novas histórias — de pessoas diferentes, negócios diferentes, segmentos diferentes. Os detalhes mudam. Os personagens são variados. Sempre existem pequenas diferenças na maneira como as coisas se desenrolam. Mas seus resultados são basicamente os mesmos. "Não acredito em como isso funciona" é um comentário comum.

Os princípios são simples, mas não são fáceis. Assumir a responsabilidade por erros e falhas é difícil, mas essencial para aprender, desenvolver soluções e, por fim, vencer. Aqueles que implementam esses princípios de maneira correta alcançam resultados excelentes.

Desde o lançamento de *Responsabilidade Extrema*, os princípios essenciais de liderança em combate, que aprendemos no campo de batalha do Iraque, foram expostos, compreendidos e implementados por milhares de leitores em todo o mundo. Trabalhamos com milhares de outras pessoas por meio da nossa empresa de consultoria sobre liderança, a Echelon Front, e alcançamos um vasto público nas redes sociais. Também tivemos a sorte de receber feedbacks incríveis de muitos diariamente. Os resultados deles foram incríveis.

Ouvimos dos leitores comentários como: "Minha vida mudou", "Esse é o melhor livro de liderança que já li" e "É exatamente o que eu precisava". Eles explicam que aprenderam ainda mais na segunda, terceira ou quarta leitura do livro. Como autores, não há elogio maior do que ver as inúmeras cópias de *Responsabilidade Extrema* que autografamos com várias guias coloridas marcando páginas sublinhadas, realçadas e com orelhas, com anotações rabiscadas nas margens que testemunham o uso frequente do livro como guia de referência para líderes engajados que navegam pelos desafios dos negócios e da vida. Tais depoimentos e observações nos inspiram a trabalhar ainda mais.

Porém mais gratificante ainda é ouvir sobre os RESULTADOS.

Recebemos relatórios de líderes militares da linha de frente que aplicaram esses princípios nas operações contra os inimigos da pátria norte-americana: eles "conduzem a cadeia de comando" para receber o sinal verde para dar início a missões críticas no campo de batalha ou utilizar recursos cruciais. CEOs de grandes empresas globais detalham como iniciaram a *Responsabilidade Extrema* em suas organizações e observaram seu pessoal ao longo da cadeia de comando se engajar e liderar. Ouvimos socorristas que utilizam as lições da *Responsabilidade Extrema* em seus programas de treinamento para liderar suas equipes em situações de estresse e perigo. Todas as histórias reforçaram o que aprendemos nas equipes SEAL: a liderança é vital no campo de batalha, e os princípios da boa liderança não mudam, independentemente da missão, do ambiente ou das personalidades dos envolvidos. Liderar é liderar.

Trabalhamos com um departamento de uma construtora que enfrentava a possibilidade sombria do desligamento devido a problemas de segurança sistêmica. Porém, quando implementou a *Responsabilidade Extrema*, não apenas solidificou seu direito de operar, como conquistou uma posição de liderança em segurança na empresa.

Ajudamos as empresas a otimizar seu processo de fabricação, estabelecer prazos para entrega de produtos e concluir grandes projetos dentro do prazo e do orçamento. Orientamos líderes jovens, capazes e ansiosos, que estão tendo dificuldades em relações antagônicas com os chefes, para implementar a mentalidade de que não há desculpas e ninguém a culpar. Ao assumir a responsabilidade, controlar seus egos e aceitar a culpa pela relação difícil, eles repararam os relacionamentos e recuperaram a confiança de seus líderes. Como resultado, alcançaram reconhecimento acima de seus semelhantes e em todo o setor por desempenho excepcional. Ouvimos líderes médicos que nos contaram como explicar os "porquês" para a equipe e comunicar ordens de maneira "simples, clara e concisa" melhorou muito o desempenho do grupo e salvou vidas na sala de cirurgia.

Vimos chefes de treinamento do batalhão dos bombeiros utilizarem *Responsabilidade Extrema* como manual, ensinando seus homens a implementar o "Cobrir e Mobilizar" para funcionarem melhor como equipe e servirem de maneira mais eficaz a suas comunidades, enquanto protegem melhor os bombeiros em perigo. Vimos policiais promovidos a posições de liderança com maior autoridade e responsabilidade atribuindo seu sucesso diretamente aos princípios de *Responsabilidade Extrema*.

Vários professores, educadores e treinadores nos contaram como os conceitos deste livro os tornaram melhores, influenciando e melhorando a vida de seus alunos e atletas. Pastores e grupos missionários relataram como *Responsabilidade Extrema* tornou suas equipes mais eficazes, ajudando os mais necessitados.

Ouvimos até mesmo cônjuges nos contarem como *Responsabilidade Extrema* salvou seu casamento. Quando pararam de apontar o dedo e culpar a esposa ou o marido, foram capazes de analisar o que poderiam dominar neles mesmos para fortalecer o relacionamento. Como resultado, seus casamentos foram reparados e fortalecidos.

Ver um impacto extraordinário e tão abrangente é profundamente significativo para nós. Escrevemos este livro para ajudar outras pessoas — líderes e aspirantes a líderes — a ser melhores: a ter vidas mais bem-sucedidas e gratificantes, a se tornarem pessoas mais engajadas e eficazes e a terem um impacto maior em prol do bem de todos ao redor.

Ajudar outras pessoas a viver uma vida melhor também é uma maneira de honrarmos o legado e a herança daqueles a quem servimos em combate que devotaram suas vidas à causa. Devemos tudo a eles.

Acreditamos nesses princípios porque testemunhamos seus resultados extraordinários, não apenas no campo de batalha como também nos negócios e na vida. Esperamos ansiosamente que a mensagem continue a se difundir por toda parte e que a filosofia de *Responsabilidade Extrema* continue a ajudar todo líder, seguidor e pessoa a se tornar ainda mais eficaz e cumprir seu objetivo final: *liderar* e *vencer*.

APENAS FAÇA.

— *Jocko Willink e Leif Babin*
Julho, 2017

PREFÁCIO

"Então, lá estava eu..."

Muitas histórias gloriosas de guerra começam assim. Nas equipes SEAL, zombamos daqueles que contam versões floreadas de si mesmos. Uma típica história de guerra contada em tom de brincadeira sobre algo que um SEAL fez geralmente começa assim: "Então, sem sacanagem, lá estava eu, coberto até os joelhos de pinos da granada..."

Este livro não pretende ser a história gloriosa de guerra de um indivíduo. Como SEALs, operamos como equipe de indivíduos de alto calibre e multitalentosos que passaram pelo treinamento militar mais difícil e pelo processo de triagem mais rigoroso de todos. Contudo, no SEAL, tudo se resume à *equipe*. A soma é muito maior do que as partes. Referimo-nos à nossa comunidade de guerra simplesmente como "as equipes". Nós nos chamamos de "equipes". Este livro descreve as operações e o treinamento de combate SEAL aos nossos olhos, a partir de nossas perspectivas individuais, e aplica nossa experiência às práticas de liderança e gestão no mundo dos negócios.

Contudo, as operações SEAL não nos focavam como indivíduos. Nossas histórias são do pelotão SEAL e da unidade de tarefas que tivemos a sorte de liderar. Chris Kyle, o sniper SEAL e autor do best-seller *Sniper Americano*, que inspirou o filme, foi um dos membros dessas equipes — o sniper e chefe de equipe do Pelotão Charlie na Unidade de Tarefas Bruiser. Ele contribuiu para os exemplos de combate deste livro, assim como vários outros colegas de equipe que, apesar de merecerem reconhecimento, ficaram de fora dos holofotes. Longe de serem nossas, as histórias de guerra deste livro são dos irmãos e líderes com quem servimos e lutamos lado a lado — a Equipe. Os cenários de combate descrevem como enfrentamos os obstáculos e superamos desafios juntos. Afinal, não há liderança onde não há espírito de equipe.

Entre a Guerra do Vietnã e a Guerra Global ao Terrorismo, os militares dos EUA vivenciaram um período de trinta anos de hiato. Com exceção de alguns resquícios de conflito (Granada, Panamá, Kuwait, Somália), apenas alguns líderes militares dos EUA tiveram algum tipo de experiência de combate real e substancial. Nas equipes SEAL, esses foram os "anos secos". Quando os que serviram em combates pesados nas selvas do Vietnã se aposentaram, suas lições práticas de liderança desapareceram.

Tudo isso mudou em 11 de Setembro de 2001, quando os pavorosos ataques terroristas aos EUA levaram o país mais uma vez a um conflito. Mais de uma década de guerra e operações de combate árduas no Iraque e no Afeganistão deram origem a uma nova geração de líderes nas forças de combate norte-americanas. Esses líderes não foram formados em salas de aula, com treinamento e teoria hipotéticos, mas com experiências práticas nas linhas de frente da guerra — o escalão de frente*. Teorias de liderança foram testadas em combate. Hipóteses foram submetidas a provas de fogo. Na hierarquia militar dos EUA, lições de guerra esquecidas foram reescritas — com sangue. Alguns princípios de liderança desenvolvidos no treinamento se mostraram ineficazes em combate. Assim, habilidades eficazes de liderança foram aprimoradas, enquanto as que se mostraram impraticáveis foram descartadas, dando origem a uma nova geração de líderes em combate em todas as hierarquias de militares dos EUA — Exército, Fuzileiros Navais, Marinha, Força Aérea — e de nossos aliados. As equipes SEAL da Marinha estavam na vanguarda dessa transformação de liderança, emergindo dos triunfos e tragédias da guerra com uma compreensão cristalizada do que é necessário para ter sucesso nos ambientes mais desafiadores que o combate apresenta.

Entre essa nova geração de líderes de combate, há muitas histórias de guerra. Após anos de operações bem-sucedidas, incluindo a invasão heroica que matou Osama bin Laden, os SEALs da Marinha dos EUA despertaram o interesse do público e receberam mais atenção do que a maioria de nós desejava. Esse foco destacou aspectos confidenciais de nossa organização. Neste livro, tivemos o cuidado de não os expor ainda mais. Não discutimos programas classificados nem violamos acordos de confidencialidade que remetem a nossas experiências operacionais.

Muitas memórias SEALs foram escritas — algumas por operadores experientes e respeitados que quiseram transmitir os feitos e realizações heroicos de nossa tribo. E outros, infelizmente, por SEALs que não contribuíram muito para a comunidade. Como muitos colegas, tivemos uma visão negativa quando os livros dos SEALs foram publicados.

---

* Com base em nossas lições de liderança aprendidas no escalão de frente do campo de batalha, nomeamos nossa empresa Echelon Front [escalão de frente, em inglês].

Por que então decidimos escrever um livro? Como líderes do campo de batalha, aprendemos lições valiosas com o sucesso e com o fracasso. Cometemos erros e aprendemos com eles, descobrindo o que funciona e o que não funciona. Treinamos líderes SEALs e lhes assistimos implementar os princípios que aprendemos com o mesmo sucesso em batalhas difíceis. Então, ao trabalharmos com empresas do setor civil, vimos novamente os princípios de liderança que seguimos em combate conduzindo as empresas e os executivos que treinamos à vitória. Diversas pessoas, tanto nas equipes SEAL quanto nos negócios com os quais trabalhamos, pediram-nos para registrar nossas lições de uma maneira concreta, à qual os líderes pudessem recorrer.

Escrevemos este livro para que as futuras gerações conheçam esses princípios de liderança, para que eles não sejam esquecidos e para que, nas guerras que virão e passarão, essas lições cruciais não tenham que ser reaprendidas nem reescritas com mais sangue. Escrevemos esta obra para que essas lições continuem sendo aplicadas dentro e fora do campo de batalha, em todas as situações de liderança, em empresas, grupos e organizações, por pessoas que desejem atingir uma meta e cumprir uma missão. Escrevemos este livro para que líderes do mundo inteiro implementem estes princípios e sejam vencedores.

Quem somos nós para escrever um livro assim? Pode parecer que quem se acha apto a escrever um livro sobre liderança pense em si mesmo como o epítome a que todo líder aspira. Mas estamos longe de ser perfeitos. Continuamos a aprender e crescer todos os dias, como qualquer líder honesto consigo mesmo. Tivemos a sorte de viver uma série de desafios de liderança que nos ensinaram lições valiosas. Este livro é nosso melhor esforço para transmiti-las, não de um pedestal ou de posições superiores, mas com humildade, com as cicatrizes de nossas falhas ainda aparentes.

Somos Jocko Willink e Leif Babin, oficiais SEALs que serviram juntos em Ar Ramadi, Iraque, durante a Guerra do Iraque. Lá, conhecemos intimamente as impactantes provas da guerra. Tivemos a sorte de construir, treinar e liderar equipes vencedoras de alto desempenho que se mostraram excepcionalmente eficazes. Vimos em primeira mão os perigos do comodismo, tendo servido em um campo de batalha onde a qualquer momento nossa posição podia ser invadida por uma grande força de combatentes inimigos armados até os dentes. Sabemos o que significa falhar — perder, ser surpreendido, manobrado ou simplesmente espancado. Essas lições foram as mais difíceis; mas, talvez, as mais importantes.

Aprendemos que a liderança exige acreditar na missão e perseverança inflexível para alcançar a vitória, principalmente quando os duvidosos questionam se a vitória é mesmo possível. Como líderes SEAL, desenvolvemos, testamos, atestamos e aprendemos uma série de lições de liderança, além de melhores práticas organizacionais e de gerenciamento. Em seguida, construímos e dirigimos o treinamento de liderança SEAL e ajudamos a escrever a doutrina para a próxima geração de líderes SEALs.

Nossa unidade de tarefas SEAL serviu em grande parte do que ficou conhecido como "Batalha de Ramadi". Mas este livro não é um relato histórico dessas operações de combate. Em um volume conciso, não podemos contar as histórias de serviço e sacrifício dos militares, homens e mulheres, dos EUA que serviram, lutaram, sangraram e morreram lá. Nós — os autores e SEALs com quem trabalhamos em Ramadi — ficamos arrebatados pela coragem, dedicação, profissionalismo, abnegação e sacrifício exibidos pelas unidades com as quais servimos na 2ª Brigada do Exército dos EUA, na 28ª Equipe de Combate da Brigada de Infantaria e da 1ª Brigada do Exército dos EUA, 1ª Divisão Blindada — a Equipe de Combate Ready First. Essa era uma lista distinta de unidades corajosas e conhecidas, tanto do Exército quanto dos Fuzileiros.

Seria necessário um livro inteiro (ou uma série) para detalhar seu heroísmo e dedicação infalível à missão e aos EUA. Deus abençoe a todos.

Entre esses irmãos de guerra que lutavam em Ramadi, estava nossa unidade de tarefas SEAL: a Unidade de Tarefas de Guerra Naval Especial Bruiser. Mais uma vez, as experiências expostas nos capítulos seguintes não visam referência histórica. Embora tenhamos usado aspas para transmitir a mensagem de conversas que tivemos, elas não são perfeitas e estão sujeitas ao tempo, às restrições desse formato e às falhas de memória. Nossas experiências de combate como SEALs descritas neste livro foram editadas ou alteradas para ocultar táticas, técnicas e procedimentos específicos, e para proteger informações específicas sobre quando e onde determinadas operações ocorreram e quem participou delas. O manuscrito foi enviado e aprovado pelo processo de Revisão de Segurança do Pentágono, de acordo com os requisitos do Departamento de Defesa dos EUA. Fizemos o máximo para proteger a identidade de nossos irmãos das equipes SEAL com quem servimos e aqueles que ainda servem. Eles são profissionais que não buscam fama nem reconhecimento. Assumimos essa solene responsabilidade de protegê-los com a máxima seriedade.

Tomamos a mesma precaução com o resto dos guerreiros da equipe da Primeira Brigada. Usamos, quase exclusivamente, a hierarquia para identificar esses bravos Soldados e Fuzileiros*. O objetivo não é apaziguar sua contribuição, mas garantir sua privacidade e segurança.

Da mesma forma, fizemos o possível para proteger os clientes de nossa empresa de consultoria de liderança e gestão, a Echelon Front, LLC. Abstivemo-nos de usar nomes de empresas, alteramos os nomes de indivíduos, mascaramos informações específicas do setor, e, em alguns casos, alteramos as posições de executivos e setores para proteger

---

* De acordo com a política do Departamento de Defesa dos Estados Unidos, os termos "Soldado" [do Exército dos EUA] e "Fuzileiro" [Fuzileiro Naval dos EUA] serão grafados em caixa-alta neste livro.

as identidades de pessoas e empresas. Sua confidencialidade é sacrossanta. Embora as histórias de nossas lições aprendidas no mundo dos negócios sejam baseadas diretamente em nossas experiências reais, em alguns casos combinamos situações, condensamos prazos e modificamos histórias para enfatizar os princípios que ilustramos.

A ideia deste livro surgiu da constatação de que os princípios críticos para o sucesso dos SEALs no campo de batalha — como treinam e preparam seus líderes, como moldam e desenvolvem equipes de alto desempenho e como lideram em combate — são aplicáveis a qualquer grupo, organização, corporação, empresa e, em última instância, à vida. Este livro apresenta ao leitor nossa fórmula para o sucesso: os princípios de mentalidade e orientação que permitem que os líderes SEALs e as unidades de combate obtenham resultados extraordinários. Ele demonstra como aplicá-las diretamente nos negócios e na vida para alcançar a vitória.

RESPONSABILIDADE
EXTREMA

Os SEALs da Unidade de Tarefas Bruiser disparando tiros de metralhadora e granadas de 40mm contra insurgentes em uma operação de limpeza no Sudeste de Ramadi.

(Fotografia dos autores)

INTRODUÇÃO

Ramadi, Iraque: O Dilema do Líder de Combate

Leif Babin

Só o ruído baixo dos motores a diesel podia ser ouvido quando o comboio de Humvees* parou na estrada do canal. Os campos agrícolas iraquianos e as palmeiras de tâmaras se espalhavam na escuridão. A noite estava quieta. Somente o latido esporádico e distante de um cachorro e uma luz trepidante solitária davam sinal de vida na vila iraquiana. Se os relatórios de inteligência estavam corretos, aquela vila abrigava um líder terrorista de alto nível e sua comitiva de combatentes bem armados. Nenhuma luz era visível do comboio, e a escuridão cobria a estrada, até a maior parte dos arredores. Porém, através do brilho verde dos nossos óculos de visão noturna, uma enxurrada de atividades era vista: um pelotão de Navy SEALs equipados com capacetes, armaduras, armas e equipamentos, junto de um grupo de soldados iraquianos a pé, alinhados em patrulha.

---

* Veículo com rodas multiuso de alta mobilidade, do inglês, *High Mobility Multipurpose Wheeled Vehicle* (HMMWV), daí a forma "Humvee", para abreviação e pronúncia.

Um técnico de neutralização de material explosivo (EOD) avançou e verificou uma ponte de terra que atravessava o canal à frente. Os insurgentes costumavam plantar explosivos mortais em tais pontos de estrangulamento. Alguns eram capazes de destruir um veículo e todos os seus ocupantes, em um inferno repentino de metal derretido e calor abrasador. Por enquanto, o caminho parecia limpo, e a força de ataque dos SEALs e soldados iraquianos furtivamente atravessaram a ponte a pé em direção a um grupo de edifícios em que um terrorista teria se refugiado. Um insurgente particularmente maligno responsável pelas mortes de Soldados norte-americanos, forças de segurança iraquianas e civis inocentes, esse notório emir iraquiano da Al-Qaeda, escapara com sucesso da captura por meses. Agora era uma oportunidade crítica para capturá-lo ou matá-lo, antes de seu próximo ataque.

A força de ataque dos SEALs patrulhou uma rua estreita entre os altos muros dos complexos residenciais e se moveu até a porta do edifício-alvo.

BOOM!

A profunda concussão da carga explosiva pôs fim à noite tranquila. Foi um grande alerta para os ocupantes dentro da casa quando a porta se abriu e homens agressivos e bem armados entraram na casa. Os Humvees avançaram pela ponte e desceram a rua, um veículo de cada vez, devido ao estreitamento, e pararam em posições de segurança ao redor do edifício-alvo. A torre de cada veículo contava com um SEAL manipulando uma metralhadora pesada, pronta para disparar caso as coisas dessem errado.

Eu era o comandante da força terrestre, o SEAL sênior encarregado da operação. Eu havia acabado de sair do veículo de comando e chegar à rua perto do edifício-alvo, quando, de repente, alguém gritou: "Temos um fujão!" Nosso técnico de EOD que tinha visto o "fujão", ou seja, alguém fugindo do edifício-alvo. Talvez fosse o próprio terrorista ou alguém com informações sobre seu paradeiro. Não podíamos permitir que escapasse.

O técnico de EOD e eu éramos os únicos aptos a persegui-lo, então corremos atrás do homem. Nós o perseguimos por um beco estreito, ao redor dos prédios, por um beco escuro paralelo à rua onde nossos Humvees estavam estacionados. Por fim, nós o alcançamos, um iraquiano de meia-idade, vestido com uma túnica árabe tradicional, ou *dishdasha*.

Quando o pegamos, logo o imobilizamos e prendemos suas mãos. Ele não tinha uma arma em mãos, mas poderia ter uma granada no bolso ou, pior ainda, usar um cinto de explosivos suicida sob a roupa. Qualquer pessoa associada a terroristas de alto nível pode ter dispositivos mortais, não podemos presumir o contrário. Para nos certificar, nós o revistamos.

Naquele instante, percebi que estávamos sozinhos, separados de nossa unidade. O resto da nossa força de ataque SEAL não sabia onde estávamos. Não houve tempo para notificá-los. Eu nem sabia em que direção eles estavam. Ao nosso redor, havia janelas e telhados escuros, onde os combatentes inimigos podiam estar à espreita, preparados para atacar e desencadear o inferno a qualquer momento. Precisávamos voltar e nos conectar com nossas tropas o mais rápido possível.

Contudo, antes de algemarmos as mãos do homem e começarmos uma busca por armas, eu ouvira barulhos. Enquanto olhava pelo beco com meus óculos de visão noturna, sete ou oito homens dobraram a esquina, a menos de 35m de nós. Eles estavam fortemente armados e se moviam rapidamente em nossa direção. Por uma fração de segundo, minha mente questionou o que meus olhos estavam vendo. Mas lá estavam: os contornos inconfundíveis dos rifles AK-47, um foguete RPG-7[*] e pelo menos uma metralhadora alimentada por cinto. Eles não

---

[*] RPG-7, o foguete russo de ombro, difundido e popular entre os inimigos dos EUA pela eficácia mortal. Diferente da crença popular, "RPG" não significa "granada de propulsão por foguete" [*Rocket Propelled Grenade*]; na verdade, é um acrônimo russo de "Ruchnoy Protivotankovy Granatamyot", algo como "lançador de granadas antitanque portátil".

estavam lá para nos cumprimentar. Eram combatentes inimigos armados que visavam atacar.

Agora, nós dois — o técnico de EOD e eu — estávamos emboscados. O iraquiano subjugado, e possível terrorista, que segurávamos não fora revistado, o que apresentava enorme risco. Precisávamos recuar e nos conectar com nossa força. Agora, com uma força inimiga maior nos cercando, com maior poder de fogo, estávamos em menor número e com menos armas. Eu precisava retomar meu papel de comandante da força terrestre, dispensar o manuseio de prisioneiros e voltar ao trabalho de comando e controle da força de ataque, nossos veículos e coordenação com nossos distantes recursos de apoio. Tudo tinha que ser feito imediatamente.

Eu já havia sido enviado para o Iraque, mas nunca havia estado em uma situação como essa. Embora o combate seja frequentemente representado em filmes e videogames, isso não era um filme e certamente não era um jogo. Eram homens fortemente armados e perigosos, determinados a matar tropas norte-americanas e iraquianas. Se algum de nós caísse em suas mãos, poderíamos esperar ser torturados de maneiras indescritíveis e depois decapitados em vídeo para todo o mundo ver. Eles não queriam nada além de nos matar e estavam dispostos a morrer para fazê-lo.

O sangue bombeando, a adrenalina subindo... eu sabia que cada nanossegundo contava. Essa situação sobrecarrega até mesmo o líder mais competente e o veterano mais experiente. Porém as palavras do meu chefe imediato — o comandante da unidade de tarefas, capitão de corveta Jocko Willink — ecoaram em minha mente, palavras que ouvi durante um ano inteiro de treinamento e preparação: "Relaxe. Olhe em volta. Dê uma ordem." Nosso pelotão SEAL e nossa unidade de tarefas haviam treinado extensivamente em dezenas de situações desesperadoras, caóticas e esmagadoras para se preparar para um momento como esse. Entendia como implementar as Leis de Combate que Jocko nos ensinara: Cobrir e Mobilizar; Simplificar; Priorizar e Executar; e Descentralizar o Comando. As Leis do Combate foram a chave para não apenas sobreviver a uma situação terrível como essa, mas também prosperar, permitindo-nos dominar totalmente o inimigo e *vencer*. Elas guiaram meu próximo passo.

Priorizar: de todas as tarefas urgentes, se eu não cuidasse primeiro dos inimigos armados que se aproximavam, nada mais importaria. Estaríamos mortos. Pior, os combatentes inimigos continuariam a atacar e poderiam matar mais da nossa força de ataque. Essa foi minha prioridade.

Executar: Sem hesitar, combati os inimigos com meu rifle Colt M4, atingindo o primeiro da fila, que carregava o RPG, com três a quatro tiros no ponto mortal do peito. Quando caiu, alterei a mira para o próximo bandido; depois, para o próximo. Os flashes e barulhos do rifle anunciavam a todos que um tiroteio estava ocorrendo. O grupo de combatentes inimigos não esperava por isso. Eles entraram em pânico, e aqueles que ainda conseguiam correr bateram em retirada por onde vieram. Alguns se arrastaram e outros arrastaram os feridos e moribundos pela esquina da rua e sumiram de vista enquanto eu continuava a distraí-los.

Eu sabia que tinha atingido pelo menos três ou quatro deles. Embora os disparos tenham sido precisos e impactado seus centros de massa, os projéteis de 5,56mm eram pequenos para exercer um poder de derrubada significativo. Agora, os bandidos estavam ao virar da esquina; alguns, mortos, e os que estavam gravemente feridos em breve também morreriam. Porém aqueles que não foram feridos se reagrupariam e atacariam de novo, provavelmente reunindo ainda mais combatentes para somar esforços.

Precisávamos agir. Não havia tempo para desenvolver um plano detalhado. Tampouco tive o luxo de dar orientações a meu parceiro, o técnico de EOD. Precisamos agir imediatamente. Tendo lidado com a tarefa de maior prioridade — combatentes inimigos armados prontos para atacar — e com essa ameaça pelo menos temporariamente controlada, nossa próxima prioridade era recuar e se conectar a nossa força de ataque SEAL.

Para fazer isso, eu e o operador de EOD Cobrimos e Mobilizamos — trabalho em equipe. Eu proporcionava cobertura enquanto ele seguia e recuava para uma posição em que poderia me cobrir. Então eu mudava para cobri-lo e assim sucessivamente. Dessa forma, voltamos à nossa equipe com o prisioneiro a reboque. Assim que chegamos a um muro de concreto, em um beco perpendicular, mantive minha arma em punho enquanto o operador de EOD revistava o prisioneiro.

Não encontrando armas, voltamos à equipe e, quando chegamos, entregamos o prisioneiro ao grupo designado. Em seguida, retomei meu papel de comandante da força terrestre, instruindo meu comandante encarregado dos veículos a mover um Humvee com sua metralhadora pesada de calibre .50 para uma posição em que pudéssemos repelir novos ataques da direção que os combatentes inimigos surgiram. Em seguida, pedi ao operador de rádio SEAL que se comunicasse com o Centro de Operações Táticas (TOC), a quilômetros, para mantê-lo informado e pedir que enviasse o suporte aéreo para nos ajudar.

Pela meia hora seguinte, os combatentes insurgentes tentaram nos manobrar e atiraram amiúde contra nós. Mas continuamos um passo à frente deles e repelimos seus ataques repetidamente. O homem que perseguimos não era nosso alvo. Ele foi detido para interrogatório, entregue a um centro de detenção e depois libertado.

Não encontramos nosso alvo naquela noite. O emir da Al-Qaeda no Iraque havia partido pouco antes de nossa chegada. Contudo, matamos um punhado de seus combatentes e coletamos informações valiosas sobre suas operações e organização. Embora a operação não tenha atingido seu objetivo, mostramos ao terrorista e seus comparsas que não havia áreas onde pudessem se esconder com segurança. Isso provavelmente o forçou (no curto prazo, pelo menos) a concentrar esforços na própria preservação em vez de planejar o próximo ataque. Nisso, tínhamos ajudado a proteger vidas norte-americanas, além das forças de segurança iraquianas e civis inocentes, o que era pelo menos um prêmio de consolação.

Para mim, o maior prêmio foram as lições de liderança aprendidas. Algumas eram simples, como reconhecer que, antes de qualquer operação de combate, era preciso fazer um estudo muito mais cuidadoso do mapa, para memorizar a planta básica e a área ao redor do alvo, para quando ele não estivesse acessível. Algumas lições foram formais, como estabelecer orientações claras para todos os operadores sobre o quão longe deveríamos perseguir os fujões sem nos coordenarmos com a equipe. Outras lições foram estratégicas: com o entendimento e a aplicação adequados das Leis do Combate, não só sobrevivemos a uma situação difícil e perigosa como assumimos o controle. Como toda uma geração de líderes de combate SEALs e eu aprenderíamos, as Leis do Combate se aplicam com igual eficácia a um intenso tiroteio, a situações muito menos dinâmicas ou de grande pressão. Elas me guiaram em meses de combate urbano em Ramadi, ao longo de minha carreira como oficial SEAL e muito mais.

Os mesmos princípios são o segredo do sucesso de qualquer equipe, no campo de batalha ou nos negócios — qualquer situação em que um grupo precise trabalhar junto para executar uma tarefa e cumprir uma missão. Quando aplicados a qualquer equipe ou empresa, o entendimento e a execução dessas Leis do Combate significam apenas isto: vitória.

LIDERANÇA: O QUE REALMENTE IMPORTA
Leif Babin e Jocko Willink

Este livro trata de liderança. Ele foi escrito para líderes de pequenas e grandes equipes; para homens e mulheres; para todos que desejam melhorar como pessoas. Embora contenha relatos extraordinários das operações de combate dos SEALs, este livro reúne as lições que aprendemos com nossas experiências e que podem ajudar outros líderes a serem vitoriosos. Se este for um guia útil para os líderes criarem, treinarem e coordenarem equipes vencedoras de alta performance, sua meta terá sido atingida.

Os infindos livros de liderança publicados se concentram em práticas individuais e traços de caráter. Também observamos que muitos programas de treinamento em liderança corporativa e empresas de consultoria de gestão fazem o mesmo. Mas sem uma equipe — um grupo de indivíduos trabalhando para cumprir uma missão — não há liderança. A única medida significativa do líder é se a equipe é bem-sucedida ou fracassa.

De todas as definições, descrições e caracterizações de líderes, há apenas duas que importam: eficaz e ineficaz. Líderes eficazes lideram equipes de sucesso que cumprem sua missão e vencem. Líderes ineficazes, não. Os princípios e conceitos descritos aqui, quando compreendidos e adotados, permitem a qualquer líder ser eficaz e dominar seu campo de batalha.

Todo líder ou equipe, em algum momento, depara-se com o fracasso e deve enfrentá-lo. Essa é outra parte importante deste livro. Não somos líderes infalíveis. Ninguém é, não importa quão experiente seja. Nem temos todas as respostas. Nenhum líder as tem. Cometemos erros. Frequentemente, nossos erros proporcionam as maiores lições, fazem-nos mais humildes e nos permitem crescer e melhorar. Para os líderes, a humildade de admitir os erros e desenvolver um plano para superá-los é essencial. Os melhores líderes não são movidos pelo ego ou por propósitos pessoais, mas estão simplesmente focados na missão e na melhor forma de cumpri-la.

Como líderes, vivenciamos o triunfo e a tragédia. A maior parte de nossas experiências de combate e as histórias contadas neste livro vem do que sempre será o destaque de nossos cargos militares: a Equipe Três SEAL, a Unidade de Tarefas Bruiser e nossa implantação histórica de combate em Ar Ramadi, Iraque, em 2006, no que ficou conhecido como a "Batalha de Ramadi". Jocko liderou a Bruiser como comandante da unidade de tarefas. Leif e seus SEALs do Pelotão Charlie, incluindo o sniper e point man Chris Kyle, o "Sniper Americano", e seus irmãos SEALs no Delta Platoon lutaram no que continua sendo uma das operações de combate urbano mais pesadas e sustentadas da história das equipes SEAL.

Os SEALs Bruiser desempenharam um papel integral na estratégia da Equipe de Brigada Ready First, da 1ª Divisão Blindada do Exército dos EUA: "Conquistar, Liberar, Manter e Construir", que libertou sistematicamente a cidade de Ramadi, devastada pela guerra e controlada por insurgentes, e reduziu radicalmente o nível de violência. Essas operações estabeleceram segurança na área mais perigosa e volátil do Iraque na época e as condições para o "Despertar de Anbar", um movimento que acabou virando o jogo para os EUA no Iraque.

Na primavera de 2006, quando a Unidade de Tarefas Bruiser chegou a Ramadi, a capital da província de Al Anbar, devastada pela guerra, era o epicentro mortal da insurgência iraquiana. Ramadi, uma cidade de 400 mil habitantes, era uma zona de guerra marcada por escombros e crateras — as cicatrizes da violência. Na época, as forças dos EUA controlavam apenas cerca de um terço da cidade. Uma insurgência brutal de inimigos bem armados e determinados controlava o resto. Todos os dias, bravos Soldados e Fuzileiros dos EUA ficavam feridos. O centro médico Camp Ramadi recebia um fluxo constante de feridos em estado grave ou mortos. Equipes cirúrgicas militares lutavam desesperadamente para salvar vidas. Um relatório de inteligência dos EUA vazou para a imprensa rotulando Ramadi e a província de Anbar como "caso perdido". Quase ninguém achava possível que as forças norte-americanas mudassem a situação e vencessem.

No verão e o outono de 2006, Jocko liderou a Unidade de Tarefas Bruiser para os esforços da Brigada Ready First, seus pelotões SEAL lutavam com os Soldados do Exército e os Fuzileiros para desocupar as áreas inimigas da cidade. Leif liderou os SEALs do Pelotão Charlie por dezenas de batalhas violentas e missões de vigia de atiradores altamente eficazes. O Pelotão Delta também travou inúmeras batalhas ferozes. Juntos, os SEALs da Unidade de Tarefas Bruiser — snipers, fuzileiros e atiradores de metralhadora — mataram centenas de inimigos e detiveram ataques contra soldados, fuzileiros dos EUA e forças de segurança iraquianas.

Os Bruiser SEALs lideravam as operações Ready First, como as primeiras tropas norte-americanas em terra nos bairros mais perigosos mantidos pelo inimigo. Protegemos edifícios, dominamos territórios e demos cobertura enquanto Soldados e Fuzileiros se deslocavam para áreas contestadas, e engenheiros de combate do Exército trabalhavam para construir e fortalecer postos avançados em território inimigo. Os Bruiser SEALs, os Soldados da Ready First e os Fuzileiros construíram um vínculo que será lembrado para sempre por quem serviu na época. Com sangue, suor e trabalho, a Equipe de Combate Ready First e a Unidade de Tarefas Bruiser cumpriram a missão. A insurgência foi expulsa da cidade, os xeiques tribais de Ramadi se uniram às forças norte-americanas e veio o Despertar de Anbar. Por fim, nos meses seguintes à partida da UT Bruiser, Ramadi foi estabilizada, e o nível de violência despencou de forma inimaginável.

Tragicamente, a Unidade de Tarefas Bruiser pagou um custo tremendo pelo sucesso dessas operações: oito SEALs foram feridos e três dos melhores guerreiros SEALs sacrificaram suas vidas. Marc Lee e Mike Monsoor foram mortos em ação. Ryan Job foi cegado pela bala de um sniper inimigo e morreu no hospital, enquanto se recuperava de uma cirurgia. Essas perdas foram devastadoras para nós. E, no entanto, eles foram apenas três dos quase cem norte-americanos mortos em ação que faziam parte da Equipe de Combate Ready First, perdas trágicas e incomensuráveis.

Apesar de quem duvidava e dos opositores, Ramadi foi vencida, a cidade se estabilizou, e a população foi salva. No início de 2007, os ataques inimigos caíram de uma média de quarenta por dia, durante grande parte de 2006, para um por semana e, depois, um por mês. Ramadi se tornou um modelo de estabilidade e uma das áreas mais seguras do Iraque, fora do norte historicamente estável, controlado pelos curdos, por anos depois.

Essas operações não apenas nos proporcionaram orgulho como também nos tornaram mais humildes: os aprendizados — tanto os bons quanto os ruins — foram vastos. A Batalha de Ramadi forneceu uma série de lições aprendidas, que pudemos absorver e transmitir. A maior delas foi o reconhecimento de que a liderança é o fator mais importante no campo de batalha, a maior razão por trás do sucesso de qualquer equipe. Por liderança, não nos referimos apenas aos comandantes seniores no topo, mas aos líderes de todos os níveis — os líderes seniores das equipes; líderes de equipes de combatentes, encarregados de quatro pessoas; os líderes de esquadrão encarregados de oito pessoas; e os oficiais subalternos que assumiram o comando e lideraram. Cada um deles teve um papel essencial no sucesso de nossa equipe. Tivemos a sorte de liderar um grupo tão incrível de SEALs que triunfaram nessa luta difícil.

Ao voltar para casa, assumimos papéis críticos como instrutores de liderança. Por anos, o treinamento de liderança do Navy SEAL consistiu inteiramente de OJT (treinamento no trabalho) e mentoria. O modo como um líder júnior era formado dependia da força, experiência e orientação do mentor. Alguns mentores eram excepcionais. Outros, nem tanto. Embora a orientação dos líderes certos seja crítica, esse método deixou algumas lacunas substanciais no conhecimento e na concepção da liderança. Ajudamos a mudar isso e desenvolvemos o currículo de treinamento de liderança para construir uma base sólida para todos os líderes SEALs.

Como oficial encarregado de todo o treinamento das equipes SEAL da Costa Oeste, Jocko guiou alguns dos treinamentos de combate mais realistas e desafiadores do mundo. Ele deu nova ênfase ao treinamento de líderes para tomada de decisões críticas e comunicação eficaz em situações de grande pressão, a fim de melhor prepará-los para o combate. Leif ministrou o Treinamento Junior SEAL, o programa básico de treinamento de liderança para todos os oficiais que se formaram no pipeline de treinamento SEAL. Lá, reformulou e aprimorou o treinamento para melhor estabelecer as bases críticas necessárias para que novos oficiais SEAL tenham sucesso em combate. Nessas funções, ajudamos a guiar uma nova geração de líderes SEALs que continuam a ter sucesso sem precedentes no campo de batalha, validando os princípios de liderança que ensinamos.

Alguns se perguntam como os princípios de liderança de combate SEAL se estendem do campo militar para liderar qualquer equipe, sob quaisquer circunstâncias. O combate é um reflexo da vida, só que amplificado e intensificado. As decisões têm consequências imediatas, e tudo — absolutamente tudo — está em jogo. A decisão certa, mesmo quando tudo parece perdido, arranca a vitória das garras da derrota. A decisão errada, mesmo quando a vitória parece certa, resulta em uma falha fatal e catastrófica. Nesse sentido, um líder de combate pode adquirir uma vida inteira de lições de liderança aprendidas em apenas algumas implantações.

Esperamos dissipar o mito de que a liderança militar é fácil porque os subordinados obedecem robótica e cegamente às ordens. Pelo contrário, os militares dos EUA são indivíduos inteligentes, criativos e de pensamento livre — seres humanos. Eles devem literalmente arriscar a vida para cumprir a missão. Por esse motivo, devem acreditar na causa pela qual lutam. Devem acreditar no plano a ser executado e, o mais importante, devem acreditar e confiar em seu líder. Isso está presente principalmente nas equipes SEAL, em que a inovação e a contribuição de todos (incluindo os mais jovens) são incentivadas.

A liderança em combate exige que uma equipe diversificada de pessoas em vários grupos execute missões complexas para alcançar objetivos estratégicos — algo que se relaciona diretamente com qualquer empresa ou organização. Os mesmos princípios que tornam os líderes de combate e as unidades SEAL tão eficazes no campo de batalha se aplicam ao mundo dos negócios com o mesmo sucesso.

Desde que saímos das equipes SEAL, trabalhamos com empresas de uma ampla gama de indústrias, dos setores financeiro, de energia, tecnologia e construção, aos setores de seguros, automóveis, varejo, manufatura, farmacêutico e serviços. Tendo treinado e trabalhado com um grande número de líderes e equipes de liderança da empresa, testemunhamos um impacto extraordinário no aumento da eficiência, produtividade e lucratividade que resulta quando esses princípios são entendidos e implementados.

Os conceitos de liderança e trabalho em equipe deste livro não são teorias abstratas, mas práticas e aplicáveis. Incentivamos os líderes a fazer o que acham que deveriam, mas não fazem. Ao não executar esses afazeres, falham como líderes e com suas equipes. Embora enraizados no senso comum e baseados na realidade prática, esses princípios exigem habilidade para ser implementados. Tais conceitos são *simples, mas não são fáceis**, e se aplicam a praticamente qualquer situação — a qualquer grupo, equipe, empresa ou indivíduo que busque melhorar o desempenho, a capacidade, a eficiência e o trabalho em equipe. Às vezes, são contraintuitivos e requerem esforço e treinamento específicos. Este livro fornece a orientação necessária para que qualquer pessoa aplique os princípios, com dedicação e disciplina, domine-os e se torne um líder eficaz.

ORGANIZAÇÃO E ESTRUTURA

As lições que aprendemos como líderes SEALs em anos de experiência são infindas. Neste livro, concentramos nossos esforços nos aspectos mais críticos: os alicerces fundamentais da liderança. O livro deriva seu título do princípio subjacente — a mentalidade — que fornece a base para todo o resto: a Responsabilidade Extrema. Os líderes devem conquistar tudo que for necessário. Não há a quem culpar.

Este livro está organizado em três partes — Parte I: "Vencendo a Batalha Interior"; Parte II: "As Leis do Combate" e Parte III: "Mantendo a Vitória". "Vencendo a Batalha Interior" desenvolve os alicerces fundamentais e a mentalidade necessária para liderar e vencer. "As Leis do Combate" abrange os quatro conceitos críticos (descritos) que permitem que uma equipe atue no mais alto nível e domine-o. Por fim, "Mantendo a Vitória" discute o equilíbrio mais matizado e difícil que os líderes devem ter para preservar a vantagem e manter a equipe operando no mais alto nível.

Cada capítulo foca um conceito de liderança diferente e único, embora intimamente relacionado. Dentro de cada capítulo, existem três seções. A primeira identifica uma lição de liderança aprendida por meio da experiência em combate ou treinamento SEAL. A segunda ex-

---

* "Simples, mas não fácil" [Simple, not easy] é uma frase do ex-lutador brasileiro de UFC e faixa-preta de jiu-jitsu Dean Lister, tricampeão mundial por finalização.

plica esse princípio de liderança. A terceira demonstra a aplicação do princípio ao mundo dos negócios, com base em nosso trabalho com uma infinidade de empresas, em uma ampla gama de setores.

Acreditamos nesses conceitos de liderança porque os vimos funcionar muitas vezes, tanto em combate quanto nos negócios. Sua aplicação e entendimento adequados garantem líderes eficazes e equipes de alto desempenho que produzem resultados extraordinários. Esses princípios permitem que essas equipes sejam capazes de dominar seus campos de batalha, ajudando os líderes a cumprir seu objetivo: *liderar e vencer.*

PARTE I
VENCENDO A BATALHA INTERIOR

O M1A2 Abrams, tanque de guerra do Exército dos EUA, da Força-Tarefa Bandit, visto por uma mira de sniper SEAL. A Força-Tarefa Bandit (1º Batalhão, 37º Regimento da 1ª Brigada, 1ª Divisão Blindada) era uma unidade extraordinária, com a qual os SEALs da Bruiser trabalhavam em estreita colaboração. Eles eram agressivos, profissionais e corajosos. As brechas, criadas por explosivos ou ferramentas manuais, permitiam que os snipers SEAL observassem e atacassem os combatentes, com ligeira proteção do fogo inimigo.

(Fotografia dos autores)

CAPÍTULO 1
Responsabilidade Extrema

Jocko Willink

DISTRITO DE MALA'AB, RAMADI, IRAQUE: A NÉVOA DA GUERRA

A luz da manhã era obscurecida por uma literal névoa de guerra que preenchia o ar: fuligem dos pneus que os insurgentes incendiaram nas ruas, nuvens de poeira levantadas da estrada por tanques e Humvees norte-americanos, e pó de concreto das paredes de edifícios pulverizados pelo fogo das metralhadoras. Quando nosso Humvee blindado dobrou a esquina e desceu a rua em direção ao tiroteio, vi um tanque M1A2 Abrams dos EUA no meio da estrada à frente, sua torre girando com a enorme arma principal mirando um prédio em alcance à queima-roupa. Pelo ar cheio de partículas, vi uma névoa de fumaça vermelha, claramente de uma granada que as forças norte-americanas usam como um sinal genérico para: "Ajuda!"

Minha mente estava acelerada. Aquela foi nossa primeira grande operação em Ramadi e tinha sido um caos total. Além da névoa literal da guerra, que impedia nossa visão, a "névoa da guerra" figurativa, atribuída ao estrategista militar prussiano Carl von Clausewitz*, caíra sobre nós, cheia de confusão, informações imprecisas, comunicação cortada e caos.

Para essa operação, tínhamos quatro destacamentos dos SEALs espalhados por vários setores daquela cidade violenta, devastada pela guerra: dois de snipers SEAL, com snipers do Exército dos EUA e um contingente de soldados iraquianos, e um SEAL infiltrado entre os soldados iraquianos e seus assessores de combate ao Exército dos EUA, encarregados de limpar um prédio inteiro. Por fim, meu conselheiro sênior SEAL (um oficial não comissionado) e eu dirigimos com um dos comandantes da companhia do Exército. No total, cerca de trezentas tropas norte-americanas e iraquianas — forças amigas — operavam naquele bairro perigoso e muito disputado do leste de Ramadi, o distrito de Mala'ab. Todo o lugar estava cheio de *muj*, como as forças norte-americanas os chamavam. Os combatentes insurgentes inimigos se denominavam *mujahideen*, termo em árabe para "os envolvidos no jihad", que abreviamos por conveniência. Eles representavam uma versão cruel e militante do Islã, e eram astutos, bárbaros e letais. Por anos, Mala'ab permaneceu em suas mãos. Agora, as forças norte-americanas pretendiam mudar isso.

A operação começara antes do amanhecer, e, com o sol surgindo no horizonte, todos estavam atirando. A miríade de redes de rádio usadas pelas unidades terrestres e aéreas dos EUA explodiu com as conversas e relatórios recebidos. Detalhes de tropas dos EUA e do Iraque feridas ou mortas chegavam de diferentes setores. Em seguida, de combatentes inimigos mortos. Os destacamentos dos EUA tentavam decifrar o que acontecia com outras unidades dos EUA e do Iraque em setores adjacentes. As equipes dos Fuzileiros Navais da ANGLICO (unidade

---

* "A guerra é o reino da incerteza." *Da Guerra*, de Carl von Clausewitz (1780–1831), general prussiano e teórico militar. O termo "névoa da guerra" nunca foi usado por ele.

aérea de apoio e ligação ao fogo) se coordenaram com as aeronaves de ataque norte-americanas em uma investida para lançar bombas em posições inimigas.

Poucas horas após a operação, meus dois destacamentos de snipers SEAL foram atacados e se meteram em tiroteios tensos. Quando o destacamento dos soldados iraquianos, os Soldados do Exército dos EUA e nossos SEALs limparam os edifícios do setor, encontraram forte resistência. Dezenas de combatentes insurgentes travaram ataques violentos com PKC*, foguetes mortais de ombro RPG-7 e AK-47 de disparo automático.

Enquanto monitorávamos o rádio, ouvimos os assessores dos EUA com um dos destacamentos do exército iraquiano antes de os outros relatarem o tiroteio agressivo, então solicitamos ajuda à QRF (força de reação rápida). Aquela QRF, em particular, era formada por quatro Humvees blindados, cada um munido de uma pesada metralhadora M2 calibre .50 e uma penca de Soldados dos EUA para prestar assistência. Minutos depois, pela rede de rádio, uma das minhas equipes de snipers SEAL pediu "QRF pesado", uma seção (leia-se duas) de tanques de guerra dos EUA M1A2 Abrams que carregavam um arsenal de armas simples de 120mm e metralhadoras. Isso significava que meus SEALs estavam afundados na dor e precisavam de uma ajuda contundente. Pedi ao comandante do Exército dos EUA para seguirmos os tanques, e ele o fez.

Nosso Humvee parou logo atrás de um dos tanques Abrams, sua enorme arma apontada para um prédio, pronta para atacar. Empurrando a pesada porta blindada do veículo em que eu estava, saí. Soube que havia algo errado.

---

* PK de Pulemet Kalashnikova, uma metralhadora média alimentada por cinto, feita na Rússia, que dispara um cartucho mortal de 7,62x54R (7,62mmx54mm de aro), em cintos de cem (ou mais). As PKM/PKS são variações comuns. As forças armadas dos EUA no Iraque usavam a designação "PKC", com a grafia cirílica: "PKS".

Corri para um sargento da Marinha ANGLICO e lhe perguntei: "O que tá pegando?"

"Merda!", gritou agitado. "Tem uns *mujs* naquele prédio ali, lutando firme!" Ele indicou o prédio do outro lado da rua, para onde a arma apontava. Ficou claro que ele achava que aqueles *mujs* eram linha-dura. "Eles mataram um dos nossos soldados iraquianos quando entramos no prédio e feriram mais alguns. Estamos tocando o terror, vamos lançar umas bombas agora." Ele coordenava um ataque aéreo com aeronaves dos EUA para detonar os inimigos escondidos no prédio.

Olhei em volta. O prédio para o qual ele apontou estava cheio de buracos de bala. Os QRF Humvees tinham dado mais de 150 tiros com uma metralhadora pesada de calibre .50 e muitos outros de seus rifles e metralhadoras leves, de calibres menores. Agora, a enorme arma do Abrams apontava para o prédio, preparada para transformá-lo em escombros e matar todos os que estivessem dentro dele. Se isso não funcionasse, as bombas já estavam a postos.

Mas algo não saiu como o planejado. Estávamos quase no local onde uma das nossas equipes de snipers SEAL deveria estar. A equipe havia se mudado do local que planejava usar para um novo prédio quando os tiros começaram. No caos, eles não conseguiram relatar sua localização exata, mas eu sabia que estariam nos arredores do prédio para onde as armas da Marinha tinham acabado de apontar. O que dera errado foi que os soldados iraquianos e seus conselheiros norte-americanos não deveriam ter chegado tão cedo. Nenhuma outra força amiga deveria ter entrado naquele setor até estarmos preparados — ter determinado a posição exata de nossa equipe de snipers SEAL e passado as informações para as outras unidades associadas à operação. Mas, por alguma razão, havia dezenas de soldados iraquianos e seus assessores de combate do Exército e da Marinha dos EUA na área. Não fazia sentido.

"Pegue o que conseguir, parceiro. Vou dar uma olhada", falei, apontando para o prédio do qual ele coordenava o ataque aéreo. Ele olhou para mim como se eu fosse completamente louco. Seus Fuzileiros Navais e um pelotão completo de soldados iraquianos travaram um tiroteio violento com os combatentes inimigos naquele prédio, e não podíamos desalojá-los. Quem quer que fossem, haviam lutado muito. Na mente do artilheiro, chegarmos perto daquele lugar era suicídio. Assenti com a cabeça para o meu SEAL sênior, que assentiu de volta, e atravessamos a rua em direção à casa infestada de inimigos. Como a maioria das casas no Iraque, tinha um muro de concreto de 2,5m. Nós nos aproximamos da porta do complexo, que estava só encostada. Com meu rifle M4 pronto, chutei a porta e, do outro lado, um dos meus chefes do pelotão SEAL me encarava. Ele ficou surpreso.

"O que aconteceu?", perguntei.

"Uns *mujs* entraram no complexo. Atiramos em um deles e eles atacaram, sem dó nem piedade. Eles trouxeram isso." Lembrei-me do que o sargento acabara de me dizer: um dos soldados iraquianos foi baleado quando ele entrou no complexo.

Naquele momento, tudo ficou claro. No caos e na confusão, de alguma forma, um destacamento desonesto de soldados iraquianos avançara além de seu espaço de confinamento para invadir o prédio ocupado por nossa equipe de snipers SEAL. Na escuridão da manhã, nosso sniper SEAL viu a silhueta de um homem armado com um AK-47 rastejando em seu complexo. Embora não se soubesse da presença de associados nas proximidades, havia muitos combatentes inimigos declarados. Sabendo disso, nossos SEALs entraram em combate com o homem com a AK-47, pensando que estavam sob ataque. Foi aí que o inferno veio à tona.

Quando os tiros irromperam da casa, os soldados iraquianos, fora do complexo, devolveram o fogo e recuaram para trás das paredes de concreto do outro lado da rua e dos prédios vizinhos. Eles chamaram reforços, e as tropas dos Fuzileiros Navais e do Exército dos EUA responderam com uma saraivada violenta de tiros na casa que supunham estar ocupada por combatentes inimigos. Enquanto isso, dentro da casa, nossos SEALs estavam presos, incapazes de identificar que eram *aliados* atirando neles. Tudo o que podiam fazer era devolver o fogo da melhor maneira possível e manter a luta para evitar a invasão por quem acreditavam ser combatentes inimigos. A equipe da ANGLICO chegara muito perto de dirigir ataques aéreos à casa onde nossos SEALs estavam escondidos. Quando a metralhadora calibre .50 se preparou, nosso sniper SEAL dentro do prédio, pensando que estavam sob forte ataque inimigo, convocou os pesados tanques QRF Abrams de apoio. Foi quando entrei em cena.

Dentro do complexo, o chefe SEAL olhou para mim, um pouco confuso. Sem dúvida, ele se perguntou como eu tinha acabado de atravessar o infernal ataque inimigo para chegar ao prédio.

"Foi *blue-on-blue*" [azul contra azul], disse a ele. No jargão militar norte-americano, significava que era fogo amigo — fratricídio —, a pior coisa que poderia acontecer. Ser morto ou ferido pelo inimigo em batalha já era bastante ruim. Mas ser acidentalmente morto ou ferido por fogo amigo, porque alguém tinha cometido um erro, era a sina mais cruel. Também era uma realidade. Eu tinha ouvido a história do Pelotão de Raios-X da Equipe Um SEAL no Vietnã. Os esquadrões se separaram em uma patrulha noturna pela selva, perderam o rumo e, quando se chocaram novamente na escuridão, confundiram-se com o inimigo e abriram fogo. Um feroz tiroteio se seguiu, deixando um dos seus mortos e vários feridos. Esse foi o último pelotão de Raios-X das equipes SEAL. A partir de então, o nome foi banido. Foi uma maldição — e uma lição. Fogo amigo era completamente inaceitável nas equipes SEAL. E, agora, isso acabara de acontecer conosco — na minha unidade de tarefas SEAL.

"Quê?", perguntou o chefe SEAL, com total descrença.

"Foi *blue-on-blue*", falei de novo, com calma e objetividade. Não havia tempo para debater ou discutir. Havia bandidos por aí, e, enquanto conversávamos, tiros esporádicos eram ouvidos por toda parte, enquanto outros destacamentos atacavam insurgentes nas proximidades. "Agora, o que você tem aí?", perguntei, para saber sua condição e a de seus homens.

"Um SEAL levou uma granada no rosto, nada grave. Mas todo mundo tá chocado. Vamos tirá-los daqui", respondeu o chefe.

Um veículo blindado de transporte de pessoal (APC)* tinha chegado com o pesado QRF e estava parado à nossa frente. "Tem uma APC aqui em frente. Coloque seu pessoal lá", falei.

"Roger", disse o chefe.

O chefe SEAL, um dos melhores líderes táticos que conheci, rapidamente levou o resto de seus SEALs e outros soldados até a entrada. Eles estavam mais agitados do que qualquer outro ser humano que já vi. Tendo assistido a tiros devastadores de metralhadoras de calibre .50 perfurando as paredes ao redor deles, encararam a morte de frente e achavam que não sobreviveriam. Mas logo se reuniram, embarcaram na APC e partiram para a base operacional dos EUA — exceto o chefe SEAL. Com sangue nos olhos, pronto para outra, ele ficou comigo, inabalável com o que havia acontecido e pronto para o que desse e viesse.

Voltei aos snipers da ANGLICO. "O prédio tá limpo", falei.

"Entendido, senhor", respondeu, parecendo surpreso ao relatar rapidamente pelo rádio.

"Onde está o capitão?", perguntei, procurando o comandante do Exército dos EUA.

"Lá em cima, aqui", respondeu indicando o prédio em frente.

---

* O M113 é um veículo blindado rastreado por tanque, que foi usado pela primeira vez pelas forças dos EUA no Vietnã, empregado no Iraque para transporte de tropas e evacuação de vítimas. Com uma equipe de dois ou três, transporta até dez pessoas.

Subi as escadas e encontrei o comandante abaixado no telhado do prédio. "Todos estão bem?", perguntou.

"Foi fogo amigo", respondi sem rodeios.

"Quê?", perguntou, atordoado.

"Foi fogo amigo", repeti. "Um soldado iraquiano KIA*, mais alguns feridos. Um dos meus caras foi ferido, seu rosto está desfigurado. Por um milagre, todos estão bem."

"Roger", falou, atordoado e decepcionado com o que acontecera. Sem dúvida, como grande líder que era, ele se sentiu responsável. Mas, nesse caótico campo de batalha urbano, meses ao lado de soldados iraquianos, ele sabia como era fácil que algo do tipo acontecesse.

Contudo, ainda tínhamos trabalho a fazer e tivemos que continuar. A operação continuou. Realizamos mais duas missões consecutivas, limpamos uma grande parte do distrito de Mala'ab e matamos dezenas de insurgentes. O resto da missão foi um sucesso.

Mas isso não importava. Eu me sentia mal. Um dos meus homens fora ferido. Um soldado iraquiano estava morto e outros ficaram feridos. Foi nossa responsabilidade, e aconteceu sob meu comando.

Quando concluímos a última missão do dia, fui ao centro de operações táticas do batalhão, onde meu computador de campo estava configurado para receber e-mails da sede. Eu temia abri-los e responder às perguntas inevitáveis sobre o que havia acontecido. Eu preferia ter morrido no campo de batalha. Sentia que era o que eu merecia.

Minha caixa de entrada estava cheia. A notícia de que abrimos fogo amigo se espalhara rapidamente. Abri um e-mail do meu comandante (CO) que foi direto ao ponto. Dizia: "DEBANDE. NÃO CONDUZA MAIS OPERAÇÕES. OFICIAL DE INVESTIGAÇÃO, CHEFE-MESTRE E EU ESTAMOS A CAMINHO." Como tipicamente acontece com aci-

---

* Significa que ele "morreu no ato", do original, *killed in action*.

dentes na Marinha, o CO nomeou um oficial de investigação para elucidar os fatos e determinar quem fora o responsável.

Outro e-mail, de um antigo chefe destacado em outra cidade do Iraque, mas a par do que acontecia em Ramadi, lançou: "Ouvi dizer que você abriu fogo amigo. Que merda foi essa?" Todas as coisas boas que fiz e a sólida reputação que tanto lutei para conquistar em minha carreira de SEAL eram insignificantes. Apesar das muitas operações bem-sucedidas de combate que liderei, eu era o comandante de uma unidade que cometera o pecado mortal dos SEALs.

Um dia se passou enquanto eu esperava a chegada do oficial de investigação, nosso CO e chefe de comando (CMC), o veterano alistado SEAL no comando. Enquanto isso, eles me orientaram a preparar um breve detalhamento do ocorrido. Eu sabia o que isso significava. Eles queriam alguém para culpar e, provavelmente, para "liberar" — o eufemismo militar para demitir.

Frustrado, zangado e desapontado com o desenrolar da situação, comecei a coletar informações. Conforme analisamos, ficou claro que muitas pessoas cometeram erros graves tanto na fase de planejamento quanto no campo de batalha, durante a execução. Os planos foram alterados, mas as notificações não foram enviadas. O plano de comunicação era ambíguo, e a confusão sobre o tempo dos procedimentos de rádio contribuiu para falhas críticas. O exército iraquiano adaptou seu plano, mas não nos contou. Os cronogramas foram enviados sem esclarecimentos. A localização das forças amigas não fora relatada. A lista continuava sem parar.

Dentro da Unidade de Tarefas Bruiser — minha própria tropa SEAL — erros semelhantes foram cometidos. A localização específica da equipe de snipers não havia sido repassada a outras unidades. A identificação positiva do suposto combatente inimigo, que na verdade era um soldado iraquiano, fora insuficiente. O SITREP (relatório de situação) completo não havia sido passado para mim após o início da investida.

A lista de erros foi substancial. Conforme orientado, montei uma breve apresentação de PowerPoint com cronogramas e representações dos movimentos de unidades amigas em um mapa da área. Depois, listei tudo o que todos haviam feito de errado.

Foi uma explicação completa do que havia acontecido. Descreveu os fracassos críticos que transformaram a missão em um pesadelo e custaram a vida de um soldado iraquiano e feriram vários outros; mas, por um verdadeiro milagre, a vida de nossos SEALs foi poupada.

Mas algo estava faltando. Houve um problema, uma peça que eu não havia identificado, que me fazia sentir que a verdade ainda estava nebulosa. Quem era o culpado?

Revi meus resumos infinitas vezes, buscando a peça que faltava, o único ponto de falha que levara ao incidente. Mas havia muitos fatores, e eu não conseguia descobrir qual era o vital.

Finalmente, o CO, o CMC e o oficial de investigação chegaram à base. Eles largaram o equipamento, pegaram um pouco de comida no refeitório e, então, nós nos reunimos para relatar o evento.

Examinei minhas anotações novamente, procurando o culpado.

Então a ficha caiu.

Apesar de todos os fracassos de indivíduos, unidades e líderes, e apesar dos inúmeros erros cometidos, havia apenas uma pessoa a quem culpar por tudo que havia saído errado na operação: eu. Eu não estava com nossa equipe de snipers quando atacaram o soldado iraquiano. Eu não estava controlando o destacamento desonesto dos iraquianos que entraram no complexo. Mas isso não importava. Como comandante da unidade de tarefas SEAL, o líder sênior no terreno encarregado da missão, eu era responsável por tudo na Unidade de Tarefas Bruiser. Eu tive que assumir completamente o que dera errado. É isso que um líder faz

— mesmo que isso represente demissão. Se alguém deveria ser culpado e demitido pelo que aconteceu, que fosse eu.

Minutos depois, entrei no pelotão, onde todos estavam reunidos para o interrogatório. O silêncio foi ensurdecedor. O CO estava na primeira fila. O CMC, ameaçadoramente atrás. O SEAL que fora ferido — atingido por uma bala de calibre .50 — estava lá, com o rosto enfaixado.

Fiquei diante do grupo. "De quem foi a culpa?", perguntei à sala cheia de parceiros de equipe.

Após um momento de silêncio, o SEAL que atingira por engano o soldado iraquiano falou: "Foi minha culpa. Eu deveria ter identificado meu alvo."

"Não", respondi. "A culpa não foi sua. De quem foi a culpa?", perguntei ao grupo novamente.

"Foi minha culpa", disse o radialista do destacamento sniper. "Eu deveria ter passado nossa posição antes."

"Errado", respondi. "A culpa não foi sua. De quem foi a culpa?", voltei a perguntar.

"Foi minha culpa", disse outro SEAL, assessor de combate da equipe de liberação do exército iraquiano. "Eu deveria ter controlado os iraquianos e garantido que permanecessem em seu setor."

"Negativo", falei. "Você não tem culpa." Mais dos meus SEALs estavam prontos para explicar o que haviam feito de errado e como isso contribuíra para o fracasso. Mas eu já tinha ouvido o suficiente.

"Sabem de quem é a culpa? Sabem quem é o culpado por isso?" O grupo inteiro ficou sentado em silêncio, incluindo o CO, o CMC e o investigador. Sem dúvida, eles estavam se perguntando quem eu consideraria responsável. Por fim, respirei fundo e disse: "Só há uma pessoa para culpar por isso: a mim. Eu sou o comandante. Sou responsável por toda a operação. Como homem sênior, sou responsável por todas as ações que ocorrem no campo de batalha. Não há ninguém para culpar além de mim. E lhes digo agora: garanto que nada disso acontecerá conosco de novo."

Era um fardo pesado de suportar. Mas era absolutamente verdade. Eu era o líder. Eu estava no comando e era o responsável. Assim, tive que assumir tudo que dera errado. Apesar do tremendo golpe na minha reputação e no meu ego, era a coisa certa a fazer — a única coisa a fazer. Pedi desculpas ao SEAL ferido, explicando que foi minha culpa ele ter sido ferido e que todos tivemos sorte de ele não estar morto. Em seguida, revisamos toda a operação, parte por parte, identificando tudo o que aconteceu e o que poderíamos fazer para impedir que algo do tipo se repetisse.

Em retrospectiva, fica claro que, apesar do que aconteceu, eu ter assumido a responsabilidade pela situação aumentou a confiança que meu comandante e chefe máximo tinham em mim. Se eu ousasse repassar a culpa para os outros, suspeito que teria sido demitido — merecidamente. Os SEALs da tropa, que não esperavam que eu assumisse a culpa, respeitaram minha postura. Eles sabiam que era uma situação dinâmica, causada por uma infinidade de fatores, mas eu dominava todos eles.

Os comandantes tradicionais do Exército e da Marinha dos EUA entenderam os pontos do interrogatório como lições e seguiram em frente. Tendo lutado em Ramadi por um longo período, entendiam algo que os SEALs não entendiam: fogo amigo era um risco que precisava ser mitigado ao máximo em um ambiente urbano, mas que não podia ser eliminado. Tratava-se de um combate urbano, o mais complexo e árduo de todas as guerras, e era simplesmente impossível realizar operações completamente livres desse risco. Mas, para os SEALs acostumados a trabalhar em pequenos grupos contra alvos pontuais, o fratricídio estava fora de questão.

Um oficial SEAL sênior altamente respeitado, que antes de ingressar na Marinha fora comandante de pelotão dos EUA no Vietnã, na histórica Batalha de Hué, visitou nossa unidade de tarefas logo após o incidente. Ele disse que muitas das vítimas dos Fuzileiros Navais em Hué eram oriundas de fogo amigo, parte da realidade brutal do combate urbano. Ele entendeu o que havíamos vivido e sabia como era fácil de acontecer.

Mas, embora o fogo amigo seja provável, até esperado, em um ambiente como Ramadi, prometemos que nunca se repetiria. Analisamos o que havia acontecido e implementamos as lições aprendidas. Revisamos nossos procedimentos operacionais padrão e nossa metodologia de planejamento para melhor mitigar os riscos. Como resultado desse trágico incidente, sem dúvida, salvamos vidas no futuro. Embora tivéssemos sido enquadrados em outros momentos por destacamentos aliados durante o restante da implantação, nunca deixamos que passasse disso e, em todas as situações, conseguimos recuperar o controle rapidamente.

No entanto, a prevenção tática do fratricídio foi apenas parte do que aprendi. Quando voltei para casa, após a implementação, assumi o Treinamento do Destacamento Um, que gerenciava todo o treinamento dos pelotões e unidades de tarefas do SEAL da Costa Oeste, como preparação para o combate. Criei cenários propícios para o fogo amigo para que nós, do quadro de treinamento, pudéssemos explicar como evitá-lo.

Mais importante, porém, foi que os comandantes em treinamento puderam aprender o que aprendi sobre liderança. Enquanto alguns comandantes assumiam a total responsabilidade pelo fogo amigo, outros culpavam seus subordinados por incidentes simulados de fratricidas no treinamento. Esses comandantes mais fracos recebiam uma explicação contundente sobre o peso do comando e o profundo significado da responsabilidade: o líder é verdadeiramente e, em última instância, responsável por *tudo*.

Isso é Responsabilidade Extrema, a alma de um líder eficaz de equipes SEAL e de qualquer empreitada de liderança.

PRINCÍPIO

Em qualquer equipe e organização, toda a responsabilidade pelo sucesso e pelo fracasso recai sobre o líder. *O líder deve dominar tudo em seu mundo.* Não há mais ninguém a quem culpar. O líder deve reconhecer erros e admitir falhas, assumi-las e desenvolver um plano para vencer.

Os melhores líderes não só assumem a responsabilidade por seu trabalho, mas a Responsabilidade Extrema por tudo o que afeta sua missão. Esse conceito básico permite aos líderes SEAL liderar equipes de alto desempenho em circunstâncias extremas e vencer. No entanto, o princípio da Responsabilidade Extrema não se limita ao campo de batalha. É a principal característica de qualquer equipe vencedora de alto desempenho, em qualquer unidade militar, empresa, time ou área de qualquer setor.

Quando os subordinados não fazem o que deveriam, um líder que exerce a Responsabilidade Extrema não pode culpá-los. Ele deve primeiro se olhar no espelho. O líder é totalmente responsável por explicar a missão estratégica, desenvolver as táticas e garantir o treinamento e os recursos que permitam à equipe operar corretamente e com êxito.

Se um membro não estiver no nível exigido para que a equipe tenha sucesso, o líder deve treiná-lo e orientá-lo. Porém, se o baixo desempenho não atender aos padrões, um líder que exerce a Responsabilidade Extrema deve ser leal à equipe e à missão, acima de qualquer indivíduo. Se o baixo desempenho não melhorar, o líder deve tomar a árdua decisão de demiti-lo e contratar quem faça melhor o trabalho. O controle é do líder.

Enquanto indivíduos, geralmente atribuímos o sucesso alheio à sorte ou às circunstâncias, e justificamos nossas falhas e as de nossa equipe. Justificamos nosso baixo desempenho com azar, circunstâncias de força maior ou subordinados com baixo desempenho — qualquer coisa, menos nós mesmos. É difícil de aceitar a total responsabilidade pelo fracasso, e assumir as rédeas quando as coisas dão errado exige humildade e coragem extraordinárias. Mas isso é necessário ao aprendizado, crescimento como líder e melhora do desempenho da equipe.

A Responsabilidade Extrema exige que os líderes analisem os problemas de forma objetiva, sem apegos emocionais a interesses ou planos. Exige que um líder deixe o ego de lado, aceite a culpa pelas falhas, corrija as fraquezas e se dedique a construir uma equipe melhor e mais eficaz. No entanto, esse líder não leva os créditos pelos sucessos da equipe, mas concede essa honra a seus membros. Quando um líder dá esse exemplo e espera o mesmo dos líderes juniores da equipe, a mentalidade adentra todos os níveis da cultura da equipe. Com base na Responsabilidade Extrema, os líderes juniores se encarregam de suas equipes, menores, e de sua parte da missão. A eficiência e a eficácia aumentam exponencialmente, e o resultado é uma equipe vencedora de alto desempenho.

APLICAÇÃO NO MUNDO DOS NEGÓCIOS

O plano do vice-presidente era bom no papel. O conselho administrativo o aprovara no ano anterior e achava que poderia reduzir os custos de produção. Mas ele não estava funcionando. E o conselho queria descobrir o porquê. De quem era a culpa? Quem era o responsável pelo fracasso?

Fui contratado pela empresa para ministrar orientações de liderança e treinamento executivo ao vice-presidente de fabricação (VP) da empresa. Embora fosse seguro e experiente em seu setor, não cumpriu as metas de fabricação estabelecidas pelo conselho. Seu plano incluía o seguinte: consolidar as fábricas para eliminar a redundância, aumentar a produtividade do trabalhador por meio de um programa de bônus de incentivo e agilizar o processo de fabricação.

O problema surgiu na execução do plano. Em cada reunião trimestral, o VP apresentava uma infinidade de desculpas para explicar por que executara tão pouco do plano. Um ano depois, o conselho se perguntou se ele poderia efetivamente liderar tal mudança. Com pouco progresso mostrado, seu emprego estava em risco.

Entrei na jogada duas semanas antes da reunião do conselho. Após conversar por horas com o CEO para entender a situação, fui apresentado ao vice-presidente de fabricação. Minha primeira impressão foi positiva. O VP era extremamente inteligente e entendia do negócio. Mas será que seria receptivo ao aconselhamento?

"Então, você está aqui para me ajudar, certo?", perguntou o VP.

Sabendo que, devido ao ego, algumas pessoas se irritam com a ideia de receber críticas e treinamento, não importa quão construtivas sejam, adotei uma abordagem indireta.

"Não exatamente para ajudá-lo, mas para colaborar com a situação", respondi, a fim de baixar a guarda do VP.

Nas semanas que antecederam a reunião, pesquisei e avaliei os motivos para o plano do VP ter falhado e o que dera errado, e conversei com ele sobre os problemas encontrados na execução do plano. Ele explicou que a consolidação das fábricas falhara porque seus gerentes de distribuição temiam que a maior distância entre as fábricas e os centros de distribuição impedisse a interação cara a cara com a equipe de fabricação e reduzisse sua capacidade de ajustar as especificações dos pedidos. Eles supuseram que também inibiria sua capacidade de atender às entregas urgentes. O VP considerava essas preocupações equivocadas. Caso houvesse a necessidade de ajustar os pedidos ou personalizá-los, uma teleconferência ou algo parecido bastaria.

O VP também explicou por que o esquema de bônus de incentivo não fora implementado. A cada vez que os gerentes de fábrica e outros líderes importantes recebiam o plano de lançamento, recuavam com preocupações: os funcionários não geravam dinheiro suficiente; partiriam para empregos com salários-base mais altos, que não exigissem padrões mínimos; os recrutadores capitalizariam a mudança e acabariam afastando os trabalhadores qualificados. Quando o VP pressionou os gerentes de manufatura, eles se uniram aos gerentes de vendas. Os grupos se opuseram ao plano do VP, alegando que o chamariz para os negócios era a reputação da empresa, e essa mudança a colocaria em risco.

Por fim, quando se tratava do plano do VP de simplificar o processo de fabricação, a resposta endossava o clássico mantra antimudança: "Sempre fizemos assim" ou "Se não está quebrado, não conserte".

"O que o conselho pensa sobre essas questões?", perguntei enquanto discutíamos sobre a próxima reunião anual do conselho.

"Eles escutam, mas não acho que realmente as entendam. E eles estão ouvindo os mesmos pontos há um tempo, então acho que estão ficando frustrados. Não sei mais no que eles acreditam. Tudo parece…"

"Desculpas?", terminei a frase para o vice-presidente, sabendo que a palavra em si fora um grande golpe em seu ego.

"Sim. Sim, elas parecem desculpas. Mas são reais e legítimas", insistiu o vice-presidente.

"Pode haver outros motivos para o fracasso do plano?", perguntei.

"Sem dúvida", respondeu o VP. "O mercado não dá trégua. Os novos avanços tecnológicos precisaram de tempo. Todos se dedicaram a produtos que não deram grandes retornos. Então, sim, há vários outros."

"Tudo isso conta. Mas há um motivo mais importante para o plano ter falhado", falei.

"Qual motivo?", perguntou o VP interessado.

Parei por um momento, pensando se ele estava pronto para o que eu tinha a dizer. O impacto seria desconfortável, mas não havia como evitar. Eu disse claramente: "Você. Você é o motivo."

O vice-presidente ficou surpreso, depois na defensiva. "Eu?", protestou. "O plano é meu! Insisti nele várias vezes. Não é minha culpa que eles não o executem!"

Escutei com paciência.

"Os gerentes de fábrica, as equipes de distribuição e vendas não apoiam o plano", continuou. "Então, como vou executá-lo? Não fico lá fora no campo com eles. Não posso fazê-los me ouvir." As declarações do VP foram ficando menos enfáticas. Ele logo percebeu o que fazia: estava dando desculpas.

Expliquei que a responsabilidade direta de um líder incluía fazer as pessoas ouvirem, apoiarem e executarem planos. Para esclarecer, falei: "Você não pode *forçar* as pessoas a ouvi-lo. Não pode *forçá-las* a executar. Essa é uma solução temporária para uma tarefa simples. Para implementar mudanças reais, fazer as pessoas realizarem algo realmente complexo, difícil ou perigoso — você não pode *forçá-las* a fazer essas coisas. Precisa *liderá-las*."

"Eu as liderei", protestou o VP. "Elas simplesmente não o executaram."

Mas ele não as liderou; pelo menos, não de forma efetiva. A prova era clara: ele não teve sucesso na implementação do plano.

"Quando eu comandava um pelotão ou uma unidade de tarefas SEAL conduzindo operações de combate, você acha que todas as operações que liderei foram um sucesso?", perguntei.

Ele meneou a cabeça. "Não."

"Absolutamente, não", concordei. "Claro, liderei muitas operações que se saíram bem e cumprimos a missão. Mas nem sempre. Fui encarregado de operações que deram terrivelmente errado por vários motivos: ignorância, decisões ruins de liderança, erros de snipers, unidades de coordenação que não seguiram o plano. A lista segue. O combate é uma situação perigosa, complexa e dinâmica, onde tudo pode acontecer a qualquer momento, com consequências de vida e morte. Não há como controlar todas as decisões, pessoas e eventos que acontecem por aí. É simplesmente impossível. Mas me deixe dizer uma coisa: quando as coisas davam errado, sabe a quem eu responsabilizava?", perguntei, parando um pouco para que a ficha caísse. "A mim", falei. "Eu culpava a mim."

Continuei: "Como comandante, tudo o que acontecia no campo de batalha era de minha responsabilidade. Tudo. Se uma unidade de apoio não fizesse o que precisávamos, eu não havia fornecido instruções claras. Se uma das metralhadoras atingisse alvos fora do campo de fogo, eu não tinha lhe explicado com clareza onde estava seu campo de fogo. Se o inimigo nos surpreendesse e atingisse de locais não esperados, eu não tinha pensado em todas as possibilidades. Não importa o que acontecesse, eu nunca poderia culpar outras pessoas quando uma missão dava errado."

O VP ponderou. Após um silêncio em reflexão, respondeu: "Sempre achei que era um bom líder. Sempre estive em posições de liderança."

"Este é um dos problemas: na sua mente, você está fazendo tudo certo. Então, quando as coisas dão errado, em vez de olhar para si mesmo, culpa os outros. Mas ninguém é infalível. Com a Responsabilidade Extrema, você tira o ego e os interesses pessoais do caminho. A missão é o foco. Como você pode fazer com que sua equipe execute o plano de maneira eficaz, para cumprir a missão?", continuei. "Essa é a pergunta que deve se fazer. É disso que se trata a Responsabilidade Extrema."

O VP concordou, começando a entender o conceito e a ver sua eficácia.

"Você acha que todos os seus funcionários são descaradamente desobedientes?", perguntei.

"Não", disse o vice-presidente.

"Se fosse isso, eles precisariam ser demitidos. Mas esta não parece ser a situação aqui", continuei. "Seu pessoal não precisa ser demitido. Precisa ser liderado."

"Então, o que estou fazendo de errado como líder?", perguntou o vice-presidente. "Como posso liderá-los?"

"Tudo começa com você", falei. "Você deve assumir toda a responsabilidade pela falha na implementação do seu novo plano. Você é o culpado. E é exatamente isso que precisa dizer ao conselho."

"Dizer isso ao conselho? É sério?", perguntou o VP, incrédulo. "Não me importo de assumir minha parcela de culpa, mas a culpa não é toda minha." Apesar de ter começado a ver a luz, ele ainda resistia à ideia de assumir a responsabilidade total.

"Para executar esse plano, para se tornar um líder eficaz, é preciso perceber e aceitar a responsabilidade total", falei. "Você precisa dominá-la."

O vice-presidente ainda não estava convencido.

"Se um de seus gerentes de fabricação fosse até você e dissesse: 'Minha equipe está fracassando', qual seria sua resposta? Você culparia a equipe?", perguntei.

"Não", admitiu o vice-presidente.

Expliquei que, como oficial encarregado do treinamento das equipes SEAL da Costa Oeste, submetemos as unidades SEAL a cenários altamente árduos para prepará-las para o combate no Iraque e no Afeganistão. Quando os líderes SEAL eram colocados em situações de treinamento nos piores cenários, quase sempre eram as atitudes dos líderes que determinavam se suas unidades SEAL teriam sucesso ou fracassariam. Sabíamos o quanto as missões de treinamento eram difíceis porque as preparávamos.

Em praticamente todos os casos, os líderes das tropas e pelotões SEAL que não tinham um bom desempenho culpavam a tudo e a todos

— suas tropas, líderes subordinados ou o contexto. Eles culpavam a equipe de instrutores SEAL, equipamentos supostamente inadequados ou o nível de experiência de seus subordinados. Eles se recusavam a assumir a responsabilidade. O resultado era um fraco desempenho e uma missão fracassada.

As unidades SEAL com melhor desempenho tinham líderes que assumiam a responsabilidade por tudo. Todo erro, fracasso ou falha — aqueles líderes detinham o domínio. Durante o interrogatório após uma missão de treinamento, aqueles bons líderes SEAL assumiam o controle das falhas, buscavam orientações para melhorar e descobriam maneiras de superar os desafios nas investidas seguintes. Os melhores líderes continham seus egos, assumiam a culpa, pediam críticas construtivas e estudavam formas de melhorar. Eles exibiam a Responsabilidade Extrema, e, como resultado, seus pelotões e unidades de tarefa SEAL dominavam.

Certa vez, um mau líder SEAL começou uma discussão culpando a todos, atitude que foi adotada pelos subordinados e membros da equipe, que seguiram o exemplo. Todos culparam a todos, e, inevitavelmente, a equipe foi ineficaz e incapaz de executar o plano proposto.

Continuando, eu disse ao vice-presidente: "Nessas situações, você tem uma unidade que nunca percebe sua responsabilidade. Tudo o que seus membros fazem é dar desculpas, e, em última análise, não fazem os ajustes necessários para corrigir os problemas. Agora, compare isso com o comandante que chegou e assumiu a culpa. Ele disse: 'Meus líderes subordinados fizeram más associações, não devo ter explicado bem a intenção geral' ou 'A força de ataque não agiu da maneira que eu esperava; preciso lhes explicar melhor minha intenção e fazer treinamentos mais detalhados'. Os bons líderes assumem os erros e as deficiências. Essa é a principal diferença. Como você acha que os pelotões e as unidades de tarefa SEAL reagiram a esse tipo de liderança?"

"Eles devem ter respeitado", reconheceu o vice-presidente.

"Exatamente. Eles veem a responsabilidade extrema em seus líderes e, como resultado, imitam a responsabilidade extrema em toda a cadeia de comando, até o pessoal mais jovem. Como grupo, eles tentam descobrir como resolver seus problemas, em vez de tentar descobrir quem ou o que culpar. Para quem está de fora observando, como o nosso grupo de treinamento — ou o conselho, no seu caso — a diferença é óbvia."

"E é assim que eu me mostro ao conselho, culpando a tudo e a todos", reconheceu o vice-presidente.

"Só existe uma maneira de consertar isso", falei.

Nos dias seguintes, ajudei o vice-presidente a se preparar para a reunião do conselho. Às vezes, ele voltava à defensiva, negando a responsabilidade. De muitas maneiras, ele sentia que seu conhecimento excedia o de muitos membros do conselho — e estava certo. Mas isso não mudava o fato de liderar uma equipe que fracassara em sua missão. Ao revisarmos sua apresentação no conselho, eu não estava convencido de que ele se responsabilizava pelas falhas da equipe. Eu disse isso a ele, sem rodeios.

"Estou dizendo exatamente o que você orientou", retorquiu o vice-presidente. "Essa missão não teve êxito porque, como líder, fracassei em impor a execução."

"Esse é o problema", falei. "Você diz isso, mas não estou convencido de que acredita no que fala. Veja sua carreira. Você realizou feitos incríveis. Mas, obviamente, você não é perfeito. Nenhum de nós é. Você ainda está aprendendo e crescendo. Todos estamos. E esta é sua lição: se você se envolver novamente nessa tarefa, se fizer uma autoavaliação minuciosa de como lidera e do que pode fazer melhor, o resultado será diferente. Mas começa agora. Começa na reunião do conselho, quando você entra, tira seu ego do caminho e assume a responsabilidade pelo fracasso da empresa. Os membros do conselho ficarão impressionados com o que virem e ouvirem, porque a maioria das pessoas não consegue fazer isso. Eles respeitarão sua Responsabilidade Extrema. Assuma a culpa pessoal pelas falhas. Você *sairá* do outro lado mais forte do que nunca", concluí.

Na reunião do conselho, o vice-presidente fez exatamente isso. Ele assumiu a responsabilidade pelo fracasso em cumprir os objetivos de fabricação e deu uma sólida lista de medidas corretivas que implementaria para garantir a execução. A lista começou com o que *ele* faria de maneira diferente, não as outras pessoas. Agora, o vice-presidente estava no caminho da Responsabilidade Extrema.

"Vambora." Um artilheiro de torre SEAL olhou por cima de sua metralhadora pesada M2, calibre .50, pela Porta Ogden, para o território inimigo que se desdobrava. O veículo gigante de trilhos de tanques (M88 Recovery Vehicle) que bloqueava a entrada de Camp Ramadi era usado para deter a arma mais devastadora do inimigo — o carro-bomba, ou VBIED, com milhares de quilos de explosivos, dirigido por um homem-bomba. Além dos portões, a ameaça na cidade era descomunal — e ninguém sabia disso melhor do que o artilheiro da torre principal, no primeiro Humvee, durante uma patrulha montada diurna.

(Fotografia dos autores)

CAPÍTULO 2

Não Existem Equipes Ruins, Só Líderes Ruins

Leif Babin

CORONADO, CALIFÓRNIA: CURSO BÁSICO DE DEMOLIÇÃO SUBAQUÁTICA SEAL

"Vale a pena ser um vencedor!", gritou um temido instrutor Navy SEAL, de camisa azul e dourada, pelo megafone. Era a terceira noite do notório treinamento Semana Infernal. Os alunos, disfarçando a exaustão, estavam encharcados até os ossos e cobertos por uma areia áspera que os arranhava até ficarem em carne viva. Eles tremiam devido à água fria do oceano e ao vento frio da noite do sul da Califórnia.

Os estudantes sofriam com as dores e feridas dos que passaram 72 horas seguidas em esforço físico quase ininterrupto. Ao longo dos três dias anteriores, dormiram menos de uma hora. Desde o início da Semana Infernal, dezenas desistiram. Outros ficaram doentes ou feridos e foram retirados do treinamento. Quando essa classe iniciou o Curso Básico de Demolição Subaquática SEAL (conhecido como BUD/S) — o treinamento básico dos SEALs — várias semanas antes, quase duzentos jovens determinados haviam começado ansiosamente. Todos sonhavam em se tornar um SEAL da Marinha dos EUA, prepararam-se por anos e chegaram ao BUD/S com toda a intenção de se formar. E, no entanto, nas primeiras 48 horas da Semana Infernal, a maioria desses jovens havia desistido em face do desafio brutal, tocando a campainha três vezes — o sinal para DOR, ou *drop on request* [pedido de desistência, em tradução livre] — e se afastaram do sonho de se tornar um SEAL. Eles pediram para sair.

A Semana Infernal não era um teste de condicionamento físico. Embora exigisse habilidades atléticas, todos os alunos que sobreviveram às semanas de treinamento BUD/S anteriores a ela já haviam demonstrado aptidão para se formar. Não era um teste físico, mas mental. Às vezes, os melhores atletas da classe não passavam. O sucesso resulta da determinação e vontade, mas também da inovação e comunicação com a equipe. Esse treinamento formou homens não apenas fisicamente resistentes, mas capazes de desenvolver uma estratégia melhor do que a do adversário.

Apenas alguns anos antes, eu havia passado pela minha Semana Infernal nessa mesma praia. Começamos com 101 alunos. Quando terminamos, havia apenas quarenta de nós. Alguns dos atletas mais talentosos da classe e que gostavam de se gabar dos músculos foram os primeiros a desistir. Aqueles de nós que conseguiram passar por isso perceberam que poderíamos nos esforçar, mental e fisicamente, muito mais do que jamais imaginamos ser possível, por meio da dor, angústia e exaustão de dias sem dormir — exatamente o que a Semana Infernal foi projetada para fazer.

Agora eu usava a camisa azul e dourada de um instrutor SEAL. Após duas missões de combate no Iraque, fui designado ao nosso Centro de Treinamento de Guerra Especial Naval para instruir o Curso de Treinamento para Oficiais Juniores — nosso programa de liderança de oficiais. Além do meu trabalho diário, prestei suporte à Semana Infernal como instrutor. Como oficial encarregado de um dos turnos, meu trabalho era supervisionar a equipe de instrutores do BUD/S que dirigia o treinamento. Os instrutores eram especialistas em colocar os estudantes à prova. Eram principalmente hábeis em eliminar aqueles que não têm o necessário para se tornar SEAL. Para mim, participar da Semana Infernal como instrutor foi uma experiência totalmente nova.

Os estudantes do BUD/S foram agrupados em equipes — "times do bote" de sete homens, escolhidos de acordo com sua estatura. Cada equipe recebeu um IBS — barco inflável pequeno. Um IBS era pequeno para os padrões da Marinha dos EUA, mas muito grande e pesado quando carregado à mão. Esses grandes barcos de borracha, pretos com uma borda amarela, pesavam quase 100kg e ficavam ainda mais pesados quando cheios de água e areia. Uma relíquia dos tempos dos Navy Frogmen (Equipe de Demolição Subaquática) da Segunda Guerra, os temidos barcos tinham que ser transportados desajeitadamente para todo o lado, geralmente sobre as cabeças dos sete tripulantes que resistiam logo abaixo.

Em terra, os times dos barcos os carregavam por bermas de areia de mais de 6m de altura e corriam com eles por quilômetros ao longo da praia. Eles os carregavam pelas ruas de asfalto da Base Naval Anfíbia de Coronado de um lado para outro, tentando desesperadamente acompanhar os instrutores que conduziam o caminho. As tripulações empurravam, puxavam, espremiam e forçavam os barcos pesados usando cordas, as vezes por cima dos postes e paredes da notória pista de obstáculos do BUD/S. No Oceano Pacífico, os times de bote conduziam seus barcos através das poderosas ondas batendo, muitas vezes emborcando e espalhando estudantes molhados e remos pela praia como um naufrágio histórico.

Aqueles barcos malditos eram um sufoco para os homens a eles designados. Cada barco tinha um numeral romano pintado em amarelo brilhante, indicando o número da equipe de bote — todos, exceto a tripulação com os homens mais baixos, a "tripulação Smurfs". Eles tinham um Smurf azul brilhante pintado na proa de seu barco.

Em cada equipe, o homem de primeiro escalão liderava, sendo responsável por receber ordens dos instrutores e instruir, dirigir e liderar os outros seis membros. O líder era responsável pelo desempenho de sua tripulação. E, enquanto cada membro do barco tinha que se apresentar, o líder — por sua posição — recebia o maior escrutínio dos instrutores.

No treinamento SEAL (e, sério, em toda a carreira), toda evolução vem de uma competição — uma corrida, luta ou disputa. No BUD/S, esse aspecto era destacado pelos instrutores SEALs, que lembravam os alunos o tempo todo de que: "Vale a pena ser um vencedor." Ao competir na equipe de bote durante a Semana Infernal, o prêmio de vitória da equipe vencedora era descansar na próxima corrida, ganhando alguns breves minutos de pausa das severas e exaustivas tarefas físicas. Eles não tinham permissão para dormir, mas sentar e descansar era um verdadeiro luxo.

Assim como valia a pena vencer, o corolário era válido: era péssimo perder. O segundo lugar, na fala do instrutor, era simplesmente "o primeiro perdedor". Além disso, o desempenho ruim — muito atrás do resto do grupo, em último lugar — causava penalidades severas: a atenção indesejada dos instrutores SEALs que passavam exercícios adicionais como punição, além das já exaustivas tarefas da Semana Infernal. Enquanto isso, a equipe de bote vitoriosa comemorava sentada na próxima corrida e, mais importante, não se molhava nem sentia frio por alguns breves minutos.

O quadro de instrutores SEALs mantinha os alunos em movimento com corridas constantes, dando instruções detalhadas e intencionalmente complicadas aos líderes das equipes, que por sua vez informavam seus homens e executavam as instruções da melhor maneira possível em seu estado exausto. O comando vinha do instrutor SEAL com o megafone: "Líderes das equipes de bote, apresentem-se!" Os líderes deixavam seus barcos e corriam para tomar posição, formando uma linha coerente na frente do instrutor, que expunha as especificações da próxima corrida.

"Remem pela área do surf, descarreguem os botes,* remem até o próximo marcador na praia, depois remem de volta à praia, deem a volta na berma, depois deem a volta no marcador outra vez, levem-nos acima da cabeça até a área da corda, depois deem a volta na berma de novo e terminem aqui", ordenou o instrutor SEAL. "Entendido?"

Os líderes retornaram e informaram suas equipes. Então a corrida começou. No lugar do tradicional "Preparar, apontar, já", o comando SEAL para começar era "Preparar... Acabem com eles!" E, assim, começavam.

Em toda corrida, havia quem se destacava. Durante essa Semana Infernal, uma equipe de bote dominou a competição: a Equipe de Bote II. Eles venceram quase todas as corridas. Esforçaram-se o tempo todo, trabalhando em uníssono como equipe. A Equipe de Bote II tinha um líder forte, e cada um de seus membros parecia altamente motivado e teve um bom desempenho. Eles compensavam as fraquezas um do outro, ajudavam uns aos outros e se orgulhavam de vencer, o que tinha suas recompensas. Após cada vitória, a Equipe de Bote II desfrutava de alguns minutos preciosos de descanso, enquanto as outras equipes de bote se preparavam para a próxima corrida. Embora os membros da Equipe de Bote II ainda estivessem com frio e exaustos, vi sorrisos na maioria dos rostos. Eles estavam mandando muito bem. Estavam vencendo e seu moral estava alto.

Enquanto isso, o desempenho da Equipe de Bote VI se destacou de maneira diferente. Terminou em último lugar em quase todas as corridas, muitas vezes, bem distante da penúltima. Em vez de trabalharem juntos como equipe, os homens agiam individualmente, furiosos

---

* Virar o bote de cabeça para baixo, deixando todos na água, e então endireitá-lo.

e frustrados com os colegas. Nós os ouvíamos gritando e xingando uns aos outros a certa distância, acusando os outros de não fazerem sua parte. Cada membro da equipe enxergava apenas a própria dor e desconforto, e seu líder não foi exceção. Ele certamente reconheceu que eles estavam com baixo desempenho, mas, provavelmente, em sua mente e na da equipe, nenhum esforço poderia mudar isso. E seu desempenho horrível foi o resultado.

"Equipe de Bote VI, é melhor começarem a se esforçar mais!", gritou um instrutor SEAL pelo megafone. A atenção extra da equipe de instrutores teve sérias consequências. Nossos instrutores SEALs se concentraram na Equipe de Bote VI, punindo-a por seu fraco desempenho. Como resultado, a situação ruim da equipe VI se multiplicou por dez. Eles foram forçados a correr de um lado a outro sobre areia até a água, o que fez com que ficassem mais molhados e cheios de areia grudada; em seguida, tiveram que se arrastar com os pés e mãos, ficando cheios de bolhas. Logo após, precisaram transportar o barco com "transporte estendido de braços", com os braços estendidos acima da cabeça, suportando todo o peso do IBS até que seus ombros ficassem dormentes.

Esse castigo minou toda a força restante da equipe já cansada e desmoralizada. O líder da equipe, um oficial jovem e inexperiente, estava recebendo ainda mais atenção. Como líder, era responsável pelo fraco desempenho de sua tripulação. No entanto, ele parecia indiferente, como se o destino tivesse lhe dado um fardo: uma equipe de baixo desempenho que, por mais que tentasse, simplesmente não conseguia fazer o trabalho.

Fiquei de olho no líder da Equipe de Bote VI. Se não demonstrasse uma melhora substancial em sua liderança, não se formaria no programa. Esperava-se que os oficiais SEALs tivessem um certo desempenho, porém, mais importante, esperava-se que liderassem. Até o momento, ele demonstrava um desempenho abaixo do esperado e, portanto, inaceitável. Nosso suboficial sênior, o oficial não comissionado mais experiente e altamente respeitado do quadro de instrutores SEALs, demonstrou grande interesse pela Equipe de Bote VI e por seu líder sem brilho.

"É melhor você assumir o comando e conduzir seu bote, senhor", disse o suboficial sênior ao líder da Equipe de Bote VI. O suboficial era colossal, com olhos penetrantes que incutiam tanto medo em terroristas no campo de batalha quanto em estudantes em treinamento. Um líder excepcional e reverenciado, orientara muitos jovens oficiais juniores. Então, ofereceu uma solução interessante para o desempenho desastroso da Equipe VI.

"Vamos trocar os líderes entre as equipes de melhor e pior desempenho e ver o que acontece", disse o suboficial sênior. Tudo o mais permaneceria o mesmo — barcos pesados e de difícil manuseio, conduzidos pelas mesmas equipes exaustas, água fria, areia áspera, homens cansados competindo em corridas desafiadoras. Apenas um único indivíduo, o líder, mudaria.

Faria alguma diferença?, pensei.

O plano logo foi transmitido aos outros instrutores SEALs. "Líderes das Equipes de Bote II e VI, apresentem-se", disse o instrutor SEAL pelo megafone. Os dois líderes correram e ficaram em posição. "Vocês dois trocarão de lugar e se encarregarão da equipe um do outro. Líder da Equipe VI, agora você é líder da Equipe II. Líder da Equipe II, agora você é líder da Equipe VI. Entendido?", disse o instrutor SEAL.

O líder da Equipe de Bote II claramente não estava feliz. Tenho certeza de que ele odiou deixar o time que havia construído e conhecia bem. Sem dúvida, ele estava orgulhoso de seu desempenho dominante. A nova tarefa de se encarregar de uma equipe com desempenho insatisfatório seria difícil e poderia atrair a atenção indesejada dos instrutores. Ainda assim, ele não ousou discutir o assunto. Sem escolha, ele aceitou a tarefa desafiadora com um olhar determinado.

O líder da Equipe VI estava empolgado. Ficou claro que ele pensava que, por pura falta de sorte, e não por culpa sua, fora designado para a pior equipe, de desempenho insatisfatório. Na sua opinião, nada do que fizesse melhoraria a Equipe VI. Agora, o instrutor SEAL havia ordenado que ele assumisse o comando da Equipe de Bote II. Seu rosto revelou sua convicção interior de que a justiça estava finalmente sendo feita e de que sua nova tarefa significava que, agora, as coisas seriam fáceis.

Tendo recebido instruções para trocar de lugar, cada líder passou para a nova posição na equipe oposta e aguardou a próxima corrida. Como antes, receberam instruções e as informaram a suas equipes.

"Preparar... Acabem com eles!", veio o comando. E assim o fizeram.

Vimos as equipes correrem pela berma carregando seus botes, depois para a área de surf e entrando na água escura. Eles pularam em seus botes e remaram furiosamente. Tendo passado pelas ondas, descarregaram o bote, colocaram todos de volta a bordo e remaram pela praia. Os faróis dos veículos de nossos instrutores captaram o reflexo das faixas amarelas pintadas nos aros dos barcos. Não conseguíamos mais ver seus números.

No entanto, dois botes estavam à frente do pelotão, bem próximos, com um à frente. A 800m da praia, enquanto os caminhões dos instrutores os seguiam, as equipes retornaram à costa. Quando os botes entraram na mira dos faróis, os números ficaram visíveis. A Equipe de Bote VI estava na liderança e manteve o primeiro lugar durante todo o percurso, logo à frente da Equipe de Bote II. A Equipe VI havia vencido a corrida.

Uma reviravolta milagrosa havia ocorrido: a Equipe de Bote VI havia passado do último para o primeiro lugar. Seus membros começaram a trabalhar em equipe e venceram. A Equipe de Bote II ainda teve um bom desempenho, apesar de terem perdido a corrida por pouco. Eles continuaram a disputar a liderança com a Equipe VI nas corridas seguintes. E ambas equipes superaram o resto, com a Equipe VI vencendo a maior parte das corridas seguintes.

Foi uma virada surpreendente. A Equipe de Bote VI, a mesma equipe nas mesmas circunstâncias, apenas sob nova liderança, passou da pior equipe da classe à melhor. Desapareceram suas maldições e frustrações. E desapareceu também o constante escrutínio e verificação que haviam recebido da equipe de instrutores SEALs. Se eu não tivesse testemunhado essa transformação incrível, teria duvidado. Foi um exemplo evidente e inegável de uma das verdades mais básicas e importantes no coração da Responsabilidade Extrema: não existem equipes ruins, só líderes ruins.

Como é possível que a mudança de um indivíduo — apenas o líder — mude completamente o desempenho de um grupo inteiro? A resposta: liderança é o fator mais importante no desempenho de qualquer equipe. Se uma equipe é bem-sucedida ou não, tudo depende do líder. A atitude do líder dá as cartas para toda a equipe. O líder impulsiona o desempenho — ou não. E isso se aplica não apenas ao líder mais sênior de uma equipe geral, como também aos líderes juniores das subequipes.

Refleti a respeito da minha experiência como líder da equipe de bote no BUD/S, tomando como base as equipes da Semana Infernal, em que falhei e deveria ter me saído melhor, e em que tive sucesso. Às vezes, minha equipe lutava para se superar, até eu descobrir que precisava me colocar na posição mais difícil, à frente do bote, e *liderar*. Isso exigia conduzir os membros à mão firme, além do que pensavam que conseguiam.

Descobri que era mais eficaz concentrar seus esforços não nos dias que ainda viriam ou na linha de chegada distante que sequer viam, mas em um objetivo claro imediatamente à frente deles — o marcador na praia, o ponto de referência ou placa de estrada indicando 100 metros à frente. Se pudéssemos executar um esforço substancial apenas para alcançar um objetivo imediato que todos pudessem ver, poderíamos continuar para o próximo objetivo visualmente atingível e depois para o próximo. Somados, nossos desempenhos ao longo do tempo evoluíram substancialmente e, eventualmente, cruzamos a linha de chegada na frente do pelotão.

Olhando para trás, eu poderia ter reclamado menos e encorajado mais. Como líder, protegi minha equipe o máximo que pude. Eu entendia a situação como "nós contra eles". Ao proteger minha equipe de bote, abriguei retardatários incuráveis de baixo desempenho que arrastavam o resto da equipe para baixo. Quando a Semana Infernal terminou, conversando com alguns dos outros membros da nossa equipe, percebemos que tínhamos carregado esses retardatários de mentalidade fraca nas costas.

Eles não teriam cumprido os padrões de outra maneira. Essa lealdade foi mal orientada. Se não quisermos servir ao lado dos retardatários mais fracos da equipe, uma vez que todos fomos designados para pelotões SEAL em várias equipes, não temos o direito de forçar outros a isso. Os instrutores foram encarregados de eliminar aqueles sem determinação e vontade de atender aos altos padrões. Impedimos que isso acontecesse.

Em última análise, o desempenho da minha equipe de bote era inteiramente minha responsabilidade. O conceito de que não existem equipes ruins, só líderes ruins, era difícil de aceitar, mas, mesmo assim, um conceito crucial que líderes devem entender e implementar de maneira ampla para que liderem com mais eficiência uma equipe de alto desempenho.

Os líderes devem se responsabilizar totalmente, assumir problemas que inibem o desempenho e desenvolver soluções. Uma equipe só obtém desempenho excepcional se o líder se assegurar de que ela atue em conjunto, rumo a uma meta e ponha em prática altos padrões de desempenho, trabalhando para melhorar continuamente. Com uma cultura de Responsabilidade Extrema dentro da equipe, todos os membros podem contribuir para o objetivo e garantir os mais altos níveis de desempenho.

Observando esses eventos, agora como instrutor do BUD/S, eu sabia que, por mais difícil que a Semana Infernal fosse para esses alunos, era apenas treinamento. Esses jovens líderes de equipes de botes não faziam ideia do ônus de liderança pelo qual em breve seriam responsáveis como oficiais SEALs no campo de batalha. Como líderes de combate, a pressão sobre eles seria imensa, muito maior do que poderiam imaginar.

Apenas alguns meses antes dessa Semana Infernal, fui comandante de pelotão SEAL em Ramadi, Iraque, liderando missões de combate nas áreas mais violentas e controladas por inimigos da cidade. Estivemos em mais tiroteios do que poderia contar, contra um inimigo bem armado, experiente e altamente determinado. A morte espreitava pelos cantos. Toda decisão que eu (e qualquer líder de nosso pelotão e unidade de tarefas) tomasse, traria consequências potencialmente mortais. Causamos um enorme impacto no campo de batalha, matamos centenas de insurgentes e protegemos Soldados e Fuzileiros Navais norte-americanos.

Orgulho-me desses triunfos. Porém sofremos a imensa tragédia da perda do primeiro SEAL da Marinha morto em combate no Iraque, Marc Lee. Marc era um companheiro de equipe incrível, um excepcional guerreiro SEAL com um incrível senso de humor que nos fez sorrir em tempos sombrios. Ele foi morto a tiros no meio de um furioso tiroteio em uma das maiores batalhas individuais travadas pelas forças norte-americanas no Centro-sul de Ramadi. Marc era meu amigo e irmão. Eu era o comandante dele, em última instância, responsável por sua vida. No entanto, eu havia recebido apenas um pequeno ferimento de bala naquele dia, enquanto Marc foi atingido e morto instantaneamente. Eu havia chegado em casa e ele não. Isso foi devastador além do que posso explicar.

Sofri também por Mike Monsoor, do Pelotão Delta da Unidade de Tarefas Bruiser, que, embora não fosse membro do meu pelotão, também era amigo e irmão. Mike pulou em uma granada para salvar três de seus companheiros de equipe. Mike era amado e respeitado por todos que o conheciam. Como Marc, lamentamos profundamente sua perda.

No mesmo dia em que Marc Lee foi morto, outro amado SEAL do Pelotão Charlie, Ryan Job, foi baleado no rosto por um sniper inimigo. Ele ficou gravemente ferido e não sabíamos se viveria. Porém Ryan, resistente como um javali, havia sobrevivido, embora seu ferimento o tivesse deixado permanentemente cego. Ainda assim, a determinação e o ímpeto de Ryan eram insuperáveis. Ele se casou com a garota dos seus sonhos e, depois de se aposentar da Marinha, matriculou-se em um programa universitário e se formou em administração, graduando-se com média 4,0/5,0.

Apesar de cego, Ryan alcançou com sucesso o cume de 4.392m do Monte Rainier e conquistou pessoalmente um troféu de alce (usando um rifle equipado com uma mira especialmente projetada com uma câmera para observador)*. Ryan era um SEAL excepcional, um maravilhoso companheiro de equipe e um amigo que inspirava a todos que o conheceram.

Embora ele tivesse tanto direito quanto qualquer um de se amargurar com a vida, ele não o fez. Ríamos toda vez que nos reuníamos. Ryan e sua esposa estavam esperando seu primeiro filho, e ele mal podia

---

* Ryan teve essas oportunidades em espetaculares aventuras ao ar livre devido ao incrível trabalho de Camp Patriot (www.camppatriot.org — conteúdo em inglês), uma organização sem fins lucrativos para veteranos feridos.

conter sua emoção. Mas, justamente quando pensei que os homens do Pelotão Charlie e da Unidade de Tarefas Bruiser e suas famílias, que haviam sofrido e resistido tanto, estavam a salvo do fantasma da morte, Ryan Job morreu em recuperação de uma cirurgia para reparar suas feridas de combate — feridas que recebeu sob minha responsabilidade. Nenhuma palavra pode descrever o impacto que essa notícia causou — uma agonia inexplicável.

Como comandante de pelotão, a perda de Marc e Ryan foi um fardo esmagador que passei a carregar. Eu sabia que o comandante do pelotão Mike, no Pelotão Delta, sentia o mesmo. E, como comandante da Unidade de Tarefas Bruiser, Jocko carregava o fardo por todos. E, no entanto, por mais difícil que fosse, eu nunca entenderia o quão devastadora a perda desses bons homens era para suas famílias e amigos. Nos meses e anos seguintes, era meu dever ajudá-los e apoiá-los da melhor maneira possível.

Enquanto eu observava esses jovens líderes de equipes de botes — ainda não SEALs —, sabia que não conseguiam entender as responsabilidades reservadas para eles como futuros oficiais SEALs e líderes de combate. Claro, o treinamento BUD/S era difícil. A Semana Infernal era um chute nas bolas. Mas ninguém estava tentando matá-los. As decisões no treinamento não eram casos de vida ou morte. As corridas das equipes de bote não terminavam em velórios. Não havia pressão para que decisões erradas pudessem desencadear um incidente internacional, que poderia instantaneamente chegar às manchetes das últimas notícias ou das primeiras páginas dos jornais, com repercussões negativas em todo o esforço de guerra, como havia sido para nós no Iraque.

Quando esses oficiais inexperientes se formaram no BUD/S, eu os submeti ao curso de treinamento para oficiais juniores, com cinco semanas de duração, um programa focado no desenvolvimento de liderança. Fiz meu melhor para passar a eles tudo que gostaria que alguém tivesse me ensinado antes de liderar em combate.

Nas últimas semanas de cada curso, realizamos o Marc Lee e Mike Monsoor Memorial Run, um percurso de 8km subindo o topo das enormes falésias de Point Loma e terminando no cemitério nacional de Fort Rosecrans, onde Marc e Mike estão enterrados. Naquele ambiente sereno, com vista para o Pacífico, mais adequado para esses nobres guerreiros, reuni a classe de oficiais juniores nas lápides e contei sobre Marc e Mike. Para mim, era importante contar suas histórias para que os legados de Marc Lee e Mike Monsoor continuassem. Também serviu para mostrar a esses futuros líderes de combate SEALs o quão imensas eram suas responsabilidades e o quão mortalmente grave era o peso do comando.

Ao saírem para servir como oficiais e líderes nos pelotões SEAL e além, toda a responsabilidade e prestação de contas estavam em suas costas. Se o pelotão tivesse um desempenho inferior, caberia a eles resolver problemas, superar obstáculos e reunir a equipe para cumprir a missão. Em última análise, devem aceitar totalmente que não existem equipes ruins, só líderes ruins.

PRINCÍPIO

About Face: The Odyssey of an American Warrior, do coronel aposentado do Exército dos EUA David Hackworth, influenciou muitos líderes da linha de frente das equipes SEAL e de todo o Exército. As longas memórias detalham sua carreira, as experiências de combate na Coreia e no Vietnã, e as incontáveis lições de liderança que aprendeu. Embora, mais tarde, tenha se tornado uma figura controversa, Hackworth foi um líder excepcional e respeitado no campo de batalha. No livro, relata a filosofia de seus mentores do Exército dos EUA que derrotaram os alemães e japoneses na Segunda Guerra: "Não há unidades ruins, somente oficiais ruins."* Isso capta a essência da Responsabilidade Extrema. Esse é um conceito difícil e humilhante para qualquer líder. Mas baseia a mentalidade essencial para a construção de uma equipe vencedora de alto desempenho.

Quando os líderes que encarnam a Responsabilidade Extrema guiam suas equipes para alcançar um padrão mais alto de desempenho, precisam saber que, *quando se trata de padrões, a questão não é o que o líder prega, mas o que ele tolera*. Ao definir expectativas, não importa o que tenha sido dito ou escrito, se um desempenho abaixo do padrão for aceito e ninguém for responsabilizado — se não houver consequências —, ele se tornará o novo padrão. Portanto, os líderes devem definir padrões. As consequências para o fracasso não precisam ser graves, mas os líderes devem repetir as tarefas até que o padrão mais alto esperado seja alcançado. Os líderes devem impor os padrões de uma maneira que incentive e permita que a equipe adote a Responsabilidade Extrema.

O líder deve reunir os diferentes elementos da equipe para se apoiarem, todos focados exclusivamente na melhor maneira de cumprir a missão. Uma lição do exemplo do líder da tripulação do barco BUD/S é que a maioria das pessoas, como o Boat Crew VI, deseja fazer parte de um time vencedor. No entanto, muitas vezes, elas não sabem como, ou simplesmente precisam de motivação e incentivo. As equipes precisam de uma função unificadora para que os diferentes membros trabalhem juntos para cumprir a missão, e é disso que se trata a liderança.

Depois que a cultura de Responsabilidade Extrema é incorporada a todos os níveis da equipe, seu desempenho não para de melhorar, mesmo se um líder forte for suspenso da equipe. No campo de batalha, a preparação para potenciais baixas desempenha um papel crítico no sucesso da equipe, se um líder importante sucumbir. Mas a vida

---

* *About Face: The Odyssey of an American Warrior*, David Hackworth e Julie Sherman.

produz toda sorte de obstáculos no caminho de qualquer negócio ou equipe, e toda equipe deve ter líderes juniores prontos para avançar e assumir temporariamente os papéis e as responsabilidades dos chefes imediatos para continuar a missão da equipe e dar conta do trabalho se e quando surgir a necessidade.

Os líderes nunca estão satisfeitos. Devem sempre se esforçar para melhorar e incutir essa mentalidade na equipe. Devem enfrentar os fatos por meio de uma avaliação realista e brutalmente honesta de seu desempenho e do da equipe. Identificando as fraquezas, os bons líderes as fortalecem e elaboram planos para superar os desafios. As melhores equipes, de qualquer lugar, como as equipes SEAL, sempre buscam melhorar, desenvolver habilidades e elevar os padrões. Começa com o indivíduo e se espalha para todos os membros até virar a cultura, o novo padrão. Reconhecer que *não existem equipes ruins, só líderes ruins*, facilita a Responsabilidade Extrema e permite que os líderes formem equipes de alto desempenho, que dominam em qualquer campo de batalha, literal ou figurativo.

APLICAÇÃO NO MUNDO DOS NEGÓCIOS

"Adoro o conceito da Responsabilidade Extrema", disse o CEO. "Poderíamos aplicá-lo na minha empresa. Temos uma equipe bastante sólida, mas tenho alguns líderes importantes que carecem de Responsabilidade Extrema. Gostaria que você trabalhasse conosco."

O CEO e fundador de uma empresa de serviços financeiros havia observado uma apresentação que fiz para um grupo de executivos corporativos seniores. Intrigado com o conceito de Responsabilidade Extrema, ele me abordou depois para conversarmos.

"Fico feliz em ajudar", respondi.

Para entender melhor a dinâmica de sua equipe e os desafios específicos de sua empresa e setor, discuti com o CEO por telefone, visitei os escritórios da empresa e me reuni com sua equipe de liderança. Em seguida, conduzi um programa de liderança para os chefes de departamento e principais líderes da empresa.

O CEO abriu o programa e me apresentou aos presentes na sala, explicando por que ele havia investido nesse treinamento.

"Não estamos vencendo", afirmou o CEO com franqueza. O lançamento de um novo produto não correu bem, e as finanças da empresa estavam no vermelho. Agora, a empresa estava em um momento crítico. "Precisamos adotar esses conceitos, como a Responsabilidade Extrema, sobre o qual Leif falará com vocês hoje, para que possamos voltar aos trilhos e vencer." O CEO então deixou a sala toda para mim, com seus gerentes seniores e chefes de departamento.

Após apresentar meu histórico no combate e explicar por que o princípio da Responsabilidade Extrema é vital para o sucesso de qualquer equipe, chamei os chefes e gerentes de departamento para discussão.

"Como vocês podem aplicar a Responsabilidade Extrema a suas equipes para ter sucesso e ajudar a empresa a vencer?", perguntei.

Um dos principais líderes de departamento, o diretor de tecnologia (CTO), que desenvolveu os produtos da empresa, mostrou um comportamento defensivo. Ele não era adepto da Responsabilidade Extrema. Logo reconheci o porquê. Como a nova linha de produtos havia sido obra sua, assumir o desastroso lançamento seria humilhante e difícil. O CTO estava cheio de desculpas para as falhas de sua equipe e pelos danos resultantes à linha inferior da empresa. Ele culpou descaradamente o mercado desafiador, o setor instável, a inexperiência da equipe, a má comunicação com a força de vendas e o atendimento insosso ao cliente. Ele também culpou a equipe executiva sênior da empresa. O CTO se recusou a assumir os erros e a reconhecer que sua equipe poderia ter tido um desempenho melhor, embora o CEO tenha deixado claro que todos devessem melhorar ou a empresa seria aniquilada.

Contei a história do líder da tripulação do BUD/S para o grupo, como o Boat Crew VI transformou seu desempenho sob uma nova liderança e descrevi o conceito de que não existem equipes ruins, só líderes ruins.

"Durante meu treinamento e desempenho no BUD/S, como líder da tripulação de barcos, eu me lembro de muitas vezes em que minha tripulação teve dificuldades. Era fácil dar desculpas pelo desempenho da nossa equipe e por nada sair como o planejado. Mas aprendi que bons líderes não dão desculpas. Em vez disso, descobrem uma maneira de operar e vencer."

"Qual foi a diferença entre os dois líderes nesse exemplo?", perguntou um dos gerentes, responsável por uma equipe vital da empresa.

"Quando a tripulação do Barco VI falhou sob os desmandos do líder original", respondi, "ele parecia não achar possível que o desempenho melhorasse, e certamente não pensava que poderiam vencer. Essa atitude negativa infectou toda a tripulação. Como é comum em equipes que estão com dificuldades, o líder quase certamente justificou o fraco desempenho da equipe com inúmeras desculpas. Na opinião dele, as outras tripulações superavam a dele porque aqueles líderes tiveram sorte de ter equipes melhores.

"Sua atitude refletia vitimização: a vida dera uma desvantagem para ele e seus tripulantes, o que justificava o fraco desempenho. Como resultado, sua atitude impedia a equipe de olhar para dentro, buscando melhorias. Por fim, o líder e os outros membros perderam o foco da missão e se concentraram em si mesmos, na própria exaustão, miséria, dor e sofrimento individuais. Embora os instrutores exigissem que se saíssem melhor, a tripulação se acostumou com o desempenho insatisfatório. Sob uma liderança fraca e um ciclo interminável de desculpas, a equipe só falhou. Ninguém assumiu o domínio, a responsabilidade ou adotou uma atitude vencedora."

"O que o novo líder da tripulação fez de diferente?", perguntou outro chefe de departamento.

"Quando o novo líder assumiu o comando, personificou a Responsabilidade Extrema", expliquei. "Ele encarou os fatos: reconheceu e aceitou que o desempenho era terrível, que estavam perdendo e precisavam melhorar. Ele não culpou ninguém, nem deu desculpas para justificar o fracasso. Ele não esperou que outras pessoas resolvessem os problemas de sua tripulação. Sua avaliação realista, reconhecimento de falhas e responsabilidade pelo problema foram essenciais para desenvolver um plano de melhoria de desempenho e, finalmente, vitória. Mais importante de tudo, ele acreditava que *era possível vencer*. Com uma tripulação para a qual a vitória parecia estar além do alcance, acreditar que a equipe poderia melhorar e vencer era essencial."

Continuei: "O novo líder fez a equipe focar a missão. Em vez de tolerar brigas e atritos, uniu a equipe e concentrou seus esforços coletivos no único objetivo de vencer. Ele estabeleceu um novo e mais alto padrão de desempenho e não aceitou nada menos de seus homens."

"Por que você acha que a tripulação do Barco II, que perdeu o líder forte, manteve o bom desempenho, mesmo com um líder inferior ao do Barco VI?", perguntou outro líder de departamento.

"A Responsabilidade Extrema — a boa liderança — é contagiosa", respondi. "O líder original do Barco II incutira uma *cultura* de Responsabilidade Extrema, de vencer e de como fazê-lo, em todos os indivíduos. A equipe era sólida e tinha um alto desempenho. Todo membro exigia o desempenho máximo dos outros. O desempenho excepcional se tornou um hábito. Todo indivíduo sabia o que precisava fazer para vencer e conseguia. Eles não precisavam mais da orientação expressa de um líder. Como resultado, a tripulação continuou superando quase todas as outras e competiu com a VI pelo primeiro lugar em quase todas as batalhas."

Detalhei como o líder original do Barco VI se juntou ao II pensando que a vida seria fácil. Em vez disso, ele teve que consolidar sua estratégia para acompanhar uma equipe de alto desempenho. Para ele, a maior lição foi aprendida: assistiu a uma reviravolta completa no desempenho de sua equipe anterior, enquanto observava um novo líder demonstrar que o que parecia impossível era possível com uma boa liderança. Embora ele não tenha conseguido liderar a esse ponto, aprendeu essa lição difícil e foi capaz de implementá-la. Por fim, ele se formou no treinamento de BUD/S e teve uma carreira de sucesso nos SEAL.

"Em suma", falei, "se sua equipe é bem-sucedida ou não, o motivo é você. A Responsabilidade Extrema é um conceito para ajudá-lo a tomar as decisões corretas como um líder vital, para que saiba como vencer".

O diretor de tecnologia se irritou. "*Estamos* tomando as decisões certas", disse ele. Ele estava falando sério.

Surpreso com a declaração dele, respondi: "Todos vocês admitiram que, como empresa, não estão vencendo."

"Não estamos vencendo", disse o CTO resoluto, "mas estamos tomando as decisões corretas".

"Se você não está vencendo", respondi, "não está tomando as decisões corretas". O CTO tinha tanta certeza de que estava certo, tão contente em dar desculpas e desviar a culpa pelos próprios erros e falhas, que fez alegações ridículas para evitar assumir domínio ou responsabilidade.

Como o líder original da tripulação VI, aquele CTO exibia o oposto da Responsabilidade Extrema. Não tomava ações significativas para melhorar seu desempenho nem motivava a equipe a melhorar. Pior, recusava-se a admitir que o próprio desempenho era insatisfatório e que ele e a equipe poderiam fazer melhor. Seu CEO declarou que o desempenho da empresa deveria melhorar substancialmente. Mas o CTO ficou preso em um ciclo de desculpas e se recusava a assumir domínio ou responsabilidade. Ele era o que um amigo do treinamento de BUD/S e qualificação para SEAL chamava de "Gênio Torturado". Ele não se referia a um artista que sofre de problemas de saúde mental, mas ao contexto do domínio. Não importa quão óbvia seja sua falha ou quão válidas sejam as críticas, um Gênio Torturado recusa a responsabilidade pelos erros, apresenta desculpas e culpa os outros por suas falhas (e pelas de sua equipe). Na sua opinião, o resto do mundo não consegue ver ou apreciar a genialidade no que faz. Um indivíduo com essa mentalidade pode ter um impacto catastrófico no desempenho de uma equipe.

Após uma longa discussão com os chefes e gerentes de departamento, muitos passaram a entender e apreciar a Responsabilidade Extrema. Mas não o CTO. Após a conclusão do workshop, encontrei o CEO da empresa para fazer uma análise.

"Como foram as coisas?", perguntou.

"O workshop correu bem. A maioria dos chefes de departamento e dos principais líderes adotou a abordagem da Responsabilidade Extrema", respondi. "Porém você tem um problema digno de nota."

"Deixe-me adivinhar", respondeu o CEO. "Meu diretor de tecnologia."

"Afirmativo," respondi. "Ele resistiu ao conceito em todos os momentos." Eu já tinha visto isso, tanto nas equipes SEAL quanto em outras empresas clientes. Sempre há pessoas que querem se esquivar da responsabilidade. Mas esse CTO foi um caso particularmente sério.

"Seu CTO pode ser um dos piores 'Gênios Torturados' que já vi," falei.

O CEO reconheceu que seu CTO era um problema, que era difícil de lidar e que outros líderes de departamento tinham grandes problemas com ele. Mas o CEO considerou que, como o nível de experiência e o conhecimento do CTO eram críticos para a empresa, não podia demiti-lo. Também parecia que o CTO sentia que estava acima do bem e do mal.

"Não posso orientá-lo a demitir ninguém", respondi. "Essas decisões são suas. O que posso dizer é: *quando se trata de padrões, a questão não é o que o líder prega, mas o que ele tolera*. Você precisa orientar seu CTO para exercer a Responsabilidade Extrema — para reconhecer erros, parar de culpar os outros e liderar sua equipe para o sucesso. Se permitir que o *status quo* persista, não conseguirá melhorar o desempenho nem vencer."

Uma semana depois, telefonei para o CEO para saber como sua equipe estava.

"Algumas pessoas estão adotando o conceito da Responsabilidade Extrema", disse com entusiasmo. "Mas o diretor de tecnologia continua sendo um problema." O CEO relatou que, após eu sair, o CTO invadiu seu escritório e alertou que o conceito tinha "repercussões negativas". Isso era ridículo.

"Não há repercussões negativas para a Responsabilidade Extrema", falei. "Há apenas dois tipos de líderes: eficazes e ineficazes. Líderes eficazes que lideram equipes de sucesso e alto desempenho exibem a Responsabilidade Extrema. Qualquer outra coisa é ineficaz. Qualquer outra coisa é *má liderança*."

O desempenho do CTO e o de sua equipe ilustraram isso na Technicolor. Sua veemência afetou toda a equipe, e outros departamentos da empresa que tiveram dificuldade em trabalhar com ele. O CEO entendeu. A empresa não estava vencendo, e ele se importava muito com a empresa que construíra e com os meios de subsistência de seus funcionários para permitir que a empresa falhasse. Eles precisavam melhorar.

Ele demitiu o CTO.

Um novo CTO entrou em cena com uma atitude diferente — uma mentalidade de Responsabilidade Extrema.

Com a mudança na liderança da equipe de tecnologia, outros departamentos começaram a trabalhar juntos com sucesso, e esse trabalho em equipe teve um papel fundamental, à medida que a empresa se recuperava. Outrora fracassando e lutando para sobreviver, a empresa voltara ao caminho da lucratividade e do crescimento. Seu sucesso mostrou, mais uma vez, que a liderança é a coisa mais importante em qualquer campo de batalha; é o principal fator de sucesso ou de fracasso de uma equipe. Um líder deve encontrar uma maneira de se tornar eficaz e obter alto desempenho dentro de sua equipe para vencer. Seja no treinamento SEAL, no combate em campos de batalha distantes, nos negócios ou na vida: não existem equipes ruins, só líderes ruins.

Alguns soldados iraquianos ajudam um parceiro ferido a se afastar do perigo durante um tiroteio no distrito de Mala'ab, em Ramadi, em uma operação conjunta entre Soldados, Fuzileiros Navais e SEALs da Unidade de Tarefas Bruiser.

(Fotografia dos autores)

CAPÍTULO 3

Crença

Jocko Willink

SHARKBASE, CAMP RAMADI, IRAQUE: QUESTIONANDO A MISSÃO

Não faz sentido, nadinha, pensei ao ler a declaração de missão do comando superior. Fomos preparados para executar missões "por, com e através das forças de segurança iraquianas". Diferente da minha primeira implementação no Iraque, em que os SEALs trabalhavam com a própria equipe e outras unidades de operações especiais dos EUA ou da OTAN, minha unidade de tarefas havia sido escalada para trabalhar com forças convencionais. Mas não qualquer uma — as forças convencionais iraquianas.

Os SEALs da Unidade de Tarefas Bruiser eram como um time esportivo profissional, excepcionalmente bem treinado para ter o desempenho máximo. Nós nos conhecíamos tão bem que antecipávamos os pensamentos e movimentos um do outro. Éramos capazes de reconhecer nossas sombras. Esse foi o resultado de anos de treinamento, não apenas do BUD/S, o curso básico de treinamento SEAL em que nos formamos, mas do ciclo de treinamento de um ano de que toda a unidade de tarefas participou. Todo o trabalho consistia em treinar e praticar em equipe: no deserto, em ambientes urbanos e marítimos; em veículos, barcos, aviões, helicópteros e a pé. Treinamos com nosso vasto arsenal de armas até que atirássemos com o mais alto grau de precisão, mesmo sob pressão. Treinamos por centenas de horas, iteração após iteração, alinhamento após alinhamento, até que agíssemos não apenas como um grupo de indivíduos, mas como uma equipe — uma máquina sincronizada, manobrada com precisão e eficiência pelos desafios dos caóticos campos de batalha.

Como SEALs, mantivemo-nos em ótimas condições físicas para executar missões difíceis e atender às demandas físicas extremas do combate. Fizemos centenas de barras e flexões, corremos quilômetros, levantamos anilhas pesadas, nadamos por longas distâncias em mar aberto — buscando nos preparar para o combate. No ciclo de treinamento, nas horas preciosas em que não tínhamos treinamento programado, ficávamos na academia aprimorando nosso preparo com exercícios de alta intensidade.

Se não houvesse academia no local de treinamento, corríamos na estrada, no estacionamento, arrastando ou sacudindo pneus pesados, ou nos tapetes, praticando lutas ferozes ou jiu-jitsu — o que quer que pudéssemos fazer para permanecer fortes e bem condicionados. Esperava-se que cada homem preservasse o alto nível de condicionamento para dar o seu melhor e nunca vacilar em uma operação. Tínhamos que estar prontos para transportar um camarada ferido com todo o equipamento pesado de combate para um ambiente seguro em terrenos irregulares. Boa parte da nossa cultura consiste em desafiarmos nossa força física constantemente.

Também tínhamos alguns dos melhores equipamentos do mundo: rádios criptografados, óculos de visão noturna, lasers infravermelhos, mira a laser e marcadores, coletes e capacetes kevlar. Nas mãos de operadores que sabiam usá-los, a vantagem tática sobre o inimigo era enorme.

Então estavam me dizendo que a Unidade de Tarefas Bruiser — meus amigos, meus *irmãos*, aqueles homens treinados e motivados, teriam que lutar ao lado de soldados convencionais do exército iraquiano, uma das piores tropas de combate do mundo. A maioria era pobre, sem instrução, sem treinamento, desnutrida e desmotivada. Diante da péssima economia no Iraque, muitos se alistavam para receber um salário. Quando as coisas ficavam difíceis, vários desertavam (como, mais tarde, testemunhamos).

Todos os soldados, verdade seja dita, arriscaram suas vidas para fazer parte do exército iraquiano. Com frequência, suas famílias eram alvo de terroristas, suas vidas eram ameaçadas enquanto o soldado era enviado para lutar em uma cidade iraquiana distante. Claro, havia soldados melhores entre eles. Mas o soldado iraquiano competente e capaz era exceção, não regra. A maioria, como combatentes, estava muito abaixo do padrão esperado por qualquer exército, e certamente muito abaixo do necessário para enfrentar e derrotar a crescente insurgência do Iraque.

Em 2003, a Autoridade Provisória da Coalizão liderada pelos EUA dissolveu o exército iraquiano de Saddam Hussein, que precisou ser reconstruído do zero. O treinamento do novo exército foi caótico, *ad hoc* e disperso, na melhor das hipóteses. Alguns soldados nem sequer foram treinados. Muitos oficiais compraram ou chegaram a seu posto mediante suborno. O objetivo principal dos jovens soldados era sobreviver, não vencer. Fisicamente, eram fracos. A maioria era incapaz de fazer poucas flexões ou polichinelos. Taticamente, eram perigosos, doentios e violavam os procedimentos básicos de segurança com frequência.

Pior, alguns soldados iraquianos tinham lealdade questionável à coalizão e ao novo governo do Iraque. Alguns soldados sunitas permaneceram leais a Saddam. Mas a maioria era xiita, e muitos viam Muqtada al-Sadr, o clérigo temperamental, hostil aos norte-americanos e aliado do Irã, como herói nacional. De vez em quando, surgiam relatos de soldados iraquianos que apontavam suas armas para seus conselheiros do Exército ou dos Fuzileiros dos EUA. Como construir confiança sabendo disso?

Além do treinamento inadequado, os soldados mal estavam equipados para um acampamento, muito menos para operações de combate. Alguns usavam tênis ou chinelos. Seus uniformes eram um misto de camuflagem militar norte-americana, soviética e do Oriente Médio. A mistura dificultava distinguir aliado de inimigo — principalmente em um ambiente em que o inimigo também usava uniformes e equipamentos paramilitares.

O equipamento individual dos soldados iraquianos (ou equipamento de suporte de carga) consistia em coletes de lona esfarrapados da era soviética com bolsas para munição de AK-47, que, muitas vezes, caíam. As armas que carregavam eram uma mistura de rifles confiscados de insurgentes, muitos, cópias iraquianas ou chinesas malfeitas da AK-47. A maioria estava em péssimas condições e abaixo dos padrões originais russos. Era comum encontrar armas enferrujadas a ponto de as miras não poderem ser ajustadas. Sua tecnologia se limitava às armas. Eles não tinham óculos de visão noturna, nem lasers, nem rádios. Na verdade, poucos tinham lanterna. Seus coletes à prova de balas eram duvidosos.

A Unidade de Tarefas Bruiser foi encarregada de equipar, organizar e, o mais importante, treinar e preparar os soldados iraquianos para combater os insurgentes que pareciam cada vez mais eficazes contra as forças dos EUA. Em áreas menos hostis do Iraque, significava desenvolver programas de treinamento em bases seguras e orientar soldados iraquianos a desenvolver habilidades básicas e, se possível, táticas avançadas de infantaria antes de levá-los para patrulha em território inimigo.

Mas aquilo era Ramadi, o epicentro da insurgência e a batalha decisiva pela Província de Anbar. Havia batalhas a serem travadas, postos avançados a proteger e combatentes inimigos a capturar e matar. Tirar soldados iraquianos do campo de batalha para treinamento era impossível.

Nossa missão como SEALs era entrar em território hostil com esses soldados despreparados e lutar contra combatentes *mujahideen* insurgentes, decididos a matar o maior número possível de nós. Os SEALs são conhecidos por correr ao som das armas. Mas isso é muito mais fácil quando um SEAL está cercado de outros SEALs, quando sabemos que o homem que nos cobre às seis horas (ou a nossas costas) é alguém que passou pelo mesmo treinamento, tem o mesmo equipamento e fala a mesma língua — alguém em quem *confiamos*. Pedir que um SEAL coloque sua vida nas mãos de alguém que não conhece — uma pessoa com quem mal trabalhou, que não é bem treinada, indisciplinada, fala um idioma diferente e cuja confiabilidade é duvidosa — é pedir demais. Nas equipes SEAL, o vínculo de nossa irmandade é nossa arma mais forte. Se você tirar isso de nós, perdemos nossa qualidade mais importante como equipe.

Quando nossos SEALs da Unidade de Tarefas Bruiser descobriram que só poderiam realizar operações de combate ao lado de soldados iraquianos, ficaram lívidos e se opuseram à ideia. Sabíamos que os perigos em Ramadi já eram altos. Não havia necessidade de aumentar o risco que nossos homens corriam. No entanto, foi o que nos instruíram a fazer.

Até minha reação inicial foi *de jeito nenhum*. Simplesmente não valia a pena correr o risco. Por que entraríamos em combate, se as condições já eram difíceis, com mais uma desvantagem autoinfligida? Eu não acreditava que essa missão fazia sentido. Não acreditava que fosse uma decisão sábia. Não acreditava que seria bem-sucedida. Imaginar um tiroteio ao lado de soldados iraquianos com treinamento tão baixo e lealdade questionável parecia ultrajante, talvez até suicida. Mas, como comandante da Unidade de Tarefas Bruiser, eu sabia que minhas ações e mentalidade tinham um grande peso entre minhas tropas. Essas eram minhas ordens, e, para liderar, tinha que acreditar que tudo daria certo. Então, guardei minhas dúvidas para mim mesmo enquanto fiz a simples pergunta: *Por quê?*

Por que a liderança militar norte-americana no Iraque e nos EUA — de Bagdá ao Pentágono e à Casa Branca — encarregaria os SEALs da Marinha, outros grupos de Operações Especiais, o Exército e os Fuzileiros de uma missão tão arriscada? Eu já tinha visto o quão difícil era o combate com as melhores pessoas ao meu lado. Por que dificultar?

Eu sabia que precisava ajustar minha perspectiva, recuar mentalmente da objeção imediata, expandir minha análise e pensar a respeito da questão sob uma percepção de nível estratégico, como se fosse um daqueles generais em Bagdá ou no Pentágono. Claro, eles estavam longe da linha de frente, mas certamente tinham o mesmo objetivo que nós: vencer.

Isso levou a outra pergunta: o que significava ganhar? Certamente não era o sentido militar tradicional. Não haveria rendição do inimigo contra o qual lutávamos. Não haveria tratado de paz. Ganhar significava apenas que o Iraque se tornaria um país relativamente seguro e estável.

Então me perguntei: *Como preparar os soldados iraquianos para manter a segurança no próprio país?* Eles precisavam começar de algum lugar. Se não houvesse tempo para treinar soldados iraquianos fora do campo de batalha em um ambiente seguro na base, eles teriam que aprender fazendo isso por meio de treinamento prático [OJT, da sigla em inglês].

Se os iraquianos nunca alcançassem um nível de habilidade em que pudessem defender seu país de insurgentes terroristas, quem poderia os defender? A resposta era muito clara: nós, os militares norte-americanos. Ficaríamos presos, protegendo o país deles, por gerações.

A disparidade entre a capacidade dos soldados iraquianos mal treinados, mal equipados e desmotivados, e a dos combatentes insurgentes determinados, bem equipados e eficazes que enfrentavam era gigantesca. Quase toda vez que um posto avançado norte-americano em Ramadi era entregue ao controle de soldados iraquianos, insurgentes atacavam e tomavam sua posição, matando dezenas de tropas iraquianas e, às vezes, os conselheiros da Marinha ou do Exército dos EUA designados a eles.

Os soldados iraquianos não eram páreo para os insurgentes. Seriam necessárias gerações de treinamento para levá-los ao nível necessário para superar e derrotar um inimigo tão agressivo. Mesmo assim, esses soldados despreparados provavelmente nunca seriam capazes de combater e derrotar um grande adversário. Para aqueles de nós que estavam na linha de frente desse conflito, ficou claro que havia muitos oficiais militares dos EUA que, longe da interação direta com soldados iraquianos, não entendiam a verdadeira falta de capacidade do exército iraquiano. Eles eram simplesmente terríveis, e nenhum treinamento os tornaria *excelentes* soldados. Porém talvez pudéssemos torná-los *bons o suficiente*.

Enquanto pensava nisso, percebi que havia algo que nós — a Unidade de Tarefas Bruiser e outras forças dos EUA e da coalizão — podíamos fazer. As tropas iraquianas, ou *jundhis**, como se autodenominavam, talvez nunca fossem boas o suficiente para enfrentar um inimigo bem equipado e determinado. Contudo, poderiam ser boas para lidar com um inimigo menos substancial. Poderíamos garantir que o inimigo atual se encaixasse nessa categoria, reduzindo a capacidade dos

---

* Soldados, em árabe.

insurgentes de guerrear. Além de desenvolver a capacidade do exército iraquiano, com treinamento e aconselhamento no campo de batalha, nós (nossos SEALs e forças dos EUA) teríamos que esmagar a insurgência e diminuir sua capacidade a ponto de os soldados e policiais iraquianos terem a chance de, ao menos, preservar a paz por conta própria — uma chance de vencer.

Para isso, nossos SEALs da Unidade de Tarefas Bruiser precisavam avançar, entrar no campo de batalha e infligir sérios danos aos insurgentes. Mas não poderíamos operar a menos que nossas missões fossem aprovadas na cadeia de comando. A unidade de tarefas SEAL que foi a Ramadi antes de nós disse que planejou diversas operações cujos participantes eram apenas SEALs — sem soldados iraquianos. Quase todas foram reprovadas. Para receber aprovação, eu sabia que precisávamos incluir os iraquianos nas operações. Eles eram nosso meio para deixar a base, entrar no território inimigo e descarregar nossa fúria contra os insurgentes.

Com isso, compreendi e acreditei. Então, eu precisava garantir que minhas tropas compreendessem e acreditassem.

Convoquei uma reunião e juntei todos os operadores SEALs da Unidade de Tarefas Bruiser na sala de reuniões.

"Tudo bem, pessoal", falei. "Vocês ouviram os rumores. Todas as operações que realizarmos incluirão os soldados iraquianos." Houve murmúrios de obscenidades e demonstrações de repulsa. Repeti: "Toda missão que colocarmos em prática, lutaremos ao lado dos *jundhis*." A sala se revoltou novamente, desta vez com discordâncias e praguejamentos mais altos. O consenso de nossos SEALs, as tropas da linha de frente que executariam nossas missões, era claro: "Não vai prestar."

Cortei o protesto não tão sutil: "Entendo. O campo de batalha aqui em Ramadi é perigoso. É difícil. Por que dificultar ainda mais, forçando-nos a lutar ao lado dos soldados iraquianos?" *Exatamente*, concordou grande parte da sala.

"Bem, deixem-me perguntar uma coisa", continuei. "Se os militares iraquianos não conseguirem chegar a um ponto em que possam manter a segurança no próprio país, quem fará isso?"

A sala ficou em silêncio. Salientei a questão ao refazer a pergunta: "Mais uma vez, se as forças armadas iraquianas não puderem manter a segurança neste país, quem fará isso?", retive a atenção deles, e eles sabiam a resposta. Mas, para garantir que todos entendessem a importância estratégica do nosso propósito, deixei claro: "Se os soldados iraquianos não conseguirem, existe apenas um grupo: nós. Se não colocarmos esses caras nos eixos, teremos essa missão no próximo ano e no ano seguinte e no ano seguinte. Os militares dos EUA ficarão presos aqui por gerações. Caberá a nossos filhos e aos filhos de nossos filhos proteger o Iraque."

Percebi que, embora ainda houvesse resistência à ideia de trabalhar com soldados iraquianos, eles estavam começando a enxergar essa missão sob um ponto de vista estratégico.

Continuei: "Como vocês, entendo que, por mais que os treinemos, o exército iraquiano nunca chegará perto de atingir os padrões que estabelecemos para nós mesmos. Mas vamos ajudá-los a melhorar. E há algo mais que podemos fazer para os ajudar. Nós nos aproximaremos e destruiremos o inimigo nas ruas de Ramadi para reduzir a capacidade militar dos insurgentes e diminuir o nível de violência. Quando o inimigo estiver derrotado, o exército iraquiano poderá assumir os deveres da segurança."

Vi algumas cabeças concordarem.

"Mas para fazer isso", disse, "precisamos que nossas propostas sejam aprovadas, cada uma delas. E, para que sejam aprovadas, devemos incluir os soldados iraquianos em todas. Alguém não entende isso?"

A sala estava em silêncio. Todos haviam entendido. Não pularam de alegria ao pensar em lutar ao lado de soldados iraquianos em um campo de batalha perigoso. Porém precisavam entender por que o fariam para que acreditassem na missão.

Depois, conversei com meus principais líderes em mais detalhes sobre por que essa missão era importante. Ao contrário da unidade de tarefas SEAL anterior, disse a meus oficiais e chefes que não submetessem *nenhum* conceito de operação (CONOPS) — um documento que apresenta o escopo básico de uma operação para que seja aprovado pelo quartel-general superior — sem soldados iraquianos como parte da nossa força.

"E todas as operações unilaterais* que você fez na sua última implantação?", perguntou-me Leif. "Elas não fizeram diferença?" O outro comandante de pelotão e os dois chefes de pelotão aguardaram minha resposta.

"Sim. Fizemos vários DAs† unilaterais no Iraque há dois anos", respondi. "Desde então, as forças da coalizão em todo o Iraque continuam a fazê-lo. Entretanto, eis os fatos: nos últimos dois anos, os ataques inimigos aumentaram 300%. Trezentos por cento! Este lugar vai de mal a pior. Temos que fazer algo diferente se quisermos vencer."

"Todas as operações terão soldados iraquianos", disse a eles. "Esses soldados são nosso meio de fazer algo diferente — nossa passagem para a ação. Vamos colocá-los nos eixos. Vamos prepará-los da melhor maneira possível. Vamos lutar ao lado deles. E esmagaremos o inimigo até que o exército iraquiano seja capaz de combatê-lo por conta própria. Alguma outra pergunta?"

Não havia mais perguntas. A pergunta mais importante havia sido respondida: por quê? Depois que analisei a missão e entendi o que se passava, acreditei nela. Se não acreditasse, não convenceria meus SEALs. Se expressasse dúvidas ou questionasse abertamente a sabe-

---

* Apenas SEALs.

† Captura de ação direta/incursões de ataque.

doria desse plano na frente das tropas, o escárnio deles em relação à missão aumentaria exponencialmente. Eles nunca acreditariam.

Como resultado, eles nunca se comprometeriam com a missão, e nós fracassaríamos. Todavia, uma vez que entendi e acreditei, passei esse entendimento e crença, clara e sucintamente, para minhas tropas, para que elas mesmas acreditassem. Quando entendessem o porquê, comprometeriam-se com a missão, perseverariam nos desafios inevitáveis previstos e realizariam a tarefa que nos havia sido apresentada.

A maioria dos operadores aceitou minha explicação. Nem todos os membros da Unidade de Tarefas Bruiser foram convencidos de imediato. Tivemos que reforçar a importância de instruir os soldados iraquianos.

Durante o desdobramento, nossos SEALs realizaram todas as principais operações com soldados iraquianos. Com frequência, os soldados iraquianos faziam coisas estúpidas e perigosas. Em uma operação de combate, um soldado iraquiano acidentalmente apertou o gatilho de seu fuzil AK-47 e disparou uma dúzia de tiros no modo automático contra o chão ao lado de operadores SEALs que estavam próximos. Por centímetros as balas não atingiram alguns de nossos SEALs.

Em outra operação, Leif e seus conselheiros de combate SEALs tiveram que arrancar os fuzis das mãos de soldados iraquianos, que, quando estiveram sob fogo, fugiram do contato inimigo enquanto disparavam com seus AK-47 para trás sobre suas cabeças, com outros SEALs e soldados iraquianos no caminho — muito estúpido. Outra vez, soldados iraquianos em patrulha com nossos SEALs foram atacados por combatentes inimigos. Um soldado iraquiano foi atingido, e seus companheiros o abandonaram na rua e correram para se esconder. Dois SEALs tiveram que atravessar uma tempestade de balas inimigas por uma rua aberta (o que merecia uma "Medalha de Honra") para recuperar o soldado iraquiano ferido e arrastá-lo para um local seguro enquanto as balas pipocavam.

Os soldados iraquianos causaram muita frustração aos SEALs que treinaram e lutaram ao lado deles. Mas também se mostraram úteis de maneiras que não havíamos previsto. Um SEAL *breacher* [abridor de brecha, em tradução livre] geralmente usa uma marreta ou explosivo para abrir um portão — um método eficaz, embora extremamente chamativo — que informa a todos na vizinhança que chegamos. Nossos soldados iraquianos sabiam como as portas e portões haviam sido fechados e os abriam silenciosamente à mão com pouco esforço.

Eles também conseguiam distinguir os bandidos dos mocinhos. Aos olhos norte-americanos, quando combatentes inimigos desarmados estavam escondidos entre a população civil, geralmente não sabíamos a diferença. Mas nossos soldados iraquianos podiam discernir trajes, maneirismos e sotaques árabes que eram diferentes dos da população local. Seu conhecimento local e cultural foi vantajoso para nos ajudar a entender e identificar melhor o inimigo.

Nos seis meses seguintes, levamos soldados iraquianos para o centro de algumas das maiores batalhas pela cidade de Ar Ramadi. Vários deles foram mortos em combate. Outros ficaram feridos. Apesar dos resmungos da Unidade de Tarefas Bruiser, um certo nível básico de camaradagem se formou entre nossos SEALs e seus colegas iraquianos pelo sangue, suor e lágrimas de difíceis operações em combate.

Com o sucesso da estratégia Conquistar, Liberar, Manter e Construir, da Equipe de Combate Ready First da 1ª Divisão Blindada do Exército dos EUA, os combatentes inimigos foram expulsos de seus refúgios em Ramadi. Como incluímos soldados iraquianos em todas as operações, nossa cadeia de comando aprovou todos os planos de penetrar no território inimigo perigoso, em apoio à estratégia. Isso nos permitiu esmagar combatentes inimigos com efeito mortal, tornando essas áreas um pouco mais seguras para os Soldados e Fuzileiros Navais dos EUA que construíram postos avançados de combate permanentes, e viviam e patrulhavam fora deles, forçando os insurgentes a sair de suas fortalezas.

Como resultado, a população deixou de apoiar passivamente os insurgentes e, em vez disso, mudou de lado para apoiar as forças dos EUA e do Iraque. Com o tempo, o nível de violência diminuiu dramaticamente, assim como a capacidade militar dos insurgentes. Ao final de nossa missão, a área estava suficientemente segura para permitir que nossas unidades do exército iraquiano iniciassem suas operações sob o próprio comando e controle: patrulhando a cidade, enfrentando o inimigo e capturando ou matando insurgentes. Essa parte da missão foi um sucesso absoluto.

PRINCÍPIO

Para convencer e inspirar outras pessoas a seguir e cumprir uma missão, o líder precisa *acreditar* nela. Mesmo quando outros duvidam e questionam os riscos, perguntando: "Vale a pena?" O líder deve acreditar na causa maior. Se não acredita, não assume os riscos necessários para superar os inevitáveis desafios inerentes ao caminho para a vitória. Nem conseguirá convencer os outros — principalmente as tropas da linha de frente, que precisam executar a missão — a fazê-lo. Os líderes devem sempre operar tendo em mente que fazem parte de algo maior que eles mesmos e seus interesses pessoais. Eles devem transmitir esse entendimento a suas equipes até aos operadores de nível tático. Muito mais importante que o treinamento ou o equipamento, a crença resoluta na missão é fundamental para que qualquer equipe ou organização vença e alcance grandes resultados.

Em muitos casos, o líder deve alinhar sua visão e ideias à missão. Uma vez que um líder acredita na missão, essa crença é difundida para os que estão abaixo e acima na cadeia de comando. Ações e palavras refletem a fé com uma clara crença e autoconfiança que não é possível quando se duvida.

O desafio surge quando esse alinhamento não fica expressamente claro. Quando a confiança de um líder vacila, aqueles que deveriam segui-lo percebem e passam a questionar a própria crença na missão. Todo líder deve saber se desapegar da missão tática imediata e entender como se alinha aos objetivos estratégicos. Quando os líderes recebem uma ordem que eles mesmos questionam e não entendem, devem se perguntar: por quê? Por que estão nos pedindo para fazer isso? Esses líderes devem dar um passo para trás, desconstruir a situação e analisar o quadro estratégico, para chegar a uma conclusão. Se não conseguem chegar a uma resposta satisfatória, devem fazer perguntas na cadeia de comando até entender o porquê. Se os líderes e as tropas da linha de frente entendem o *porquê*, podem avançar, acreditando plenamente no que fazem.

Da mesma forma, cabe aos líderes seniores tirar um tempo para explicar e responder às perguntas dos líderes juniores, para que também entendam o propósito e, assim, acreditem nele. Seja nas fileiras de unidades militares ou empresas e corporações, as tropas da linha de frente não têm uma compreensão tão clara da imagem estratégica quanto os líderes seniores supõem. É fundamental que esses líderes transmitam uma compreensão geral do conhecimento estratégico — o *propósito* — a suas tropas.

Em qualquer organização, as metas devem estar sempre alinhadas. Se não estiverem, esse problema deverá ser abordado e corrigido. Nos negócios, como nas forças armadas, nenhuma equipe executiva sênior escolheria de propósito um curso de ação ou emitiria um pedido que resultaria em fracasso. Mas um subordinado pode não entender uma determinada estratégia e, portanto, não acreditar nela. Os líderes seniores devem fazer perguntas e, em seguida, dar feedback, para que os líderes seniores entendam as ramificações de seus planos estratégicos.

A crença na missão está ligada à quarta Lei de Combate: Comando Descentralizado (Capítulo 8). O líder deve explicar não apenas o que fazer, mas *por quê*. É responsabilidade do líder subordinado entrar em contato e perguntar se não entender. Somente quando líderes de todos os níveis entendem e acreditam na missão podem transmitir esse entendimento e crença a suas equipes, para que possam perseverar nos desafios, agir e vencer.

APLICAÇÃO NO MUNDO DOS NEGÓCIOS

"O novo plano de remuneração é péssimo", disse um dos gestores de nível médio. "Afastará nossos melhores vendedores." O grupo concordou.

No final de um breve programa de desenvolvimento de liderança para os gerentes de nível médio, minhas discussões com o grupo revelaram uma questão importante que criou estresse e fragmentação na empresa.

A liderança corporativa anunciara uma nova estrutura de remuneração para seus vendedores. O plano reduzia substancialmente a remuneração, principalmente para vendedores de baixa produção.

"Qual é o problema?", perguntei ao grupo.

"Já é difícil manter vendedores aqui; isso não ajuda!", respondeu um gerente.

"Eles não entendem o quanto esse mercado é difícil", disse outro, referindo-se à liderança sênior corporativa. "Esse novo plano de remuneração jogará as pessoas nas mãos de nossos concorrentes."

"Alguns dos meus subordinados já ouviram rumores sobre isso; eles não gostaram nada. E não posso convencê-los do contrário. Eu não acredito nisso!", respondeu outro.

Fiz a todos uma pergunta simples: "Por quê?"

"Por que o quê?", retrucou um dos gerentes.

"Por que sua liderança está fazendo essa mudança?", perguntei.

"Como vou saber?!", declarou um gerente enfático, o que fez o grupo rir.

Sorri e assenti. Então perguntei novamente: "Ok, mas *por que* vocês acham que implementaram esse plano? Eles querem chutar seus melhores vendedores porta afora? Querem que os vendedores procurem seus concorrentes? Vocês acham que eles realmente querem que a empresa perca dinheiro e fracasse?"

A sala ficou em silêncio. Os gerentes — a maioria respeitava e tinha boas relações com a liderança corporativa da empresa — sabiam que seus líderes eram inteligentes, experientes e comprometidos com o sucesso da empresa. O problema era que ninguém entendia por que o novo plano fora implementado.

"Alguém perguntou?", questionei.

A sala ficou em silêncio. Por fim, o engraçadinho soltou: "Não questiono, prezo pelo meu trabalho!" Risos irromperam da sala.

Sorri e esperei eles se acalmarem. "Compreensível", respondi. "Então, a CEO é intransigente? Ela demitiria alguém por perguntar?"

O grupo de gerentes murmurou: "Não."

"Então qual é o ponto?", perguntei.

Por fim, um dos gerentes seniores falou com seriedade: "Eu me sinto idiota em perguntar. Nossa CEO é inteligente e muito experiente. Ela entende disso."

"Ok", disparei. "Então vocês estão com medo de parecer estúpidos?"

Cabeças concordaram com um *sim* geral.

Balancei a cabeça também, agora entendendo o problema. Ninguém quer parecer estúpido, muito menos na frente do chefe. "Deixe-me perguntar uma coisa", continuei. "Quando vocês não conseguem explicar o propósito do novo plano de remuneração a seus vendedores, como acham que eles os veem?"

"Como estúpidos e assustados", respondeu o engraçadinho.

"Exato!", devolvi, em tom de brincadeira. Mas percebi que uma maneira simples e fácil de resolver o problema havia surgido.

Naquela tarde, passei no escritório da CEO. Ela estava em reunião com o presidente de vendas da empresa.

"Como o workshop está indo?", perguntou.

"Muito bem", falei. "Você tem uma equipe de gerentes bem sólida."

"Sem dúvida. Eles são um ótimo grupo", respondeu a CEO.

"Como é seu relacionamento com eles?", perguntei.

"Ah, acho que é bem próximo com a maioria deles. Alguns dos mais novos ainda não conheço muito bem; mas, como um todo, tenho um bom relacionamento com nossos gerentes", respondeu.

"Eles sempre a confrontam ou questionam?", perguntei.

A CEO pensou por uns segundos. "Na verdade, não", reconheceu. "Acho que eles entendem o negócio e sabem nossos propósitos. Então não há muito o que precisem confrontar. Estou no ramo há muito tempo. Eu não estaria aqui hoje se não soubesse o que faço. Eles sabem disso e acho que respeitam também. A experiência conta muito nesse setor. Mas acho que, se eles tivessem um problema, trariam a mim."

Essa percepção equivocada é comum entre líderes militares ou altos executivos corporativos, e esse foi um exemplo de chefe que não compreendia o peso de sua posição. Em sua mente, ela era bastante descontraída, aberta a perguntas, comentários e sugestões. Ela falou sobre a "política de portas abertas". Mas, na mente de seus gerentes de vendas, ela ainda era A Chefe: experiente, inteligente e, o mais importante, poderosa. Essa posição exigia um alto nível de reverência — tão alto que um funcionário questionar suas ideias parecia desrespeitoso. Nenhum deles se sentia à vontade para interrogá-la, mesmo que nenhum dos gerentes de nível médio achasse que perderia o emprego porque fez uma pergunta. Mas eles se preocupavam em ficar mal com A Chefe.

"Não tenho certeza se eles estão tão confortáveis em confrontá-la ou abrir-se como você pensa", afirmei abruptamente.

"Sério?", perguntou com uma expressão confusa.

"Deixe-me dar um exemplo que surgiu hoje", respondi. "O novo plano de compensação de vendas."

"O que tem ele? Eles não gostam?", perguntou a CEO, surpresa.

"Não é que não tenham gostado", respondi. "Acho que não entendem."

"Não entendem? O plano não é nada complexo. Na verdade, é simples", disse a CEO, preparando-se para me dar uma breve explicação.

"Não é que eles não entendam o plano", falei. "Você está certa: é simples. Reduza a compensação geral para a equipe de vendas, principalmente para os que têm baixa produtividade."

"Exato. Qual é o problema?", perguntou. Ela estava certa. Mesmo eu, sem experiência nesse ramo, não tive problemas para entender o conceito básico do novo plano de remuneração.

"A questão não é que não entendam o plano, mas não entendem *por que* está sendo implementado. Eles não acreditam nele. Acham que afastará os bons vendedores, que encontrarão melhores planos de compensação com seus concorrentes", expliquei.

A CEO ficou na defensiva. "Então eles claramente não entendem o que estou fazendo com os negócios", afirmou. "Quando reduzimos a remuneração, principalmente no setor de vendas de baixa produção, essa economia reduz os custos. Quando reduzo o custo para os vendedores, reduzo nossas despesas gerais. Com as despesas gerais reduzidas, posso reduzir o preço dos produtos. Isso permitirá que nossos maiores produtores fechem ainda mais negócios. O novo plano de remuneração é punitivo para quem produz pouco, mas essas pessoas não são vitais para nossos negócios. Se algumas partirem, não afetará nossos negócios. Na verdade, permitirá que alguns de nossos melhores produtores se responsabilizem por essas contas e aumentem as vendas. Portanto, o novo plano é uma oportunidade para nossa equipe de vendas se sair ainda melhor."

"Isso faz muito sentido", respondi.

"Totalmente", disse a CEO. Ela explicou como havia feito essa mesma mudança em um mercado complexo. "Quase sempre ajuda. Isso pode reduzir nossa quantidade de vendedores, mas aumentará nosso volume em longo prazo. Com menos vendedores, mais eficazes, as despesas gerais reduzirão: menos custos com assistência médica, menos mesas, menos computadores, maior eficiência. É uma relação em que todos ganham."

"É brilhante. Só há um problema", falei.

"Qual?", perguntou a CEO, incrédula.

"Seus gerentes de nível médio não entendem esses pontos, não entendem o *propósito*, e, portanto, não acreditam. Se não acreditam, a equipe de vendas também não acreditará. Se o plano for implementado e os responsáveis pela execução não acreditarem, o fracasso é certo."

"Então, como os faço acreditar?", perguntou a CEO.

"Fácil", expliquei. "Basta lhes dizer o *porquê*."

A CEO finalmente entendeu o que precisava fazer.

No dia seguinte ao meu treinamento com os gerentes de nível médio, a CEO apareceu e iniciou com uma breve apresentação.

"Bom dia", começou. "Jocko me apontou que vocês tiveram problemas com o novo plano de remuneração. Do que vocês não gostam?"

Após um momento de silêncio, um dos gerentes mais antigos criou coragem para falar. "Cortar o salário de nossa equipe de vendas dói. Pode fazer alguns deles desistir, o que pode nos prejudicar em longo prazo."

A CEO sorriu. Ela explicou os detalhes da estratégia por trás do plano: o aumento do volume, a sobrecarga reduzida, a maior captura de contas gerenciadas por vendedores de alta produtividade. Os gerentes logo viram a conexão e entenderam os benefícios do plano.

"Alguém tem alguma dúvida?", concluiu a CEO. Ninguém falou nada. "Sério. Alguém tem alguma dúvida? Não tenham medo de perguntar. Obviamente, eu não deixei isso claro. E, infelizmente, nenhum de vocês perguntou!", cutucou ela.

"Não, acho que agora entendemos", respondeu um dos gerentes.

"Vocês acham que podem explicar isso a seus vendedores de maneira que entendam?", perguntou a CEO.

"Sim", respondeu um gerente. "Mas ainda acho que alguns dos vendedores de baixa produtividade ficarão chateados."

"Tenho certeza de que alguns ficarão", respondeu a CEO. "Como falei, faz parte da estratégia. Quero que se concentrem nos vendedores altamente produtivos e nos que vocês acham que têm potencial. Eu já fiz isso; nós vamos obter bons resultados. Alguém mais tem alguma questão?"

A sala, agora tranquila pela conversa direta com a CEO, relaxou e começou uma pequena discussão antes que ela saísse. Então continuamos.

"O que vocês acharam?", perguntei ao grupo.

"Era exatamente disso que precisávamos", disse um gerente.

"Agora entendi", comentou outro.

"Gostaria que soubéssemos disso desde o início", afirmou um terceiro.

"Deixe-me fazer outra pergunta: quem é o culpado por a CEO não ter explicado isso a vocês em detalhes?", perguntei.

Os gerentes fizeram silêncio. Eles sabiam a resposta e assentiram enquanto reconheciam um tópico que eu abordara antes em detalhes.

"Ok", falei. "Vocês! É disso que se trata a Responsabilidade Extrema. Se você não entende nem acredita nas decisões que vêm de sua liderança, cabe a você perguntar até entender como e por que elas foram tomadas. Não saber o porquê o impede de acreditar na missão. Quando você está em uma posição de liderança, além de ser uma receita para o fracasso, é inaceitável. Como líder, você precisa acreditar."

"Mas a chefe deveria nos ter explicado, certo?", perguntou um gerente.

"Claro. Expliquei isso a ela, e, por isso, ela veio aqui e fez exatamente isso. Mas ela não lê mentes. A CEO não pode prever o que vocês não entenderão. Ela não é perfeita; nenhum de nós é. As coisas vão escapar de vez em quando. Acontece. Cometi muitos erros quando liderei os SEALs. Muitas vezes, minha liderança subordinada cobria minhas falhas. E eles não usavam isso contra mim, nem achei que estavam infringindo meu 'território de liderança'. Pelo contrário, eu lhes agradecia. A liderança não se resume a uma pessoa liderando uma equipe. É um grupo de líderes trabalhando juntos, para cima e para baixo na cadeia de comando. Se você lidera por conta própria, não importa o quão bom seja, não é capaz de lidar com isso."

"Então, decepcionamos a chefe quando não fazemos perguntas e nos comunicamos", disse um dos gerentes mais quietos, no fundo da sala.

"Sim", confirmei. "As pessoas falam sobre como a liderança exige coragem. Essa é uma dessas situações. É preciso coragem para ir ao escritório da CEO, bater à sua porta e dizer que você não entende a estratégia por trás de suas decisões. Você pode se sentir estúpido. Mas se sentirá muito pior tentando explicar à sua equipe uma missão ou estratégia que você não entende nem acredita. E, como você apontou, decepciona a chefe, porque ela nunca saberá que sua orientação não está sendo adequadamente transmitida pela hierarquia. Se você não faz perguntas para entender e acreditar na missão, fracassa como líder e faz sua equipe fracassar. Portanto, se receber uma tarefa, orientação ou missão em que não acredita, não se acomode e aceite. Pergunte até entender o *propósito*, para poder acreditar no que está fazendo e passar essas informações para sua equipe com confiança, para que eles possam executar a missão. Isso é liderança."

Os SEALs Bruiser tomam o terreno mais alto, no Centro-sul de Ramadi. O sniper do Pelotão Charlie, Chris Kyle, observa a distância a fumaça dos principais canhões de 120mm dos tanques Abrams (B/1-37) da Companhia Bravo, da Equipe Bulldog. Os Soldados da Bulldog, uma unidade de combate excepcional, enfrentaram estradas traiçoeiras carregadas de IED para apoiar os SEALs do Pelotão Charlie. Os esforços corajosos da Bulldog salvaram vidas e repeliram a insurgência de uma das áreas mais perigosas de Ramadi. SEALs e Bulldogs formaram um vínculo indissolúvel, que ainda vigora.

(Fotografia dos autores)

CAPÍTULO 4

Controle o Ego

Jocko Willink

**CAMP CORREGIDOR, RAMADI, IRAQUE:
BEM-VINDO A RAMADI**

Balas traçantes inimigas voavam por cima de nós enquanto eu corria escada acima para o telhado do terceiro andar do prédio do nosso centro de operações táticas (TOC). Nosso acampamento estava sob ataque. Nem tive tempo de vestir o colete a prova de balas. Quando o tiroteio começou, agarrei meu capacete e fuzil, joguei meu equipamento de suporte de carga sobre os ombros e fui para o telhado. Os SEALs chegavam às dúzias, alguns usando apenas shorts e camisetas sob o colete, mas com os capacetes e armas prontos.

Do outro lado do rio, na escuridão, combatentes inimigos disparavam rajadas de metralhadora sobre dois postos avançados dos EUA, e os Soldados norte-americanos revidavam com vingança. O brilho intenso das balas traçantes era evidente nas duas direções. Outro grupo de combatentes inimigos investia contra nosso acampamento, disparando contra nós da margem oposta do rio Eufrates.

Porém eles não contavam com a resposta. Em questão de minutos, todos os SEALs da Marinha na Unidade de Tarefas Bruiser e vários de nossos homens de apoio estavam no telhado, revidando. Alguns SEALs trouxeram seus rifles M4; outros, lançadores de granadas M79 40mm; outros, suas metralhadoras Mk48 e Mk46. Desferimos inúmeras rajadas de fogo contra os flashes inimigos. Orientei um metralhador de M79 a disparar com alguns tiros iluminadores de 40mm para que identificássemos melhor nossos alvos.

Leif estava no telhado ao meu lado, atirando e orientando os outros Soldados. O SEAL ao lado dele descarregou dois cintos inteiros de cem balas com sua metralhadora, vomitando carcaças de cascos no telhado, que ricocheteavam com um tinido metálico. Todo mundo estava atirando, tendo um momento daqueles. A certa altura, ríamos por perceber a quantidade absurda de tiros que estava sendo disparada contra o inimigo. Logo os combatentes inimigos estavam mortos ou haviam batido em retirada, cessando o ataque. O metralhador SEAL olhou em volta com um sorriso.

"Esta é minha terceira missão no Iraque", disse o metralhador SEAL, empolgado. "E é a primeira vez que uso minha metralhadora em combate." Era seu primeiro dia em Ramadi.

Alguns de nós haviam chegado há uma semana, incluindo Leif, alguns dos outros principais líderes e eu. Mas a maioria dos SEALs da Unidade de Tarefas Bruiser havia chegado naquele dia. Por mais que tenha sido divertido atirar do telhado, foi um alerta para todos da Unidade. Aquilo era Ramadi, uma zona de guerra total e o lugar mais violento do Iraque. Embora alguns de nós já tivéssemos estado no Iraque, percebemos que dessa vez seria diferente — e muito mais perigoso. Bem-vindo a Ramadi.

Ao longo de 2005 e 2006, a vasta e volátil Província de Al Anbar era o lugar mais perigoso do Iraque, responsável pela maioria das baixas dos EUA na Guerra do Iraque. De todos os lugares em Anbar, Ar Ramadi era o mais letal. Localizada no rio Eufrates, Ramadi, com 400 mil moradores, é a capital da província de Anbar e o epicentro da violenta insurgência sunita. A cidade estava cheia de escombros de prédios, pedaços de metal retorcido queimado que já haviam sido veículos e paredes marcadas por buracos de bala. Crateras gigantes causadas por IEDs* pontilhavam as principais estradas da cidade. Milhares de combatentes insurgentes sunitas fortemente armados e leais à Al-Qaeda no Iraque controlavam cerca de dois terços da área geográfica da cidade. As forças dos EUA nem sequer começavam a penetrar nessas áreas sem sofrer baixas maciças. A Al-Qaeda, no Iraque, reivindicou a cidade como a capital de seu califado.

Os valentes Soldados e Fuzileiros do Exército dos EUA escoltavam comboios e patrulhas ao longo das estradas mortais e amplamente destruídas por IEDs. Eles conduziram operações de cordão e busca em território inimigo e se envolveram em combates ferozes. A maioria dos milhares de tropas norte-americanas em Ramadi estava localizada em grandes bases seguras fora da cidade em si. Mas, ao longo da rua principal da cidade, uma série de postos isolados da Marinha e do Exército dos EUA estava constantemente sob ataque.

O nível de determinação e sofisticação dos combatentes insurgentes em Ramadi era alarmante — muito além do que qualquer um de nós da Unidade de Tarefas Bruiser tinha visto em destacamentos anteriores. Várias vezes por semana, grupos de vinte ou trinta combatentes inimigos bem armados lançavam ataques infernais às forças norte-americanas. Eram ataques bem coordenados e complexos, executados simultaneamente em vários postos avançados dos EUA separados por vários quilômetros. Esses *muj* pegavam pesado.

---

* IED, ou *improvised explosive device* [artefato explosivo improvisado]: bombas que ficavam às margens das estradas, responsáveis por cerca de 70% a 80% das vítimas norte-americanas no Iraque em 2006.

Muitos ataques inimigos seguiam um padrão semelhante. Começavam com uma súbita rajada de metralhadoras, precisas e devastadoras, de várias direções, que massacravam os postos de sentinelas e os forçavam a se esconder. Então, enquanto Soldados ou Fuzileiros estavam agachados, foguetes mortais de RPG-7 disparados de seus ombros eram lançados em sequência, causando impacto com ruídos violentos e estilhaços letais.

Em seguida, morteiros (disparados a distância) choviam nas paredes do complexo da coalizão, causando impacto alarmante. Tudo isso era feito com o objetivo de inibir os sentinelas ou forçá-los a ficar agachados para que não pudessem revidar, enquanto o inimigo lançava sua arma final e mais devastadora: o bombardeiro suicida VBIED que dirigia um caminhão ou outro veículo cheio de explosivos*. Se o caminhão ultrapassasse as barreiras de concreto, penetrasse as barreiras de sentinelas da Marinha e do Exército e adentrasse o complexo, os resultados seriam catastróficos — tão mortais quanto o mais poderoso míssil norte-americano Tomahawk lançado de um navio de guerra da Marinha ou a bomba guiada por Joint Direct Attack Munition (JDAM), enviada pelas aeronaves dos EUA.

Esses ataques inimigos eram bem coordenados e violentamente executados. Os militantes jihadistas sunitas eram muito mais capazes do que os que eu já havia visto no Iraque dois anos antes e estavam ansiosos para acabar com os postos avançados norte-americanos, deixando dezenas de Fuzileiros e Soldados mortos e muitos outros feridos.

Contudo, os destemidos sentinelas da Marinha e do Exército mantiveram a posição e revidaram todas as vezes. Em vez de se proteger, os jovens Fuzileiros e Soldados que ocupavam as torres de vigia e postos de sentinela corajosamente agiam rápido e revidavam com tiros de

---

* Os militares norte-americanos o chamam de *vehicle-borne improvised explosive device* [dispositivo explosivo improvisado transportado por veículo, em tradução livre].

metralhadora, mortalmente precisos. Suas posições abnegadas quase sempre impediam que os VBIEDs entrassem no complexo. Era provável que o VBIED explodisse em uma enorme bola de fogo e concussão, mas o inimigo não se aproximaria o suficiente das forças dos EUA, protegidas por sacos de areia e barreiras de concreto. Os Fuzileiros e Soldados combatiam esses ataques com tanta frequência que chegaram a ser considerados comuns — apenas mais um dia em Ramadi.

Na Unidade de Tarefas Bruiser, estávamos confiantes e até um pouco convencidos. Porém tentei moderar essa confiança, implementando uma cultura insaciável em nossa unidade de tarefas: esforçávamo-nos cada vez mais para melhorar continuamente nosso desempenho. Lembrei às nossas tropas que não devíamos considerar o inimigo como vencido, que nunca poderíamos ser complacentes. Com tudo isso em mente, os garotos da Unidade de Tarefas Bruiser foram instigados e estavam ansiosos para provar a si mesmos quando fomos para Ar Ramadi na primavera de 2006.

Logo que chegamos, recebemos uma lição de humildade pela violência do campo de batalha e pelo incrível heroísmo dos Soldados e Fuzileiros Navais convencionais dos EUA da 2ª Brigada de Combate, 28ª (2-28) Divisão de Infantaria. Nossos SEALs foram beneficiados com um treinamento muito mais avançado, com as melhores armas, lasers, ópticos e acessórios que o amplo orçamento do Comando de Operações Especiais poderia comprar.

Estávamos admirados com os Soldados e Fuzileiros que operavam os postos avançados em território inimigo e enfrentavam batalhas mortais contra um inimigo feroz e determinado. Quando a Equipe de Combate Ready First da 1ª Divisão Blindada chegou para substituir a 2-28 durante um mês em nosso destacamento, novamente desenvolvemos um profundo respeito e admiração por esses companheiros de luta e estávamos orgulhosos de servir ao lado deles. Todas as unidades convencionais com as quais trabalhamos haviam assistido a extensos combates, todos haviam perdido tropas e ficado feridos. Esses Soldados e Fuzileiros Navais eram os caras. Eles são a genuína definição de "guerreiros".

O inimigo também era forte e capacitado. Era letal e eficaz, sempre observando, analisando e procurando pontos fracos. Se as forças dos EUA pretendiam vencer, todos nós — as unidades convencionais do Exército e da Marinha e as de Operações Especiais, como nossos SEALs da Unidade de Tarefas Bruiser — precisávamos trabalhar juntos e nos apoiar.

Infelizmente, havia alguns combatentes das unidades de operações especiais dos EUA, incluindo alguns SEALs, que se consideravam superiores aos Soldados e Fuzileiros regulares do Exército dos EUA e só agiam de forma independente. Essa arrogância levou alguns comandantes convencionais do Exército e da Marinha a não gostar das unidades de operações especiais. Mas, se as forças norte-americanas quisessem vencer essa difícil batalha, todos precisaríamos abrir mão dos egos e trabalhar juntos.

Desde a nossa chegada, estabelecemos o precedente de que na Bruiser trataríamos nossos irmãos e irmãs de armas do Exército e da Marinha com o mais alto respeito e cortesia profissional. Às vezes, os SEALs são identificados pelos cabelos compridos e uniformes desleixados. Contudo, para as unidades convencionais, a aparência significava profissionalismo. Na Unidade de Tarefas Bruiser, insisti para que nossos uniformes e cortes de cabelo fossem padronizados segundo o regulamento militar. Buscamos maneiras de trabalhar com essas unidades em apoio uns aos outros. O objetivo era simples: proteger e estabilizar Ramadi.

Com essa atitude de humildade e respeito mútuo, estabelecemos fortes relacionamentos com os batalhões do Exército e da Marinha, e com as companhias no campo de batalha em Ramadi e nos arredores. Assumimos grandes riscos de patrulhar o território inimigo para ajudar os snipers e proteger tropas amigas nas ruas. Esses Soldados e Fuzileiros, por sua vez, colocavam suas tropas em risco para nos ajudar com um forte apoio de fogo — tanques M1A2 Abrams e veículos de combate M2 Bradley — e efetuar evacuações de vítimas quando precisamos.

Após um mês em Ramadi, a Bruiser deixou sua marca. Tínhamos descoberto como nos posicionar em terreno alto, onde poderíamos causar mais danos aos inimigos e apoiar melhor as unidades do Exército e da Marinha dos EUA que operavam na cidade. Quando o inimigo se unia para atacar, os snipers SEALs entravam em ação com seus disparos de precisão, matando um grande número de combatentes *muj* armados, inibindo seus ataques. Conforme a atividade inimiga crescia, a ofensiva SEAL, também.

Uma vez que nossos SEALs eram descobertos, nossas posições passavam de esconderijos clandestinos para posições fortificadas de combate. Os metralhadores SEALs se juntavam à luta, massacrando insurgentes com centenas de tiros de suas metralhadoras alimentadas por cinto. Outros SEALs lançavam granadas explosivas de 40mm e foguetes. Rapidamente, o número de combatentes inimigos mortos nas mãos dos SEALs da Unidade de Tarefas Bruiser cresceu para níveis sem precedentes.

Todo malfeitor morto significava que mais Soldados, Fuzileiros Navais e SEALs dos EUA viveriam. Eles estavam um dia mais perto de voltar para casa em segurança para suas famílias. Todo combatente inimigo morto também significava que outro soldado iraquiano, policial ou funcionário do governo sobreviveria, e mais civis iraquianos viveriam com menos medo da Al-Qaeda no Iraque e de seus aliados insurgentes.

Lutávamos contra um inimigo maligno, talvez o mais maligno que qualquer militar dos EUA enfrentou em sua longa história. Esses violentos jihadistas usavam tortura, estupro e assassinato como armas para aterrorizar cruelmente, intimidar e governar a população civil que vivia com um medo abjeto. O povo norte-americano e grande parte do mundo ocidental viviam na ignorância intencional das táticas bárbaras e inimagináveis que esses jihadistas empregavam. Era selvageria subumana. Tendo testemunhado isso inúmeras vezes, em nossas mentes e nas das pessoas que sofreram sob seu reinado brutal, os *muj* não mereciam piedade.

Para nosso grupo relativamente pequeno, de cerca de 36 SEALs, o número de inimigos mortos diariamente chamou a atenção dos escalões superiores de nossa cadeia de comando. À medida que a Unidade de Tarefas Bruiser continuava a operar com uma letalidade impressionante, algumas outras unidades do Iraque quiseram participar da ação em Ramadi.

Um grupo de conselheiros de outra parte do Iraque tinha capacidade semelhante à de nossos SEALs e trabalhava ao lado de uma unidade do exército iraquiano bem treinada. Diferente da maioria dos soldados iraquianos, essas tropas estavam bem equipadas, incluindo os melhores rifles, miras, lasers, óculos de visão noturna e coletes à prova de balas do Iraque. Com o treinamento e o equipamento certos, seu nível de habilidade e capacidade operacional excediam o das outras unidades do exército iraquiano com as quais trabalhamos em Ramadi. Devido a seu treinamento superior e alto nível de visibilidade com os principais oficiais militares dos EUA, essa unidade iraquiana e seus conselheiros norte-americanos tinham uma grande margem de manobra para operar onde e como quisessem. Quando souberam da ação em Ramadi, rapidamente obtiveram aprovação para se mudar para lá e começar a trabalhar.

Quando a nova unidade chegou, foi enviada à Base Operacional Avançada Camp Corregidor, no lado leste da cidade. A Camp Corregidor era de propriedade e operada pelo Primeiro Batalhão da

101ª Divisão Aerotransportada do Exército dos EUA, o 506º Regimento de Infantaria de Paraquedas — o lendário "Five-O-Sixth", famoso pelo livro de Stephen Ambrose, *Band of Brothers: Companhia de Heróis* (que se tornou uma minissérie da HBO). O livro apresentou os esforços heroicos de uma única companhia na campanha europeia contra a Alemanha nazista na Segunda Guerra Mundial. Aqueles homens corajosos estabeleceram um alto padrão, e os Soldados modernos do 1/506º Regimento continuaram essa tradição com orgulho e acrescentaram seu legado histórico.

O 1/506º Batalhão era comandado por um tenente-coronel do Exército dos EUA, um oficial inteligente, carismático e profissional que estabeleceu o padrão para os líderes militares. Ele foi um dos melhores comandantes do campo de batalha com quem tive a honra de servir. O coronel comandou com intensidade sutil, complementada por uma atitude genuinamente gentil e descontraída. Ele era um líder incrível, e liderar homens na violenta batalha de Ramadi exigia toda a liderança possível.

O Camp Corregidor era definido como um estilo de vida do combate. Tudo era difícil. Uma areia fina e parecida com um pó, que as tropas norte-americanas chamavam de "poeira lunar", grudava nos edifícios, equipamentos, armas, veículos, roupas e pele. Mas esse era o menor dos problemas. O Camp Corregidor fazia fronteira com uma das áreas mais perigosas de Ramadi, chamada Distrito de Mala'ab. O acampamento estava sob constante ataque de morteiros, metralhadoras e foguetes.

O coronel exigia o mais alto nível de disciplina de seus Soldados do 1/506º Regimento. Ele sabia que relaxar, ainda que apenas durante o almoço, poderia resultar em feridas horríveis e morte. A disciplina em tal situação começava com as pequenas coisas: cortes de cabelo no padrão militar, barba feita todos os dias e uniformes alinhados. Com isso, as coisas mais importantes se encaixavam: coletes e capacetes vestidos ao sair e armas limpas e prontas para uso a qualquer momento. A disciplina criou vigilância e prontidão operacional, o que resultou em alto desempenho e sucesso no campo de batalha.

Enviamos SEALs da Unidade de Tarefas Bruiser do Pelotão Delta para morar e trabalhar em Camp Corregidor, para treinar e aconselhar soldados iraquianos no país e apoiar o 1/506º Regimento Band of Brothers. Quando os SEALs chegaram, humildemente adotaram os mesmos hábitos que seus anfitriões do 1/506º. Apesar dos padrões de higiene mais relaxados do que os SEALs normalmente desfrutam em outros lugares, os SEALs do Camp Corregidor cortavam seus cabelos, faziam a barba todos os dias e até usavam a mesma camuflagem ACU (uniforme de combate do Exército) que seus colegas do Exército. Esse sinal claro de camaradagem aproximou os SEALs dos Soldados do 1/506º. Esses Soldados estavam em uma luta sangrenta por quase seis meses, e os SEALs os tratavam com profissionalismo e respeito. O Exército retribuiu esse respeito, e rapidamente se formou um vínculo entre Soldados e SEALs.

Nossos SEALs estavam trabalhando em Camp Corregidor por várias semanas, realizando operações perigosas com coragem, habilidade e eficácia quando a nova unidade chegou. A princípio, o comandante do pelotão SEAL em Camp Corregidor estava preocupado com a chegada da nova unidade iraquiana bem treinada e de seus conselheiros norte-americanos. Ele me ligou pelo telefone do acampamento e confidenciou: "Esta unidade que acabou de chegar provavelmente tem uma capacidade muito melhor do que nós. Eles têm muita experiência. O nível de habilidade dos iraquianos está muito acima dos *jundhis* regulares. Eles têm equipamentos muito melhores, boas armas e até mesmo capacidade de snipers."

Respondi: "Que bom. Fico feliz que os soldados iraquianos tenham progredido tanto. Se você orientar e familiarizá-los com o espaço de batalha, eles serão um grande trunfo."

"Sei lá", respondeu o comandante do pelotão SEAL. "Estou preocupado que esses caras sejam melhores que nós e assumam nossa missão. Talvez seja melhor deixar que eles se virem", disse.

Logo percebi o que estava acontecendo. Por melhor que fosse esse comandante de pelotão, seu ego estava sendo ameaçado. Em um ambiente como Ramadi, tentar se virar poderia facilmente levar à morte. Não era lugar para egos inflados.

"Não. Nem pense nisso. Escute: o inimigo está logo depois da base", falei para meu comandante do pelotão SEAL, de maneira bem direta.

Nossos inimigos eram os insurgentes à espreita na cidade de Ramadi, e não outras forças da coalizão "dentro da base" nas bases norte-americanas, que estão conosco. Todos tivemos que trabalhar juntos em direção ao mesmo objetivo de derrotar essa insurgência. Não podíamos deixar o ego atrapalhar.

Continuei: "Essa nova unidade de conselheiros é composta de norte-americanos e bons iraquianos, possivelmente os melhores iraquianos. Faça o que puder para ajudar esses caras. Se superarem sua equipe e pegarem sua missão, tudo bem. Vamos encontrar outra para você. Nossa missão é derrotar essa insurgência. Não podemos deixar que nossos egos se sobreponham ao que é melhor para alcançarmos isso."

"Entendido, chefe", disse o comandante do pelotão. Um guerreiro inteligente e humilde, ele rapidamente reconheceu que seu ponto de vista estava errado e mudou de atitude. Não era relevante quais unidades faziam o que ou quem conduzia a maioria das operações. O importante era a missão e como poderíamos cumpri-la da melhor maneira. O comandante do pelotão e seus SEALs lutavam bravamente. Participaram de dezenas de tiroteios nas poucas semanas em que estiveram em Corregidor e deviam usar toda a ajuda que pudessem obter de outra unidade capacitada.

Enquanto o comandante do pelotão SEAL rapidamente colocava seu ego sob controle, infelizmente, havia outros egos atrapalhando. Quando a nova unidade começou a interagir com os SEALs e o pessoal do 1/506º, algumas de suas atitudes foram surpreendentes. Alguns deles não se portaram com a mesma humildade que os soldados do 1/506º Band of Brothers e nossos SEALs fizeram no Camp Corregidor.

Um punhado de tropas da nova unidade exibia uma aparência não disciplinada. Alguns tinham bigodes, cavanhaques e cabelos compridos. Eles usavam bonés de beisebol sujos e camisetas cortadas, com uniformes que não combinavam. Algumas unidades militares em bases remotas e isoladas adaptavam seus padrões de higiene, a fim de se ajustarem à população local ou às unidades militares estrangeiras com as quais trabalhavam. Em alguns casos, essa aparência é até necessária. Porém, aqui em Ramadi, em estreita proximidade com forças convencionais em bases pertencentes e operadas pelo Exército e pelos Fuzileiros Navais, causaria atrito.

Na mente de alguns dos membros dessa nova unidade, eles estavam acima da conformidade com as rígidas políticas de higiene do coronel. Mas isso por si só era um problema que poderia ser superado. Afinal, um uniforme arrumado não faz um bom soldado. Mas os problemas não pararam por aí. Alguns dos conselheiros dos EUA na unidade não se dirigiam aos Soldados 1/506º com profissionalismo e respeito. Eles demonstravam superioridade não apenas em relação aos Soldados, mas também aos líderes seniores. Considerando que praticamente todos os snipers do 1/506º tinham mais experiência em combate do que a maioria dos homens dessa unidade, esta era uma atitude repugnante.

Para piorar a situação, a nova unidade deixou claro que eles tinham pouco interesse em ouvir conselhos ou aprender com o comandante do pelotão SEAL e seus homens. Após semanas de operações de combate consecutivas em um dos piores setores de Ramadi, nossos SEALs aprenderam lições que salvaram vidas. Do equipamento específico necessário e quantidade de munição e água necessárias para as missões aos planos efetivos de táticas e comunicações, os SEALs aprenderam bastante sobre a condução de operações com os 1/506º no que diz respeito a esses aspectos. Quando eles tentaram passar essas informações valiosas para a nova unidade, seus conselhos foram ignorados. O excesso de confiança era arriscado em um ambiente tão hostil, um erro geralmente cometido por guerreiros que nunca foram verdadeiramente testados.

Por causa dos milhares de insurgentes bem armados e da extrema violência que tomou conta de Ramadi, todas as unidades dos EUA tiveram que coordenar os planos e se preparar para ajudar. A ameaça constante de um ataque inimigo em larga escala, com o potencial de sobrecarregar e aniquilar um pequeno grupo de tropas norte-americanas era bem presente. Isso significava que todos tinham que compartilhar os detalhes operacionais para atuar com esforços sincronizados. Desde grandes operações proporcionais a batalhões a simples comboios de logística, era essencial coordenar e manter outras unidades informadas para oferecer a todos as maiores chances de sobrevivência e impedir o fratricídio.

No entanto, ao planejar suas missões, essa nova unidade que operava na base dos 1/506º se recusou a divulgar seus planos, locais, cronogramas e outros detalhes operacionais. Eles não viam necessidade de informar o coronel de seus planos. Isso significava que pretendiam ocupar o espaço de batalha do coronel, conviver com suas unidades, contar com o apoio deles quando as coisas não saíssem bem e conduzir operações sem mantê-los informados. Quando o oficial de operações do batalhão 1/506º os confrontou e solicitou o plano detalhando da primeira missão, o líder da nova unidade respondeu: "Nós informaremos depois, se necessário."

Quando o centro de operações táticas (TOC) do 1/506º perguntou sobre a localização específica que a unidade havia planejado para a missão (uma prática padrão para impedir que unidades amigas que operam na área as atacassem acidentalmente e permitir que o TOC do 1/506º enviasse ajuda à localização, caso necessário), o líder da unidade forneceu uma grade de quatro dígitos (do sistema de referência da grade militar). Isso significava que as tropas da unidade poderiam estar localizadas em qualquer lugar dentro de um quilômetro quadrado — praticamente inútil para o TOC do 1/506º. Havíamos aprendido algumas lições difíceis sobre o compartilhamento de informações, ou a falta dele, que resultaram em fratricídio. Em um ambiente operacional tão perigoso, com um grande número de combatentes inimigos bem armados e várias unidades aliadas operando no mesmo espaço de batalha, essa falta de coordenação poderia muito bem significar uma sentença de morte.

O comandante do pelotão SEAL logo me informou sobre o atrito entre a nova unidade e os Soldados do 1/506º. Meu conselho foi simples: "Deem a eles o que precisarem e os ajudem, se puderem, mas parece que vai ser do jeito deles."

Infelizmente, o comandante do pelotão não pôde ajudar e a situação não melhorou. Em menos de duas semanas, o coronel instruiu a unidade a deixar o acampamento Corregidor. Com uma capacidade operacional tão impressionante, eles deveriam ter contribuído muito para a batalha. Mas o coronel e suas tropas simplesmente não podiam arriscar trabalhar com um grupo em que os egos de alguns membros os impediam de se integrar totalmente ao batalhão 1/506º. Como resultado, a unidade teve que assistir de longe à histórica Batalha de Ramadi, enquanto os SEALs do Pelotão Delta e os Soldados do 1/506º enfrentavam a luta contra o inimigo em Mala'ab, matando dezenas de insurgentes e ajudando a alcançar os objetivos estratégicos de garantir e estabilizar a cidade.

PRINCÍPIO

O ego obscurece e atrapalha tudo: o processo de planejamento e a capacidade de seguir bons conselhos e de aceitar críticas construtivas. Ele até sufoca o senso de autopreservação. Muitas vezes, o mais difícil dos egos com os quais lidar *é o seu*.

Todo mundo tem um ego. O ego guia as pessoas mais bem-sucedidas — nas equipes SEAL, nas forças armadas e no mundo dos negócios. Elas querem vencer, para ser a melhor. Isso é bom. Mas, quando o ego obscurece nosso julgamento e nos impede de ver o mundo como ele é, torna-se destrutivo. Quando os interesses pessoais se tornam mais importantes do que a equipe e o sucesso da missão, o desempenho sofre, e o fracasso surge. Muitos dos problemas perturbadores que surgem em qualquer equipe podem ser atribuídos a problemas de ego.

Implementar a Responsabilidade Extrema requer controlar seu ego e operar com um alto grau de humildade. Admitir erros, assumir responsabilidade e desenvolver um plano para superar desafios é parte integrante de qualquer equipe de sucesso. O ego pode impedir que um líder faça uma avaliação honesta e realista de seu desempenho e do da equipe.

Nas equipes SEAL, esforçamo-nos para desenvolver confiança, mas sem recair na arrogância (veja o Capítulo 12). Temos muito orgulho da história e do legado de nossa organização. Confiamos em nossas habilidades e ficamos ansiosos para assumir missões desafiadoras que outras pessoas não podem ou não estão dispostas a executar. Mas nunca podemos pensar que somos bons demais para fracassar ou que nossos inimigos são incapazes, fracos e não querem explorar nossas fraquezas. Nunca devemos nos acomodar. É nesse ponto que o controle do ego é fundamental.

APLICAÇÃO NO MUNDO DOS NEGÓCIOS
Leif Babin

"Tive uma emergência que está nos causando um grande problema e preciso de ajuda", disse o correio de voz. "Me ligue assim que puder."

O correio de voz era de Gary, gerente de nível médio do departamento de operações de uma corporação com a qual Jocko e eu tínhamos trabalhado com nossa empresa, a Echelon Front. Desenvolvemos um programa de liderança de doze meses para eles. A cada poucas semanas, íamos à sua sede corporativa para treinar um grupo de doze gerentes de nível médio de vários departamentos. Além dessas sessões, fornecemos treinamento e orientação para ajudar os participantes do curso a aplicar o que aprenderam em seus desafios diários de liderança.

Jocko e eu conversamos com Gary por telefone várias vezes nos últimos meses e o ajudamos a resolver alguns dilemas menores de liderança e a formar uma equipe mais eficaz. Ele era um trabalhador esforçado, dedicado ao seu trabalho e à sua equipe, e estava ansioso para aprender. Foi gratificante vê-lo crescer como líder ao longo dos meses de nosso curso. Como resultado, ele desenvolveu uma sólida confiança em si mesmo para tomar as decisões que ajudariam sua equipe a executar a missão. Agora, ele estava com um grande problema — um sério desafio de liderança o pressionava. Eu estava ansioso para ajudá-lo.

Logo retornei sua ligação para descobrir o que tinha acontecido e o que eu poderia fazer a respeito.

"Como você está, Gary?", perguntei quando ele atendeu.

"Não muito bem", respondeu. "Acabamos de ter um grande problema em um de nossos projetos críticos."

"O que aconteceu?", perguntei. Minha experiência não chegava aos pés da de Gary no setor, mas eu poderia ajudá-lo a resolver seus desafios de liderança, melhorar a comunicação e dirigir uma equipe mais eficaz.

"Nosso superintendente de perfuração solicitou a troca de uma peça crítica de um equipamento sem nos consultar", disse Gary. "Ele violou nossos procedimentos operacionais padrão. Eu expliquei a ele como queria que fosse feito, mas ele cagou e andou!" Gary estava irritado.

Claro, o ego de Gary foi ferido quando o superintendente passou por cima dele.

"Ele sabia que não podia ter feito isso sem me consultar", continuou Gary, "mas ele não se importou. Ele fez a solicitação errada, e isso atrasou nosso prazo de conclusão, custando muito capital à empresa". Em seu setor, cada dia perdido custava centenas de milhares de dólares.

"Fale de seu superintendente", pedi. "Por que acha que ele fez isso?"

"Não faço ideia", disse Gary. "Ele sabia que precisava falar comigo. Mas ele está no ramo há mais tempo do que eu e tem uma puta experiência. Às vezes, ele olha para mim e seu rosto diz: *O que diabos você sabe?* Tenho certeza de que ele acha que sabe mais do que eu."

"Talvez ele só estivesse tomando uma iniciativa para ver se dava certo", respondi. "O que tende a se agravar se você deixar para lá."

"Isso é parte do problema. Estou preocupado com a forma como ele responderá à minha crítica", disse Gary. "Com seus anos de conhecimento e experiência, ele é um membro crítico da equipe. Não podemos perdê-lo. Se eu chamar sua atenção, ele vai explodir comigo, e o atrito entre nós provavelmente ficará ainda pior do que já está. E você sabe como esse setor funciona. Com sua experiência, ele encontra outro emprego amanhã, se quiser."

"Isso significa que você terá que controlar seu ego para ter uma discussão construtiva com ele e retomar as rédeas da situação", respondi. "Vamos pensar nisso", continuei. "Você acha que ele quis encerrar as operações de perfuração e gerar prejuízo para a empresa?"

"Não", admitiu Gary. "Tenho certeza de que ele pensou que estava fazendo o que era melhor para a situação imediata."

"No nível tático, nas linhas de frente em que os caras no campo executam a missão", falei, "é fundamental que as tropas compreendam como o que fazem se conecta ao quadro geral. O seu superintendente pode não ter entendido como a quebra da norma e a aprovação dessas mudanças resultaria em uma perda de centenas de milhares de dólares. Você acha possível?"

"Definitivamente. Ele tem um conhecimento prático excepcional de perfuração, mas não lida com o cenário geral", respondeu Gary. Sua raiva diminuiu, e seu ego ferido sossegou quando ele percebeu que o superintendente não fora insubordinado por maldade. Ele começou a entender as razões para o superintendente ter tomado as decisões que tomou.

"Como líder, cabe a você explicar-lhe o quadro mais amplo — e a todos os seus líderes da linha de frente. Esse é um componente crítico de liderança", respondi.

Mas Gary ainda estava preocupado com o modo de lidar com seu superintendente de perfuração — e com o ego do superintendente. "Como posso comunicar isso a ele sem deixá-lo nervoso e chateado comigo?", perguntou Gary. "Se eu o confrontar, nossa comunicação ficará ainda pior do que já está."

"Esse é outro componente crítico da liderança", respondi. "Lidar com o ego das pessoas. E você pode fazer isso usando um dos princípios principais que ensinamos durante o curso: Responsabilidade Extrema."

Gary respondeu: "Responsabilidade de quê? Foi ele quem fez coisa errada, não eu." Estava claro que o ego de Gary estava atrapalhando a solução para o problema.

"Responsabilidade por tudo!", respondi. "Isso não é culpa dele, é *sua*. Você está no comando, então o fato de ele não seguir o procedimento é culpa sua. E você tem que acreditar nisso, porque é verdade. Quando falar com ele, precisa iniciar a conversa assim: 'Nossa equipe cometeu um erro, e a culpa é minha. A culpa é minha, porque obviamente não ficou claro por que adotamos esses procedimentos e por que não os seguir pode custar cetenas de milhares de dólares à empresa. Você é um superintendente extremamente qualificado e experiente. Você entende mais do que eu do trabalho prático. Cabia a mim garantir que você saiba os parâmetros que orientam nosso trabalho e por que algumas decisões precisam ser tomadas por mim. Agora, preciso corrigi-lo para que isso não aconteça novamente.'"

"Você acha que isso vai funcionar?", perguntou, pouco convencido.

"Tenho certeza", respondi. "Se você diz como *ele* agiu errado, que *ele* precisa consertar algo e que *ele* foi o culpado, vira uma guerra de egos, e vocês entrarão em conflito. Essa é a natureza humana. Mas, se você controlar o próprio ego, ou seja, se *você* assumir a culpa, ele verá o problema sem que sua visão seja obscurecida por seu ego. Assim, vocês chegarão a um consenso sobre os procedimentos-padrão da equipe — quando se comunicar, o que está e o que não está dentro da alçada dele."

"Eu não teria esse tato", admitiu Gary.

"É contraintuitivo", falei. "É natural que qualquer pessoa em posição de liderança culpe os líderes subordinados e funcionários diretos quando algo dá errado. Nossos egos não gostam de se culpar. Mas cabe a nós, como líderes, perceber os pontos cegos em nossa comunicação e ajudar nossas tropas a entender claramente quais são seus papéis e responsabilidades, e como suas ações afetam o quadro estratégico, mais amplo.

"Lembre-se, não é pessoal", continuei. "Isso não se trata do superintendente de perfuração. O foco é a missão e a melhor forma de cumpri-la. Com essa atitude personificada em você e seus principais líderes, sua equipe terá as rédeas nas mãos."

PARTE II
AS LEIS DO COMBATE

Os SEALs da equipe Bruiser limpam os edifícios-alvo no centro de Ramadi. Insurgentes implacáveis poderiam estar atrás de cada porta, ou atirando de todas as janelas e telhados. Morteiros inimigos, rifles, metralhadoras, foguetes RPG-7 e IEDs faziam com que cada avanço fosse um verdadeiro desafio.

(Fotografia dos autores)

CAPÍTULO 5
Cobrir e Mobilizar

Leif Babin

CENTRO-SUL DE RAMADI, IRAQUE: COBRINDO OS FLANCOS

"Então, o que faremos?", perguntou nosso sargento.

O relógio corria, cada segundo contava. Não havia boas opções. Todas podiam ter consequências fatais. Contudo, eu precisava tomar uma decisão.

Como SEALs, protegíamos as tropas nas ruas com nossos snipers e metralhadores em um tipo de operação que chamamos de "sniper de tocaia". Posicionando snipers SEALs nos andares altos dos edifícios e onde pudessem melhor observar e inibir os inimigos com intenção de atacar, poderíamos eliminar ameaças e interromper ataques insurgentes antes que se concretizassem completamente. Isso ajudou a mitigar os riscos significativos das tropas norte-americanas e iraquianas que patrulhavam as ruas, permitiu que eles cumprissem sua missão com mais segurança e garantiu que mais Soldados e Fuzileiros Navais dos EUA voltassem para suas famílias nos EUA.

A Equipe de Combate Ready First do Exército dos EUA (1ª Divisão Blindada) adotou uma estratégia radical e inovadora para recuperar Ramadi das garras da insurgência — Conquistar, Liberar, Manter e Construir. Exigia que as forças norte-americanas penetrassem nos bairros mais perigosos, dominados pelo inimigo, afastassem os insurgentes e construíssem postos de combate permanentes, que atuariam como base para operações posteriores. Os soldados iraquianos foram incluídos.

Uma vez estabelecido o ponto de apoio no território inimigo, o próximo passo exigia uma demonstração de força em áreas controladas por ele e um envolvimento com os iraquianos da vizinhança. Embora as batalhas explodissem ao redor, milhares de civis viviam na cidade e tentavam sobreviver. Manter o povo seguro e protegido dos brutais jihadistas que se escondiam entre eles era a chave para a vitória. Parte do sucesso dessa estratégia eram as operações de cerco e vasculhamento — um pente fino pelos quarteirões, casa por casa. Normalmente, durante o dia, essas operações eram traiçoeiras para o Exército e os Fuzileiros dos EUA e para as tropas iraquianas enquanto isolavam bairros (ou quarteirões) de rua em rua, prédio em prédio, pelas áreas mais violentas da cidade.

Em determinada operação, a Equipe Bulldog (Companhia Bravo do Exército dos EUA, 1º Batalhão, 37º Regimento Blindado) planejou uma grande operação de cerco e vasculhamento em uma área perigosa do Centro-sul de Ramadi, abrangendo vários quarteirões a partir de sua base, localizada no coração do território inimigo, um posto avançado de combate chamado COP Falcon. Tal operação exigiu cerca de cem Soldados a pé, apoiados por artilharia — tanques de batalha M1A2 Abrams e os veículos de combate M2 Bradley — com seu grande poder de fogo. Forças adicionais do batalhão foram trazidas para reforçar a equipe Bulldog nessa tarefa.

Com dezenas de operações de combate perigosas, construímos uma excelente relação de trabalho com os Soldados dos EUA e os tankers da Equipe Bulldog. O comandante da Bulldog foi um dos melhores líderes de combate que conheci. Ele e seus Soldados eram guerreiros excepcionais. Nossos SEALs tinham um tremendo respeito e admiração por sua coragem e espírito de luta, pois viviam todos os dias sob constante ataque, bem no coração de um perigoso território inimigo. Nossos homens SEALs trabalharam com o COP Falcon e, a partir daí, adentraram ainda mais no espaço de batalha da Al-Qaeda. Quando éramos ferozmente atacados por insurgentes, o que acontecia com certa frequência, o próprio comandante da companhia aparecia com seu tanque, suas tropas e o trovão das principais armas dos tanques M1A2 Abrams da Equipe Bulldog para lutar ao nosso lado. Ele e seus Soldados Bulldogs eram um grupo extraordinário, ansioso para cercar e destruir o inimigo, e nós os adorávamos por isso.

Em particular nessa operação de cerco e vasculhamento, nossos SEALs do Pelotão Charlie e da Unidade de Tarefas Bruiser forneceram o apoio de snipers, enquanto nossos conselheiros de combate SEALs gerenciaram um pelotão de soldados iraquianos que participaram da operação a pé. Jocko se uniu ao oficial de operações do batalhão do Exército, que ajudaria a gerenciar o avanço enquanto Jocko forneceria comando e controle, além da coordenação de nossos homens SEAL que apoiavam a operação.

No planejamento, decidimos estabelecer duas posições de apoio de snipers SEALs, a centenas de metros de distância, para cobrir as equipes de cerco e vasculhamento do Exército dos EUA e do exército do Iraque ao entrar em edifícios, quarteirão por quarteirão, por toda a área. A primeira posição de tocaia, OP1, liderada pelo oficial assistente responsável pelo Pelotão Charlie, foi definida em um prédio de quatro andares a cerca de 300 metros a leste do COP Falcon, para proteger o flanco norte das equipes de cerco e vasculhamento. Encarreguei-me da segunda posição de tocaia, OP2, responsável por oito SEALs e sete soldados iraquianos. Decidimos nos posicionar cerca de um quilômetro a sudeste do COP Falcon, ao longo do flanco sul das equipes. A área havia sido fortemente atingida por IEDs.

Às 2h da manhã no horário local, nós da OP2 saímos em patrulha a pé da COP Falcon para as ruas escuras e perigosas de Ramadi — vazias a essa hora; tudo estava quieto. Contudo, nesse bairro, combatentes inimigos podiam estar espreitando em cada esquina. A outra equipe de tocaia SEAL, OP1, partiria uma hora depois, já que sua posição era muito próxima do posto avançado de combate amigável, e bastante familiar, devido a terem usado essa posição antes.

Minha equipe, OP2, estava a uma distância muito maior e, como nunca havíamos estado em nenhum dos prédios da área, precisaríamos de mais tempo para estabelecer uma boa posição. Na patrulha, atuei como líder, posicionado logo atrás do apontador, que ia à frente. Andamos o mais silenciosamente possível pelas ruas, armas apontadas para todos os ângulos, procurando inimigos, prontos para o súbito confronto. Tomamos muito cuidado para desviar de detritos, como pilhas de lixo e outros itens suspeitos, observando os locais em que pisávamos, pois a ameaça de IEDs era substancial. Cada homem carregava uma carga pesada de armas, munição e água, prevendo a grande e longa batalha até o dia nascer.

Essa zona de guerra urbana parecia um daqueles cenários em Hollywood de filmes da Segunda Guerra que víamos na juventude: paredes cheias de buracos de bala, carros queimados pelas ruas, prédios destruídos e crateras de bombas. Era surreal estar em um lugar com tanta violência e destruição. Continuamos nossa patrulha pelas ruas empoeiradas e cobertas de lixo, armas apontadas em todas as direções. Nossa patrulha serpenteava pelos becos, evitando os poucos postes de iluminação que funcionavam (a maioria fora danificada ou não tinha energia) e manobrava o melhor que podia em torno de bandos de cães de rua sarnentos, cujos latidos podiam revelar nossa posição. Planejamos utilizar uma casa de dois andares como posição OP2 de tocaia por achar que forneceria uma visão clara para cobrir o flanco sul das equipes de cerco e vasculhamento.

Após uma patrulha de vinte minutos, sem incidentes, chegamos ao local. Do lado de fora do complexo murado, todos ocupavam posições de segurança ao redor do portão. Com a cobertura das armas, colocamos dois soldados iraquianos para dentro por cima do muro. Eles destrancaram o portão para que os outros entrassem. Atiradores SEALs e soldados iraquianos rápida, porém silenciosamente, entraram no complexo e foram em direção à porta da frente. Os soldados iraquianos bateram e instruíram a família a nos deixar entrar. Um iraquiano confuso atendeu à porta e obedeceu. Os SEALs limparam o complexo, verificando cada quarto, uma varanda do segundo andar, o telhado e o pátio interior em busca de ameaças. Estando limpo, estabelecemos posições de segurança.

A casa proporcionava uma vista decente em uma direção ao longo da rua principal. Na outra direção, no entanto, oferecia pouca vantagem, exceto sobre uma varanda exposta. Também era difícil definir posições de segurança sem expor o pessoal a ataques de prédios vizinhos. Nossos snipers da OP2 trouxeram essas importantes questões para mim e para o LPO (sargento) do pelotão — um dos meus líderes mais confiáveis. Nós estávamos em uma situação difícil.

"Podemos entrar no prédio ao lado e manter um contingente de segurança", ofereceu o LPO. Era uma ótima ideia, então, decidimos segui-la.

Deixando uma equipe no lugar, enviamos uma equipe para explorar o prédio adjacente. Mas o que eles acharam não era encorajador: a vantagem não era maior. O posicionamento de forças de segurança adequadas em dois edifícios diluiria nossa capacidade, principalmente em um bairro tão perigoso cheio de *muj* fortemente armados. Com essa opção, que não era prática, conversei com o LPO. Ainda estava escuro, mas o nascer do sol não estava longe, e a primeira chamada para a oração ecoaria logo dos minaretes da mesquita e despertaria a cidade. O tempo para se posicionar estava se esgotando, principalmente porque as equipes de cerco e vasculhamento dos Soldados do Exército, nossas equipes de assessores SEALs e soldados iraquianos começariam a operação em breve, e dependiam de nossa equipe de tocaia de snipers para cobri-los.

"Nenhuma opção é boa", lamentei. "A menos pior é levar todos de volta ao prédio anterior e garantir essa posição da melhor maneira possível." O LPO concordou e executou o plano. Sabíamos que a posição tinha vulnerabilidades substanciais, mas teríamos que fazer o possível para mitigar esses riscos. Nossos snipers SEALs assumiram posições para proteger melhor as tropas que estavam a pé, e, em seguida, posicionamos o resto da equipe para proteger os snipers, um dos quais estava um pouco exposto na varanda. Com a posição definida, o operador de rádio da OP2 fez uma chamada para nosso outro sniper da OP1, relatando nossa posição. Em seguida, entramos na rede da Equipe Bulldog e passamos nossa localização para Jocko, que estava com a Equipe Bulldog no COP Falcon, para que pudesse se coordenar com as outras tropas a pé.

"Aaaaallllllaaaaaaaaaahhhhhuu Akbar...", ecoou a primeira chamada para a oração dos minaretes das mesquitas por toda a cidade, sinalizando o amanhecer do dia. Logo, os primeiros raios de luz pintaram o horizonte oriental, e o Centro-sul de Ramadi começou a despertar. Mesmo devastada pela guerra, a cidade tinha seus traços de vida cotidiana. Pessoas saíam de suas casas. Carros e caminhões circulavam pelas ruas da cidade. Pastores levavam seus rebanhos para pastar nas margens férteis do rio Eufrates. O sol nascia com um calor abrasador que, ao meio-dia, costumava ultrapassar os 46ºC.

Pelo rádio, os Soldados da Equipe Bulldog sinalizaram que a operação estava em andamento. Dezenas de Soldados (incluindo o conselheiro SEAL e a equipe de busca dos soldados do Iraque) saíram do COP Falcon, acompanhados pelo poder de fogo e blindagem dos tanques Abrams e de veículos Bradley. De nossa posição, a centenas de metros de distância, a OP2 ouvia o barulho pesado das esteiras dos tanques arrastando no pavimento e a rotação de seus poderosos motores de turbina a gás. Fiz contato com Jocko via rádio quando ele saiu com a equipe de cerco e vasculhamento. Tudo estava seguindo conforme o planejado.

Em um bairro tão vil, não demorou muito para que os inimigos atacassem. As primeiras tentativas vieram do norte. A OP2 recebeu um comunicado de grandes rifles se aproximando, enquanto os snipers da OP1 atingiram dois insurgentes armados que se moviam para atacar. Logo, nossos snipers da OP2 observaram três inimigos com AK-47 e um lançador de granada RPG avançando pelas ruas em direção às equipes de busca. Os snipers SEALs continuaram, atingindo dois dos três e fazendo com que o terceiro corresse para se esconder. Com esses tiros, o inimigo teve uma boa indicação de onde estávamos. Em uma hora, os primeiros disparos de metralhadoras *muj* vieram sobre as cabeças dos dois SEALs na varanda. Foi apenas o começo, pois o inimigo investia contra nosso prédio e sondava nossa posição. Sabíamos que seus ataques ficariam mais ousados à medida que identificassem nossa posição e o dia avançasse.

A operação de Cobrir e Mobilizar prosseguiu com tiros esporádicos e alguns disparos de aviso. Os snipers SEALs, posicionados para dar apoio, ajudaram a impedir qualquer ataque significativo antes que pudesse se materializar. Os Soldados vigilantes da Equipe Bulldog, com seus tanques a postos, também foram um impedimento substancial. Cerca de duas horas após o nascer do sol, os Soldados do Exército, junto com Jocko e a pequena equipe de conselheiros de combate SEALs com seus soldados iraquianos haviam limpado todos os edifícios do setor.

Tendo cumprido sua missão, todos voltaram em segurança ao COP Falcon. Foi uma operação tranquila, que em um bairro tão perigoso, no coração do Centro-sul de Ramadi, foi um tanto milagrosa. Nenhum Soldado norte-americano ou iraquiano foi ferido ou morto. Foi também uma evidência do bom planejamento e execução das forças norte-americanas envolvidas e um tributo à eficácia das equipes de snipers de tocaia.

Com a equipe de Cobrir e Mobilizar na COP Falcon, as duas equipes de tocaia — OP1 e OP2 — haviam realizado nossos objetivos. Nosso procedimento operacional padrão (SOP) ditou que ficássemos em posição até o anoitecer e, em seguida, retornássemos à base, encobertos pela escuridão, quando poderíamos nos mover com mais segurança pelas ruas perigosas. Um único homem patrulhando em plena luz do dia pelo território inimigo apresentava sério risco de ser notado. Metralhadoras inimigas, foguetes disparados por RPG-7s e IEDs poderiam ser utilizados para objetivos mortais. Mas, para a OP2, permanecer em nossa posição apresentava riscos. O prédio em que estávamos possuía vulnerabilidades táticas substanciais. O inimigo sabia onde estávamos, e havia uma alta probabilidade de que, com tempo suficiente, elaborasse um ataque maior. Se o fizesse, poderíamos muito bem sofrer baixas significativas ou mesmo perder nossa posição para inimigos determinados ao redor.

Isso representava um dilema de liderança. Mais uma vez, discuti as opções com meu LPO confiável: "Podemos ficar onde estamos e esperar até o anoitecer. Ou sair daqui e retornar a pé para COP Falcon. Podemos também usar os Bradleys* para a retirada, embora isso leve mais tempo." Os Veículos de Combate Bradley fornecem proteção contra disparos de armas pequenas devido ao revestimento blindado e

---

* Cada veículo de combate Bradley M2 possui espaço para seis soldados.

proporcionam poder de fogo considerável, com um canhão automático de 25mm e uma metralhadora coaxial de 7,62mm. Porém precisam de tempo para entrar em ação — desde informar as equipes até a chegada à posição. Os Bradleys são barulhentos, e os bandidos os ouvem a distância. Essa opção também exporia os Soldados dos EUA nos veículos à ameaça dos IEDs, pois as estradas nas proximidades de nossa posição eram perigosas e não haviam sido investigadas pelas equipes de busca de IEDs. Isso poderia muito bem resultar em um ataque de IED — um explosivo mortal enterrado na estrada, que poderia matar ou ferir seriamente os Soldados dentro do veículo. Se isso acontecesse, seria necessário enviar ainda mais veículos e tropas para auxiliar no resgate de vítimas e veículos caídos.

Chamar os Bradleys significava esperar talvez mais meia hora e colocaria em perigo os Soldados da Equipe Bulldog. Isso também nos colocaria em perigo nos veículos pelas ruas cheias de IEDs. Se ficássemos em posição até o anoitecer, de acordo com o SOP, teríamos que resistir a ataques inimigos cada vez mais violentos por mais oito ou dez horas. Se explorassem as maiores fraquezas de nossas defesas, poderíamos ser impedidos de partir sem um apoio de fogo massivo e submeter mais forças a um risco ainda maior para nos salvar.

Se partíssemos a pé imediatamente de volta ao COP Falcon, provavelmente seríamos atingidos por tiros. Contudo, provavelmente seria um ataque apressado que os *muj* não teriam tempo suficiente para coordenar com eficácia máxima. Poderíamos mitigar esse risco nos movendo rapidamente e utilizando o desvio de direção entre as ruas e becos para impedir que o inimigo previsse nossa rota exata de volta ao COP Falcon, para que não pudessem nos emboscar. Ainda assim, qualquer tiroteio, por mais apressado que fosse, poderia matar ou ferir terrivelmente qualquer um de nós.

Nenhuma opção era boa. Tivemos que escolher a opção menos ruim.

"Então, o que faremos, L-T?*", perguntou o LPO. O tempo voava.

Precisava tomar uma decisão. "Vamos sair", decidi. Era a opção menos pior. "Vamos pegar o equipamento e sair o mais rápido possível."

"Entendido", disse o LPO. Ele passou a palavra para o resto da OP2, e todos juntaram seus equipamentos e checaram duas vezes para garantir que nada havia sido deixado para trás. Nosso operador de rádio da OP2 entrou em contato com a OP1, a outra equipe de snipers de tocaia, para dizer que estávamos voltando a pé para o posto avançado de combate. Também notificamos os Soldados da Equipe Bulldog no COP Falcon, para onde Jocko e alguns de nossos SEALs com a equipe de busca haviam retornado.

Para a OP1, que estava a uma curta distância de 300 metros até o COP Falcon, não havia dilema sobre o que fazer. Eles fizeram uma fácil patrulha a pé de volta, cobertos pelos tanques e metralhadoras pesadas do COP Falcon por todo o caminho. A OP1 passou para nós da OP2, via rádio, que eles também estavam se retirando. Mas a OP1 cometeu o erro de não avisar Jocko, que, consequentemente, não pode coordenar o movimento.

"Entendido", nosso operador de rádio respondeu à chamada da OP1. Ele transmitiu as informações para o LPO e para mim. Com nosso foco em retirar a OP2 às pressas, demos pouca atenção a isso. Cada minuto que passava dava aos combatentes inimigos mais tempo para coordenar um ataque severo à nossa posição. Em alguns minutos, todos estavam prontos. Informamos a equipe e enfatizamos que precisávamos avançar.

"Vamos nessa", foi o consenso. Todo mundo sabia que provavelmente entraríamos em um tiroteio. Mas queríamos que o tiroteio fosse como queríamos, não como os inimigos queriam.

---

* "L-T" é um apelido comum nas Equipes SEAL da Marinha dos EUA para o posto de oficial júnior de Tenente da Marinha dos EUA.

Com tudo pronto, saímos do prédio e avançamos pela rua, nossas armas apontadas em todas as direções, prontas para o combate. Saímos adotando nossa tática pelas ruas, cobrindo e nos mobilizando como uma equipe que passava por cidadãos iraquianos que nos encaravam com certa surpresa. Quando homens agressivos armados lhes apontavam suas armas, eles sabiam manter a distância. Qualquer um que ousasse interferir nas atividades de um esquadrão SEAL fortemente armado estava procurando problemas. Rapidamente, passamos por carros estacionados e pilhas de lixo. Ameaças estavam por toda parte naquele ambiente urbano. Todos os portões, portas e becos por que passamos, cruzamentos distantes na rua ao nível do solo e acima de nós, todos os telhados, sacadas e janelas do andar de cima — cada um apresentava a iminência de combatentes *muj* bem armados, prontos para nos mutilar e matar.

Nossa tática, que treinamos, praticamos e já havíamos utilizado, era fundamental: "Cobrir e Mobilizar". Em nossa equipe OP2, tínhamos quatro homens de equipes menores. Uma equipe cobria, com suas armas treinadas para lidar com ameaças, enquanto a outra avançava. Em seguida, as equipes trocavam os papéis. Dessa forma, as equipes se alternavam, utilizando a tática Cobrir e Mobilizar para garantir que estivéssemos preparados para evitar um ataque enquanto avançávamos pelas ruas.

Por cerca de 500 metros, a OP2 avançou ininterruptamente em direção ao COP Falcon. Então, o inferno desabou sobre nós. Disparos de armas automáticas irromperam atrás da patrulha. Os combatentes insurgentes nos seguiram e nos atacaram com suas metralhadoras AK-47 e PKC. Balas acertavam as paredes próximas e levantavam poeira do chão.

Imediatamente, respondemos com disparos. Nossos metralhadores SEALs eram impressionantes em ação, sem medo de largar o aço com precisão mortal, mesmo no meio de um grande tiroteio. Como pau para toda obra, executamos a manobra de "descamação central": uma tática coordenada em que duas colunas alternam sistematicamente os disparos contra o inimigo e se afastam em uma direção segura até conseguir romper o contato. Lancei algumas granadas de 40mm por cima de nossa patrulha, em direção ao inimigo, para ajudá-los a manter a cabeça baixa enquanto voltávamos. Nosso poder de fogo esmagador rapidamente repeliu o ataque inimigo, e prosseguimos a uma esquina que dava cobertura adicional, avançando rapidamente em direção ao COP Falcon. Aqueles corajosos metralhadores SEALs foram responsáveis pela cobertura que nos permitiu atravessar o turbilhão em segurança.

Em questão de minutos, chegamos ao COP, passando pelo tanque Abrams que guardava a entrada. Passamos pelo arame farpado e pelas barreiras de concreto que protegiam o posto avançado do Exército dos EUA. Estávamos respirando com dificuldade após correr e atirar no calor da manhã com equipamento pesado. Mas todos sobrevivemos sem um arranhão. O LPO e eu sorrimos, e rimos um com o outro. Tínhamos acabado de participar de um sólido tiroteio na rua, massacramos o inimigo e trouxemos todos de volta, ilesos. Foi demais. Nós estávamos detonando.

Porém já na COP Falcon estava nosso chefe de pelotão. Ele estivera com a equipe de cerco e vasculhamento e havia retornado mais cedo com Jocko, o resto de nossa pequena equipe de SEALs e os soldados iraquianos. O chefe não estava feliz. Ele me puxou para o lado.

"O que diabos vocês estavam fazendo lá fora?", perguntou, severo.

"O que você quer dizer?", perguntei, imediatamente na defensiva.

O chefe era um baita líder no campo de batalha — extraordinário em um tiroteio. Com uma longa carreira de quase vinte anos, era o SEAL mais experiente na unidade de tarefas, e valorizávamos muito sua orientação e mentoria. Nunca fugia de uma luta, era corajoso e estava sempre ansioso para cercar e destruir o inimigo. Então, por que agora nos criticava, principalmente minha liderança no campo de batalha?

"Do que você está falando?", perguntei.

"Por que não deixou o outro sniper de tocaia — OP1 — posicionado para cobrir seu caminho até o COP Falcon?", perguntou o chefe.

Refleti a respeito por um momento. Eu havia aberto mão de minha defesa inicial. Ele estava certo.

"Por razão nenhuma", respondi, entendendo que sua lógica estava correta. Percebi meu erro. "Estava tão concentrado no dilema de nosso esquadrão que não pensei em trabalhar com a outra equipe, OP1. Com certeza é o que deveríamos ter feito." Essa era a primeira regra das Leis do Combate de Jocko: Cobrir e Mobilizar. Eu a tinha quebrado. Usamos a tática de Cobrir e Mobilizar dentro da equipe imediata OP2, mas eu havia me esquecido da maior equipe e suporte disponíveis. Tínhamos operado de forma independente, não apoiando ou ajudando um ao outro. Se tivéssemos deixado a OP1 no lugar, eles teriam uma excelente vantagem do terreno elevado e poderiam ter coberto o movimento do OP2 durante a maior parte do caminho, enquanto patrulhávamos as ruas perigosas de volta ao COP Falcon. Uma vez no COP, nós (OP2) poderíamos ter fornecido cobertura adicional para a OP1 quando retornassem ao COP Falcon.

Foi tolice não termos trabalhado juntos. Embora estivéssemos trabalhando em pequenas equipes com alguma distância entre nós, não estávamos sozinhos. Todos estávamos tentando cumprir a mesma missão. O inimigo estava lá fora, trabalhando contra nós — todos nós. Era essencial apoiarmos um ao outro e trabalharmos juntos. Um homem deve cobrir para que o outro se mobilize. A OP2 teve sorte dessa vez, muita sorte. Mas meu chefe sabia, e então eu também, que havíamos assumido um risco desnecessário e tolo. Deveríamos ter utilizado todas as forças e vantagens táticas possíveis contra os cruéis combatentes inimigos que ocupavam Ramadi. A vantagem tática mais importante que tínhamos era trabalhar juntos como uma equipe, sempre apoiando um ao outro.

Foi uma percepção intensa para mim. Fiquei tão imerso nos detalhes, nos pontos de decisão e nos desafios imediatos de minha equipe que me esqueci da outra, do que poderia fazer por nós e de como poderíamos ajudá-la.

No futuro, nunca esqueci a orientação do meu chefe. Utilizamos o princípio de Cobrir e Mobilizar em todas as operações: todas as equipes trabalhando juntas em apoio umas às outras. Essa percepção e a lição aprendida implementada, sem dúvida, salvaram vidas, reduziram as baixas e nos permitiram cumprir com mais eficiência nossa missão e vencer.

PRINCÍPIO

Cobrir e Mobilizar: é a tática mais fundamental, talvez a única. Simplificando, é a síntese do trabalho em equipe. Todos os destacamentos da equipe maior são cruciais e devem trabalhar juntos para cumprir a missão, apoiando-se em prol desse propósito singular. Os departamentos e grupos da equipe devem dividir os silos, depender um do outro e entender quem depende deles. Se abandonarem esse princípio e operarem de forma independente, ou se voltarem contra os outros, os resultados podem ser catastróficos no desempenho geral da equipe.

Em qualquer equipe, surgem divisões. Frequentemente, quando as subequipes ficam concentradas em suas tarefas imediatas, esquecem o que os outros estão fazendo ou a interdependência. Elas podem competir entre elas, e, quando há obstáculos, a animosidade e a culpa crescem. Isso cria atritos que inibem o desempenho geral da equipe. Cabe aos líderes preservar a perspectiva da missão estratégica e lembrar à equipe que ela faz parte de uma equipe maior e de que a missão estratégica é fundamental.

Cada membro é fundamental para o sucesso; contudo, o esforço principal e os esforços de apoio devem ser identificados. Se a equipe geral falhar, todos falham, mesmo que um membro específico tenha feito seu trabalho com sucesso. Apontar os dedos e culpar os outros contribui para a discórdia entre equipes e indivíduos. Esses indivíduos e equipes devem encontrar uma maneira de trabalhar juntos, comunicar-se e apoiar-se. O foco deve sempre estar na melhor forma de cumprir a missão.

Por outro lado, quando a equipe é bem-sucedida, todos os seus integrantes e apoiadores o são. Todo indivíduo e subequipe compartilham o sucesso. Cumprir a missão estratégica é a maior prioridade. Os membros da equipe, os departamentos e os recursos de apoio devem sempre cobrir e mobilizar — ajudar-se, trabalhar *juntos* e apoiar-se para vencer. Esse princípio é essencial para qualquer equipe alcançar a vitória.

APLICAÇÃO NO MUNDO DOS NEGÓCIOS

"Esses caras são terríveis", disse o gerente de produção. Ele descrevia uma empresa subsidiária, de propriedade da empresa controladora, da qual sua equipe dependia para transportar o produto. "Eles não conseguem concluir seu trabalho no prazo. E isso nos impede de fazer nosso trabalho." Claramente, havia grandes problemas entre seus líderes de campo — as tropas da linha de frente da equipe — e os da empresa subsidiária.

Jocko e eu estávamos diante do grupo de doze gerentes de nível médio com as mesas organizadas em meia-lua em uma sala de conferências da sede corporativa da empresa. Na segunda sessão do programa de doze meses de treinamento de liderança, nossa apresentação e discussão se concentraram nas Leis do Combate. Pedimos a cada um dos participantes que compartilhasse desafios específicos de liderança que eles enfrentavam no dia a dia. Jocko e eu queríamos ajudá-los a resolver esses desafios com a aplicação dos princípios de liderança em combate SEAL que acabaram de aprender.

O gerente de produção explicou que sua equipe se esforçava para minimizar o tempo de inatividade em sua produção — os momentos em que tinham que parar de fabricar produtos. Essas interrupções ocorriam por várias razões, mas impediam o lançamento do produto no mercado, e cada hora de inatividade custava à empresa enormes receitas e impactava substancialmente seus resultados. Com a equipe a pleno vapor, houve uma curva acentuada de aprendizado. A equipe do gerente de produção mantinha um tempo de inatividade médio muito maior do que o padrão do setor. Essa discrepância resultou em um grande prejuízo para a empresa. Como resultado, o gerente de produção estava sob escrutínio e intensa pressão para reduzir a inatividade. A empresa subsidiária da qual a equipe de produção dependia se tornou o maior bode expiatório da culpa.

"Passamos muito tempo à espera deles [a empresa subsidiária], e isso causa grandes problemas e atrasos para nós", disse o gerente de produção. "Esses atrasos afetam a produção e custam sérias receitas à empresa."

"Como você pode ajudar essa subsidiária?", perguntei ao gerente de produção.

"Eu não posso!", respondeu. "Eles não trabalham para mim. Não trabalhamos para os mesmos chefes. É uma empresa diferente." Embora ele estivesse certo de que eram empresas diferentes, ambas ficavam sob a liderança da mesma empresa matriz.

"Além disso", acrescentou com indiferença, "eles não são problema meu. Tenho minha própria equipe para me preocupar".

"Parece que eles *são* problema seu", respondi.

"Em certo sentido", concordou, "acho que sim".

"O que é pior", continuou o gerente de produção, agora fazendo uma série de críticas à empresa subsidiária, "é que, como a empresa é da corporação, somos obrigados a usar seus serviços".

"O que você acabou de chamar de pior parte deveria ser a melhor", respondeu Jocko. "Vocês pertencem à mesma corporação, portanto têm a mesma missão. E é disso que se trata — a missão geral, a equipe geral. Não apenas sua equipe, mas todas; toda a corporação — todos os departamentos da sua empresa, todas as subsidiárias, contratados externos, toda a empresa. Vocês devem trabalhar juntos e se apoiar como *uma equipe.*"

"O inimigo está lá fora", falei, apontando a janela para o mundo. "O inimigo são todas as empresas concorrentes do seu setor que disputam seus clientes. O inimigo não está aqui, dentro dos muros desta corporação. Os departamentos e as empresas subsidiárias que se enquadram na mesma estrutura de liderança estão na mesma equipe. Você precisa superar a mentalidade 'nós contra eles' e criar parceria e união."

Assim como aconteceu comigo no campo de batalha em Ramadi, anos antes, o gerente de produção estava tão concentrado no próprio departamento e em suas tarefas imediatas que não conseguia ver como sua missão se alinhava ao resto da corporação e aos ativos de apoio, todos se esforçando para cumprir a mesma missão estratégica. Como eu, após orientações construtivas do meu chefe, o gerente de produção estava disposto a dar um passo para trás e ver como a missão de sua equipe de produção se encaixava no plano geral.

"O foco é a missão estratégica maior", falei. "Como você pode ajudar essa empresa subsidiária a realizar seu trabalho com mais eficiência, para que cumpram sua missão e todos vocês vençam?"

O gerente de produção ponderou. Ele ainda estava cético.

"Envolva-se com eles", aconselhou Jocko. "Forme relacionamentos pessoais. Explique a eles o que você precisa deles e por que, e pergunte o que pode fazer para ajudá-los a obter o que você precisa. Torne-os parte de sua equipe, não um bode expiatório. Lembra-se das histórias que Leif e eu contamos sobre contar com outras unidades para nos apoiar? As unidades do Exército e dos Fuzileiros com quem trabalhamos não estavam sob nosso controle. Tínhamos chefes diferentes. Mas dependíamos deles, e eles, de nós. Por isso, aproximamo-nos deles e trabalhamos juntos para cumprir a missão geral de proteger Ramadi. Isso é Cobrir e Mobilizar. Você precisa fazer o mesmo: trabalhar em parceria para vencer."

O gerente de produção era um líder motivado que queria que sua equipe apresentasse o mais alto nível. Agora, ele tinha começado a entender o verdadeiro trabalho em equipe. Ele teve uma epifania, e sua atitude mudou completamente: se ele não estava trabalhando com a subsidiária, estava fracassando com sua equipe.

Nas semanas e meses seguintes, o gerente de produção fez todos os esforços para se envolver com a subsidiária, para se comunicar com eles e estabelecer uma melhor relação de trabalho. Ele chegou a entender melhor os inúmeros desafios que afetavam seus prazos e causavam atrasos, e o que ele poderia fazer para mitigar esses problemas. Eles não eram "terríveis", como ele imaginou. Eles estavam operando com recursos e mão de obra limitados. Depois que aceitou que eles não estavam querendo sabotar sua equipe, percebeu que havia atitudes que ele e sua equipe poderiam tomar para ajudar a empresa subsidiária a se tornar mais eficiente e a preencher as lacunas que causaram seus atrasos. Em vez de trabalhar como entidades separadas, passaram a trabalhar juntos.

Com essa mudança de mentalidade, o incentivo do gerente de produção permitiu que seus líderes de campo vissem os funcionários da subsidiária sob uma luz diferente: não como adversários, mas como recursos críticos que integram a mesma equipe. Mais importante, a equipe de produção começou a trabalhar com a equipe de campo da empresa subsidiária. Em alguns meses, os líderes de campo da equipe de produção incentivaram o pessoal crítico da subsidiária a participar de suas reuniões de coordenação. Logo a mentalidade "nós contra eles" desapareceu. Eles haviam rompido os silos e não trabalhavam mais um contra o outro. O tempo de inatividade da equipe de produção melhorou radicalmente para os níveis líderes do setor. Eles agora trabalhavam juntos, como equipe — Cobrir e Mobilizar.

Band of Brothers: soldados iraquianos, conselheiros da equipe de transição militar dos EUA, SEALs da Unidade de Tarefas Bruiser, Soldados do Exército dos EUA 1/506° e a 101° Aeroterrestre (Força-Tarefa Red Currahee) usam granadas de fumaça para mascarar seus movimentos a atiradores inimigos ao patrulhar em Ramadi.

(Fotografia dos autores)

CAPÍTULO 6
Simplificar

Jocko Willink

POSTO AVANÇADO DE COMBATE FALCON, RAMADI, IRAQUE: ADENTRANDO A BATALHA
BOOM!

Uma enorme explosão sacudiu o prédio em que eu estava, no meio do Posto Avançado de Combate (COP) Falcon. A adrenalina disparou no meu corpo. Segundos depois, outra explosão abalou o complexo. Logo a notícia se espalhou: morteiros. Os insurgentes lançaram morteiros de 120mm no centro do COP Falcon com precisão mortal. Os "cento e vinte" eram cruéis. Cada projétil carregava mais de 10kg de explosivos, envoltos em aço de 1cm de espessura, projetado para lançar estilhaços em todas as direções, causando feridas catastróficas e mortes. Os disparos feriram vários Soldados no COP Falcon, um deles sucumbiu aos ferimentos. Um terceiro morteiro de 120mm atingiu o telhado do prédio em que eu estava, mas não explodiu: foi uma munição não detonada. Os morteiros eram assustadoramente precisos, provando mais uma vez que os insurgentes contra os quais lutávamos eram altamente capazes. Enquanto a luz do dia surgia, de manhã cedo, foi um lembrete sombrio de que esse era um território perigoso, e estávamos bem no meio dele.

Na noite anterior, Leif e seus SEALs do Pelotão Charlie desembarcaram de pequenas unidades fluviais (SURC) dos Fuzileiros, guiadas por uma grande tripulação altamente motivada. Os SEALs, acompanhados por uma equipe de especialistas da 2ª Companhia de Ligação Aéreo Naval dos EUA (ANGLICO), com a qual trabalhavam em estreita colaboração, uma pequena equipe de snipers do Exército e uma força parceira dos soldados iraquianos saltaram dos barcos SURC. Entraram discretamente no bairro controlado pelo inimigo — um dos mais violentos de Ramadi.

Nossos SEALs foram as primeiras botas norte-americanas a pisar no terreno. Eles lideraram a salva inicial dessa operação, envolvendo centenas de Soldados, tanques e aeronaves dos EUA, para estabelecer um posto avançado de combate no centro do território controlado pelo inimigo. Minutos depois da chegada, o Pelotão Charlie havia matado um combatente insurgente armado que patrulhava o bairro na escuridão da alvorada. Os SEALs então conquistaram e liberaram o complexo de edifícios que se tornaria o COP Falcon e o mantiveram por algumas horas durante a noite, enquanto os snipers SEALs cobriam dezenas de tanques e veículos do Exército norte-americano que seguiram as equipes de busca de IEDs ao longo da estrada. Eu havia participado do Batalhão da Força-Tarefa do Exército dos EUA 1-37 Bandit (1º Batalhão, 37º Regimento Blindado, 1ª Divisão Blindada) em um M2 Bradley, antes do nascer do sol, para me conectar com Leif e o Pelotão Charlie. Meu trabalho era comandar nossos SEALs. Eu coordenaria seus esforços com os Soldados da Bandit.

Logo que chegamos, os SEALs do Pelotão Charlie transformaram os prédios que haviam limpado e ocupado na companhia do Exército dos EUA, da Equipe Bulldog e de outros Soldados da Força-Tarefa 1-37

Bandit. Então Leif e a maioria dos SEALs foram para um prédio a alguns metros ao longo da estrada para estabelecer outra posição sniper. Fiquei no COP Falcon para coordenar suas ações, fornecendo vigilância para os engenheiros de combate do Exército enquanto transformavam o COP Falcon em uma base de defesa. Isso exigiu amplo planejamento, coordenação e horas de trabalho intenso para transportar e instalar cerca de 30 mil sacos de areia, mais de 150 barreiras de concreto e centenas de metros de arame farpado. Foi uma longa noite. O impacto estridente dos morteiros foi nosso despertar matinal.

Houve disparos intermitentes de armas pequenas durante a noite, mas nenhum tiroteio sério. Os morteiros foram o primeiro ataque que causou danos e baixas. Não que tenha atrasado a operação. Os corajosos engenheiros do Exército tinham uma tarefa a fazer e continuaram trabalhando, martelando e operando máquinas pesadas, mesmo enquanto as balas voavam. Eram Soldados e homens corajosos. À medida que o sol quente do Iraque se erguia acima das ruas poeirentas da cidade e as pessoas despertavam, o mesmo acontecia com os combatentes inimigos. Logo ouvi os rifles snipers dos SEALs da posição do Pelotão Charlie em pontos mais altos de um prédio de quatro andares a algumas centenas de metros ao longo da rua. Leif me transmitiu via rádio que seus snipers SEALs haviam pegado combatentes inimigos planejando atacar o COP Falcon.

Porém construir o posto avançado em território inimigo era só o começo. Havia mais a ser feito. Um dos objetivos principais de colocar esse posto de combate no coração do território inimigo era mostrar à população local que nós, a coalizão de Soldados norte-americanos e iraquianos, estávamos ali para ficar e que não temíamos os insurgentes da Al-Qaeda que dominavam a maior parte de Ramadi descontroladamente há anos.

Isso não aconteceria se ficássemos sentados e escondidos dentro das bases amplamente reforçadas. As tropas precisavam sair e *adentrar* nos bairros ao redor do COP. Precisavam realizar um tipo de operação tão simples e direta quanto seu nome: patrulha de presença. Isso exigia que um grupo de soldados avançasse por áreas controladas pelo inimigo para estabelecer sua presença entre a população. Nessa situação, a missão precisava de uma operação combinada, com soldados iraquianos e Soldados norte-americanos trabalhando lado a lado.

Um oficial do Exército dos EUA de uma equipe de transição militar (equipes de soldados ou Fuzileiros Navais dos EUA desenvolvidas e enviadas para treinar e aconselhar soldados do Iraque, conhecidos como MiTTs) planejava liderar um grupo de soldados iraquianos bairro adentro. O líder do MiTT estava muito animado para sair em patrulha com seus soldados iraquianos e testar sua coragem. Ele trabalhava e treinava com eles há vários meses em outra cidade, ao norte do Iraque, e havia realizado algumas patrulhas bastante benignas e operações de combate.

Mas aquilo era Ramadi. Não haveria nada de fácil ou benigno em patrulhar seus bairros. Ali, o inimigo estava determinado, bem armado e pronto. Eles esperavam para atacar e matar qualquer Soldado, SEAL, Fuzileiro norte-americano ou iraquiano que pudessem. Minhas discussões com o líder do MiTT revelaram que ele não entendia os perigos que aguardavam. Também estava preocupado que seus soldados iraquianos não estivessem prontos para os intensos combates de rua que aconteceriam naquela área. Por isso, designei um pequeno grupo de nossos SEALs para acompanhar ele e seus soldados iraquianos como comando e controle para ajudar a coordenar qualquer ajuda, caso precisassem.

Fiquei com um dos jovens oficiais SEAL do Pelotão Charlie, responsável pelo outro SEAL que acompanharia os soldados iraquianos, enquanto o líder do MiTT se aproximou e puxou seu mapa de batalha para nos informar sobre a rota pretendida para a patrulha. Traçou um caminho que serpenteava pelas ruas traiçoeiras e se estendia do

Centro-sul de Ramadi ao próximo posto de combate dos EUA, a leste, o COP Eagle's Nest.

Eram quase 2km pelos territórios mais hostis do Iraque, controlados por um inimigo determinado e cruel. Nenhuma das estradas fora investigada pelas equipes antibomba dos EUA, portanto, sem dúvida, uma grande quantidade de IEDs estariam presentes ao longo da rota. Isso significava que os veículos blindados e o poder de fogo dos EUA não acompanhariam a patrulha pela maior parte do caminho planejado pelo líder sem colocar em risco os veículos, caso ele e seus iraquianos (e agora nossos SEALs) fossem detidos.

Além disso, sua rota planejada passava pelo espaço de batalha pertencente a diferentes unidades norte-americanas, incluindo duas companhias do Exército dos EUA, outro batalhão do Exército e uma companhia do Corpo de Fuzileiros Navais dos EUA. Cada um com seus procedimentos operacionais padrão e redes de rádio exclusivos. Isso significava que deveríamos coordenar todas essas unidades antes de partir e estabelecer planos de contingência para obter ajuda, caso algo desse errado.

A quantidade de água necessária para uma jornada tão longa no calor do verão iraquiano que ultrapassava os 46ºC, junto a enorme quantidade de munição necessária para penetrar tão profundamente no território inimigo, somava muito mais do que alguém conseguiria transportar. Mesmo em um ambiente mais pacífico, o plano do líder do MiTT, que envolvia a participação de diferentes unidades, era extremamente complexo. Tentar executá-lo nos piores bairros de Ramadi — o campo de batalha mais perigoso do Iraque — era simplesmente loucura.

Ouvi o plano. Quando entendi o escopo e a complexidade envolvida, finalmente comentei: "Tenente, aprecio sua motivação para ir em frente e concluir o trabalho. Mas acredito que, pelo menos, para durante as primeiras patrulhas, precisemos simplificar um pouco."

"Simplificar?", perguntou o líder do MiTT, incrédulo. "É apenas uma patrulha. Quão complexo pode ser?"

Balancei a cabeça com respeito. "Sei que é *só* uma patrulha, mas há riscos que podem se agravar ao trabalhar em um ambiente como este."

"Nada que esses iraquianos não tenham treinado para combater", respondeu ele com confiança.

Embora apreciasse sua confiança, sabia que era difícil para o tenente entender bem as complexidades da missão que estava planejando por não ter executado missões em um ambiente tão hostil.

"Sei que você os treinou bem e tenho certeza de que seus soldados iraquianos são uma grande equipe", disse, sabendo da probabilidade de eles nunca terem enfrentado um tiroteio sério juntos. "Porém analisemos a situação: essa rota o levará a três espaços de batalha — dois do Exército e um dos Fuzileiros. Ela passa por áreas conhecidas pela forte presença de IEDs, o que coloca em risco qualquer tipo de apoio, como o CASEVAC* ou o fogo de apoio dos tanques. Eles podem nem conseguir chegar até você. Ainda que tenha trabalhado extensivamente com esses soldados iraquianos, meus SEALs não trabalharam com eles. Logo, não seria adequado — pelo menos, para essa primeira patrulha — simplificarmos um pouco diminuindo a distância e mantendo toda a patrulha dentro do espaço de batalha pertencente a essa companhia, a Equipe Bulldog?"

"Serão apenas algumas centenas de metros", recuou o líder do MiTT.

"Eu sei", respondi. "Sei que parece curto, mas vamos simplificar no início e expandimos à medida que obtivermos mais experiência." Eu sabia que uma operação nesse ambiente convenceria o líder do MiTT de que a simplicidade era fundamental. Após algumas discussões, o líder do MiTT concordou com uma rota muito mais curta e simples.

---

* Evacuação de vítimas.

Logo depois, o líder do MiTT, seus soldados iraquianos e um pequeno contingente de SEALs se reuniram para realizar uma OPORD (ordem de operações, o resumo da pré-missão que explica os detalhes da operação aos membros da equipe). Era a primeira patrulha desses iraquianos em Ramadi, e, apesar dos morteiros que atingiram e feriram vários Soldados dos EUA e do constante som de disparos, eles não pareciam muito preocupados. Nem o líder do MiTT. Nem, aliás, meu líder SEAL. Todo mundo parecia bastante indiferente à patrulha. Eu sabia que o contato com o inimigo era altamente provável — se não iminente.

Após o resumo, eles se separaram para fazer os preparativos finais: pegar água, verificar a munição e as armas e repassar as instruções individuais. Entrei e repassei a rota novamente com o líder SEAL, destacando pontos de referência como edifícios facilmente reconhecíveis, cruzamentos únicos, torres de água e minaretes de mesquitas, que poderiam ser usados como pontos de referência. Também revimos o mapa de batalhas e os números atribuídos a todos os prédios desse setor da cidade. O jovem oficial SEAL e eu revisamos o número dos prédios proeminentes na área para que pudéssemos comunicar melhor a posição da patrulha e a posição do inimigo, caso fosse necessário.

O destacamento combinado se reuniu para formar e iniciar a patrulha. Eu já havia coordenado com Leif e seu destacamento de SEALs, na posição de sniper de tocaia no prédio de quatro andares a 300 metros fora do perímetro do COP Falcon, para cobrir o movimento da patrulha de presença. Com tiros de precisão, metralhadoras, foguetes e uma posição de combate elevada, o destacamento de Leif poderia efetivamente proteger o movimento da patrulha pelas ruas. Isso ajudaria a mitigar o risco do ataque inimigo. Observei de perto a atitude das tropas se preparando para sair. Eles ainda não compreendiam. Finalmente, fui até o jovem líder SEAL, olhei nos olhos dele e disse: "Você vai entrar em combate. Vai acontecer rápido. Fique atento. Entendido?"

Meu tom sério impactou o jovem tenente SEAL, que assentiu lentamente e confirmou: "Entendido, senhor. Ficaremos."

Com isso, dei um passo atrás e vi a patrulha sair pelo portão do COP Falcon e entrar no território inimigo. Curioso para saber quanto tempo levaria para os combatentes inimigos atacarem, ativei o cronômetro quando a patrulha saiu. Essa era a primeira patrulha de presença aberta nessa área do Centro-sul de Ramadi realizada por soldados da coalizão em meses, talvez anos. O Pelotão Delta da Unidade de Tarefas Bruiser, trabalhando em uma área adjacente do outro lado da cidade, havia sido atacado nos últimos dois meses por combatentes inimigos em quase todas as patrulhas.

Monitorei o rádio da COP Falcon, acompanhando o progresso da patrulha. De repente, tiros foram disparados, ecoando pelos quarteirões da cidade.

Tá-tá-tá-tá-tá, soou uma AK-47 inimiga a uma curta distância.

Bum-bum-bum-bum-bum-bum, respondeu um metralhador SEAL. Juntaram-se imediatamente a ele dezenas de outras armas que soltaram uma barragem de fogo infernal, o que me confirmou que esses eram meus SEALs disparando. Não havia outra unidade que provocasse tanta fúria quando o tiroteio começava. Olhei para o relógio. Fazia doze minutos desde a saída da patrulha do COP Falcon.

Do COP, ouvi as chamadas de rádio. Elas estavam picotadas, confusas e com sinal enfraquecido pelas grossas paredes de concreto dos prédios da cidade, que as ondas de rádio nem sempre penetravam. O tiroteio continuou. Foi um tiroteio significativo. Saraivadas de tiros foram trocadas entre a patrulha e os combatentes inimigos. Mais tentativas de comunicação. Reconheci a voz do líder do destacamento SEAL falando com a patrulha, mas não consegui entender o que estava dizendo.

Leif, em uma posição mais elevada, com linha direta de comunicação entre ambos, tinha boas comunicações de rádio, tanto com o líder SEAL no terreno com a patrulha quanto comigo. Leif recebeu uma atualização da situação da patrulha. Ele e o jovem líder do destacamento SEAL se comunicavam com uma voz clara e calma, apesar do caos da situação, exatamente como havíamos treinado. Leif me transmitiu o relatório: dois amigos feridos, necessidade do CASEVAC e de fogo de apoio.

Para obter rapidamente tanques e veículos CASEVAC para ajudar a patrulha, eu precisava receber comunicações diretas de rádio com o oficial SEAL na patrulha e confirmar sua posição. Corri para o topo do maior edifício do COP Falcon e estendi minha antena de rádio para obter o melhor sinal possível.

Pressionei o botão do rádio para alcançar a patrulha: "Redbull*, aqui é Jocko."

"Na escuta, Jocko", respondeu o líder SEAL com a patrulha em um tom calmo. Agora conseguíamos nos comunicar.

"Como está a situação?", perguntei.

"Dois feridos. Precisamos do CASEVAC. E de fogo de apoio", respondeu. Assim como havia sido ensinado: informações simples, claras e concisas — apenas o necessário.

"Entendido. Confirme sua localização", falei.

"Edifício J51†", respondeu.

"Todas as suas tropas estão no J51?", perguntei.

"Afirmativo. Todas as tropas no J51", confirmou.

"Entendido. Tanques e CASEVAC", reforcei.

---

* Nosso sinal de chamada SEAL na época e naquele espaço de batalha, em particular.

† J51, "Juliette Five-One", no alfabeto fonético.

Corri de volta para o primeiro andar do TOC improvisado, onde o comandante da companhia da Equipe Bulldog aguardava pelas informações de que precisava para sair com suas tropas e tanques.

"O que está acontecendo, senhor?", perguntou o comandante da companhia. "Do que eles precisam?"

Calmamente, contei a ele as informações cruciais: "Eles precisam de fogo de apoio e de CASEVAC nas proximidades do prédio J51. Todo o pessoal amigo está dentro do edifício J51. Há dois feridos." Apontei para o enorme mapa de batalha pendurado na parede ao lado de nós e indiquei o prédio 51 no mapa. "Bem aqui", disse, apontando para garantir que ninguém tivesse dúvidas.

"Entendido, senhor", respondeu o comandante da companhia. "Vou levar uma série de tanques* e M113† para o prédio J51. Todos os amigos estão localizados no prédio. Dois feridos."

"Entendido", respondi, confirmando que as informações estavam corretas.

Ele correu até o tanque, informou suas tropas e entrou no tanque. Ele e seus homens enfrentariam as perigosas ruas cheias de IEDs para chegar aos SEALs, conselheiros norte-americanos do MiTT e tropas iraquianas detidos sob ataque inimigo. Eles fariam o melhor para salvar a vida de seus feridos.

Enquanto isso, do ponto de vista da posição de tocaia em que Leif estava, seus snipers e metralhadores SEALs enfrentavam inúmeros inimigos no caminho ao ataque à patrulha. Os poderosos rifles sniper que nossos SEALs usavam disparavam *inúmeras* vezes contra os inimigos que rumavam em direção à patrulha no edifício J51. Enquanto combatentes insurgentes se reuniam para atacar a patrulha, os metralhadores

---

* Dois tanques de batalha M1A2 Abrams com poder de fogo pesado.

† Transportador blindado usado para evacuar vítimas.

SEALs da posição de tocaia se uniram e lançaram uma barragem de fogo, reprimindo o ataque.

Em minutos, os tanques da Equipe Bulldog e o M113 chegaram ao prédio J51. Ao avistar os tanques, a maioria dos combatentes inimigos desapareceu rapidamente na paisagem urbana, escondendo suas armas para se misturarem à população civil. As duas vítimas eram soldados iraquianos. Ambos foram baleados; um enquanto, atravessava a rua, havia sido abandonado por seus colegas iraquianos que fugiram para se esconder. Felizmente, dois SEALs arriscaram suas vidas, atravessando a saraivada de tiros inimigos para levá-lo a um lugar seguro. Ambas as vítimas foram evacuadas. Um soldado iraquiano sobreviveu; o outro, infelizmente, morreu devido aos ferimentos.

Sob a cobertura do poder de fogo dos tanques, o restante da patrulha saiu do prédio J51 enfileirado, apoiado pelos dois tanques Abrams, um dianteiro e um traseiro, como em uma cena da Segunda Guerra Mundial. Juntos, voltaram para o COP Falcon. Enquanto o tanque da Equipe Bulldog cobria a retaguarda, um combatente insurgente com um morteiro RPG-7 virou uma esquina para tentar acertar a patrulha. Mas, antes que ele pudesse disparar, o comandante da Equipe Bulldog, sentado na torre do tanque, o atingiu no peito com uma metralhadora calibre 50.

Quando a patrulha retornou ao COP Falcon, encontrei-os entrando no complexo. Fazendo contato visual com o jovem líder SEAL, dei-lhe um aceno de aprovação, que dizia: *Bom trabalho. Você manteve a compostura e fez chamadas claras. Recebeu a ajuda de que precisava e manteve vivo o resto da equipe.* O líder SEAL assentiu de volta. Ele havia entendido.

O líder do MiTT estava claramente abalado. Foi seu primeiro tiroteio severo — seu primeiro teste de verdade como líder. Felizmente, ele tinha nosso destacamento SEAL, que ajudou a garantir a sobrevivência de sua patrulha. Felizmente, ele havia concordado em simplificar a operação, para minimizar a complexidade das contingências inevitáveis que poderiam surgir. Foi uma das piores ocorrências. Se esse tiroteio tivesse acontecido onde ele planejava chegar — muito mais adentro do território inimigo, fora do alcance do COP Falcon, com destacamentos militares de apoio da Marinha e do Exército separados, com diferentes frequências de rádio e procedimentos operacionais — teria sido catastrófico. Se eles tivessem tornado essa patrulha mais difícil e complexa, o líder do MiTT e seus soldados iraquianos poderiam ter sido mortos.

Dei ao líder do MiTT um aceno diferente do que dei ao líder SEAL. Esse aceno dizia: *é por isso que simplificamos as coisas*. O líder do MiTT olhou para mim. Não disse uma palavra sequer, mas seus olhos comunicaram claramente: *agora sei disso. Agora compreendo*.

PRINCÍPIO

O combate, como qualquer coisa na vida, tem camadas de complexidades. Simplificar o máximo possível é crucial para o sucesso. Quando os planos e ordens são muito complicados, as pessoas podem não os entender. E, quando as coisas dão errado, e, *em algum momento, elas darão*, a complexidade abrange questões que podem sair do controle e se tornar um desastre total. Os planos e ordens devem ser comunicados de maneira simples, clara e concisa. Todo mundo que faz parte da missão deve conhecer e entender seu papel e saber o que fazer em caso de contingências. Enquanto líder, não importa o quão bem você se sinta ao apresentar as informações ou comunicar uma ordem, plano, tática ou estratégia. Se sua equipe não entende, você fracassou em simplificar. Você deve fazer um resumo para garantir que as equipes entendam o essencial.

Também é fundamental que o relacionamento operacional facilite a capacidade das tropas da linha de frente de fazer perguntas que esclareçam quando não compreendem a missão ou as principais tarefas a serem executadas. Os líderes devem incentivar essa comunicação e ter tempo para explicá-la, para que todos os membros da equipe a entendam.

Simplificar: esse princípio não se limita ao campo de batalha. No mundo dos negócios e na vida, a complexidade é inerente. É essencial manter os planos e a comunicação simples. Seguir essa regra é crucial para o sucesso de qualquer equipe em qualquer combate, negócio ou na vida.

APLICAÇÃO AO MUNDO DOS NEGÓCIOS

"Não tenho ideia do que isso significa", disse o funcionário, segurando um pedaço de papel que deveria explicar seu bônus mensal. "Ponto oito e quatro", continuou. "Não tenho ideia do que esse número significa. O que sei é que meu bônus deste mês foi de US$423,97. Mas não faço ideia do porquê. No mês passado, ganhei US$279. Não sei por que. Fiz o mesmo trabalho; produzi a mesma quantidade de unidades. Mas, por alguma razão, fui enganado mês passado. Que merda foi essa?"

"Eles querem que você se concentre em um aspecto específico do seu trabalho?", perguntei.

"Honestamente, não tenho ideia", respondeu. "Quero dizer, estou feliz pelo bônus, mas não sei no que eles querem que eu me concentre."

Conversei com vários outros técnicos de montagem daquela divisão em uma visita à fábrica da empresa cliente. Várias vezes, ouvi respostas semelhantes. As pessoas não tinham certeza do que deveriam focar. Elas não tinham ideia de como seus bônus eram calculados ou por que estavam sendo recompensadas ou penalizadas no pagamento todos os meses.

No dia seguinte, encontrei-me com o engenheiro-chefe e a gerente da fábrica. Eles eram extremamente inteligentes e apaixonados pela empresa, e tinham muito orgulho de seus produtos. Eles também reconheceram que houve uma desconexão.

"Definitivamente, não estamos maximizando nossa eficiência com nossa equipe de produção", disse a gerente, notavelmente frustrada.

"Não há dúvida", explicou o engenheiro-chefe. "Temos uma linha de produtos relativamente pequena aqui. Há algumas nuances, mas a produção de todos é similar. Achamos que poderíamos aumentar a produção quando criamos o plano de bônus, mas ele não funcionou."

"Sim", acrescentou a gerente, "existe uma oportunidade de ganhar um dinheiro significativo com o plano de bônus, mas os funcionários da linha não parecem se adaptar e se concentrar para tirar vantagem disso".

"Explique-me como o sistema de bônus funciona", falei.

"Ok. É um pouco complicado", alertou a gerente.

"Tudo bem, tenho certeza de que não pode ser nada muito difícil", respondi, sabendo que a complexidade excessiva era um dos principais problemas de qualquer unidade SEAL (ou qualquer unidade militar) no campo de batalha. Era essencial simplificar para que todos entendessem.

"Honestamente, é bastante complexo", respondeu a gerente, "pois há muitos aspectos diferentes que avaliamos para garantir que as diferentes facetas da produção sejam consideradas".

"Bem, talvez você possa me explicar o básico então", pedi.

A gerente da fábrica começou: "Então, tudo começa com um nível básico de produtividade. Agora, como você sabe, montamos seis unidades diferentes, cada uma com diferentes níveis de complexidade. Então lhes atribuímos pesos. Nosso modelo mais produzido define o padrão, com peso 1,0. Nosso modelo mais complexo tem peso 1,75; e o mais simples, 0,50, com os outros modelos classificados em alguma posição com base no nível de dificuldade da montagem."

"É claro que estes são os que chamamos de 'pesos básicos'", acrescentou o engenheiro-chefe. "Dependendo da demanda que recebemos, de vários modelos, precisamos aumentar a produção de certos modelos, para que tenhamos uma curva de peso variável, o que significa que o peso é ajustado para mais ou para menos, a qualquer momento."

"Foi aqui que tivemos que ser criativos: pegamos o número total ponderado de unidades produzidas e temos uma métrica de eficiência em camadas", disse a gerente, claramente orgulhosa do sistema complexo que desenvolveram. Ela explicou como o sistema de níveis variáveis funcionava, com base no número de pessoas que ganhava bônus em cada nível todos os meses.

"Dessa forma, inspiramos um certo nível de competitividade e evitamos pagar muitos bônus, o que achamos que reduziria o impacto", concluiu a gerente.

Mas não parava por aí. Ela detalhou como a métrica de eficiência funcionava na ausência de seis meses de um funcionário e como um funcionário que mantinha a estratificação de 25% recebia uma porcentagem adicional de bônus.

Além disso, eles consideravam a qualidade do produto. O engenheiro-chefe e a gerente esboçaram uma lista de erros comuns, descrevendo-os como "falhas de retenção", que poderiam ser corrigidos, ou "falhas fatais", que tornavam uma unidade inutilizável. Para cada falha e tipo de falha registrados, um sistema de peso graduado multiplicado por um determinado fator reduzia o bônus. Um múltiplo semelhante foi adicionado ao bônus para os funcionários que não apresentavam falhas registradas nas unidades que produziram. Embora a gerência sênior se orgulhasse do sistema de bônus que criou, era excessivamente complexo.

Fiquei quieto por um momento. Então perguntei: "É só isso?"

"Bem", respondeu o gerente, "há vários outros fatores sutis que calculamos..."

"Sério?", questionei, surpreso por eles não terem entendido meu sarcasmo. "Estou brincando. Isso é loucura."

"Loucura? O que é loucura?", perguntou na defensiva.

Eles estavam tão envolvidos com o plano de bônus, tão empolgados e encantados, que não reconheciam sua vasta complexidade. Eles não viam a própria "falha fatal" no esquema confuso e elaborado que criaram, que ninguém da equipe entendeu.

"Este é um plano extremamente complexo, *muito* complexo. Acho que vocês precisam simplificá-lo", falei.

"Bem, estamos em um ambiente complexo. Talvez, se o detalhássemos melhor, você o entenderia", respondeu o engenheiro-chefe.

"Eu não tenho que entender", respondi. "Quem precisa entender são *eles* — sua equipe de produção. E não de forma abstrata. Eles precisam entender a ponto de não precisarem pensar para entender. Precisa estar correndo em suas veias."

"Mas temos que nos assegurar de incentivá-los no caminho certo", disse o engenheiro-chefe.

"Exato", endossou a gerente. "Temos que levar em consideração as variáveis para que sejam sempre trabalhadas da maneira certa."

Era claro que eles haviam dedicado muito tempo e esforço no plano de bônus, e agora tentavam desesperadamente defender seus esforços, apesar da evidente deficiência decorrente da complexidade excessiva.

"Quão bem esse plano de bônus os incentiva agora?", perguntei. "Você acabou de me dizer que eles não estão tirando proveito, então não estão sendo incentivados a fazer algo diferente, nem a focar uma direção determinada. Seu plano é tão complexo que não há como eles trabalharem para aumentar seu bônus. Até quando aplicam condicionamento operante em ratos, eles precisam entender o motivo para a punição e para a recompensa. Se não houver uma correlação substancial entre o comportamento e a recompensa ou a punição, o comportamento nunca será modificado. Se os ratos não souberem por que receberam um torrão de açúcar ou por que receberam um choque elétrico, nunca mudarão."

"Nossos funcionários são ratos?", brincou o engenheiro-chefe.

Eu ri — foi engraçado, vai —, mas depois respondi: "Não, de jeito nenhum. Mas todos os animais, incluindo os seres humanos, precisam saber a relação entre a ação e a consequência para aprender ou reagir adequadamente. Do jeito que vocês estruturaram, eles não veem essa relação."

"Bem, eles poderiam vê-la se parassem um pouco para entender", respondeu o gerente de produção.

"Certamente, eles *poderiam*. Mas eles *não vão*. As pessoas optam pelo caminho de menor esforço. É a nossa natureza. Deixe-me perguntar: que tipo de melhora quantificável você obteve com este plano de incentivo?", perguntei.

"Sinceramente, não vimos nenhum retorno real e significativo", admitiu a gerente. "Definitivamente, nada do que imaginamos."

"Isso não me surpreende", falei. "Seu plano viola um dos princípios mais importantes aos quais aderimos em combate: simplificar. Quando os jovens líderes SEAL examinam os alvos para as missões de treinamento, desenvolvem um curso de ação que explique todas as possibilidades. Isso resulta em um plano extraordinariamente complexo e muito difícil de seguir. Embora as tropas entendam suas partes isoladas, elas têm dificuldade em acompanhar todos os meandros do esquema geral. Talvez elas se safem algumas vezes, se tudo correr bem, mas lembre-se: o inimigo mora ao lado."

"O inimigo mora ao lado?", repetiu a gerente da fábrica, sem entender o que aquilo significava.

"Sim. Independentemente de como você acha que uma operação se desenrolará", respondi, "o inimigo fica à espreita — e fará algo para atrapalhá-la. Quando algo dá errado — e isso acaba acontecendo —, planos complexos aumentam a confusão, que pode se transformar em desastre. Quase nenhuma missão segue o planejado. Há muitas variáveis. É aqui que a simplicidade entra. Se o plano é simples, todos o entendem, o que significa que cada pessoa pode rapidamente ajustar e modificar o que está fazendo. Se o plano for muito complexo, a equipe não consegue fazer ajustes rápidos, porque falta o entendimento básico".

"Isso faz sentido", disse o engenheiro-chefe.

"Seguimos essa regra para tudo o que fazemos", continuei. "Nossos procedimentos operacionais padrão sempre foram simplificados ao máximo. Nossos planos de comunicação, também. A maneira como conversamos no rádio é a mais simples e direta possível. A maneira como organizamos nossos equipamentos, e até mesmo o número de pessoas, para garantir que toda a equipe seja dividida para termos rapidez, precisão e facilidade. Com essa simplicidade incorporada ao nosso trabalho, nossas tropas entendem claramente o que fazer e como isso se relaciona à missão. Esse entendimento nos permite nos adaptarmos rapidamente, sem tropeçar em nós mesmos."

"Percebo como isso cria uma grande vantagem", disse a gerente.

"Bem", concluí. "Não temos nada a perder. A melhor maneira de fazer seu plano de bônus funcionar é voltar à prancheta e descobrir um novo modelo de remuneração, com duas ou três, no máximo quatro, áreas para medir e avaliar."

O engenheiro-chefe e o gerente da fábrica aceitaram a missão que lhes dei e voltaram ao escritório para começar os trabalhos.

No dia seguinte, entrei no escritório. O plano estava escrito no quadro. Tinha apenas duas partes: (1) unidades pesadas; (2) qualidade.

"É só isso?", perguntei; dessa vez, sem sarcasmo.

"É isso aí", respondeu o gerente. "Muito simples. Você produz o maior número possível de unidades. Ainda ajustaremos os pesos das unidades com base na demanda, mas definiremos os pesos na segunda-feira e permitiremos que eles permaneçam lá até sexta-feira. Isso nos dá uma semana para fazer ajustes e alterar pesos se a demanda por uma determinada unidade aumentar. E publicaremos os pesos de cada unidade no quadro de avisos para que todos os funcionários da linha vejam, saibam e pensem nisso. A qualidade, mediremos por mês. Qualquer pessoa com um índice de qualidade de pelo menos 95% receberá um aumento de 15% em seu bônus."

"Gostei", respondi. Esse plano era muito mais simples de comunicar e de entender. "Quando precisar ajustá-lo, será muito mais fácil."

Naquela tarde, vi o engenheiro-chefe e a gerente da fábrica discutirem o plano com os líderes da equipe e o turno da tarde. A resposta foi ótima.

Agora, os funcionários sabiam o que precisavam fazer para ganhar o bônus. Como resultado, o bônus agora realmente incentivava o comportamento e, portanto, tornaria a empresa mais produtiva.

Nas próximas semanas que se seguiram, a gerente da fábrica e o engenheiro-chefe relataram um aumento quase imediato da produtividade. Mais funcionários passaram a concentrar sua energia no produto que lhes daria mais dinheiro, o que, claro, alinhava-se aos objetivos da empresa. Houve efeitos colaterais também. Conforme os funcionários mais produtivos se esforçavam mais para aumentar seus bônus, os menos produtivos ficaram com menos pedidos para atender. Em um mês, a empresa demitiu quatro funcionários com a menor pontuação de bônus, que haviam sido os mais fracos e estavam afundando toda a equipe. A empresa já não precisava deles, pois a eficiência do resto da equipe aumentara drasticamente.

O aspecto mais impressionante dessa melhoria no desempenho foi que ela não decorreu de uma grande mudança no processo ou de um avanço na tecnologia. Em vez disso, originou-se de um princípio de liderança que existe há séculos: simplificar.

"Frogman no telhado" foi a chamada de rádio que avisou às forças amigas que os SEALs estavam em terreno alto. Na foto, o artilheiro SEAL Marc Lee ataca os insurgentes com o fogo letal da metralhadora, enquanto outro SEAL avalia a situação e um SEAL granadeiro procura alvos.

(Fotografia dos autores)

CAPÍTULO 7

Priorizar e Executar

Leif Babin

CENTRO-SUL DE RAMADI, IRAQUE: O VESPEIRO

Durante todo o dia, rajadas assassinas de metralhadoras atingiam nossa posição, quebrando janelas e impactando paredes internas, cada uma com a violência e a energia cinética de uma marreta empunhada com força total. Algumas das balas que chegavam eram perfurantes e ultrapassavam o concreto grosso do muro baixo que cercava o telhado. Tudo o que nosso destacamento SEAL, técnicos de bombas de EOD e soldados iraquianos podiam fazer sob fogo inimigo tão preciso era deitar no chão rapidamente e tentar evitar um tiro na cabeça. Balas estalavam centímetros acima de nós, e fragmentos de vidro e de concreto choviam por toda parte.

"Merda! Esses cretinos sabem atirar!", gritou um operador SEAL, colado no chão o máximo que podia. Não conseguimos não rir de nossa situação.

Os foguetes RPG-7 nos atingiam em uma sequência rápida de três ou quatro, explodindo com tremenda concussão contra as paredes externas. Escondidos no edifício, estávamos separados das explosões estridentes e dos estilhaços mortais por cerca de 30cm de concreto. Um foguete de RPG vacilante errou o alvo e voou alto sobre o prédio, arrastando-se pelo céu nublado e sem nuvens do verão iraquiano como um foguete de garrafa no Dia da Independência dos Estados Unidos. Se apenas um daqueles foguetes atingisse uma janela, fragmentos de metal em brasa rasgariam todos os homens na sala.

Apesar do ataque, mantivemos nossa posição no grande prédio de quatro andares. Quando a fúria inimiga diminuiu, nossos snipers SEAL retomaram o fogo, com efeito devastador. Enquanto os combatentes inimigos armados manobravam pelas ruas para atacar, os snipers SEAL atiravam bala atrás de bala com precisão mortal, resultando em dez inimigos mortos confirmados e um punhado de outras prováveis mortes.

Como comandante de pelotão, encarregado de todo o destacamento, fui de cômodo em cômodo, em todos os andares, verificar o status e garantir que nenhum dos nossos homens tinha sido atingido. Reunindo informações sobre os ataques de nossos snipers, passei relatórios situacionais pelo rádio para o TOC do Exército dos EUA no distante posto avançado amigo.

"Vocês estão bem?", perguntei, entrando em um cômodo com snipers e metralhadores ocupando posições, enquanto outros descansavam.

"Indo", veio a resposta.

Em outra sala, falei com o chefe de pelotão SEAL. Naquele momento, o fogo inimigo atravessou as janelas, enquanto ele se escondia na parede do canto. Ele riu e me deu um sinal de positivo. Ele era durão. Os metralhadores SEAL chegaram à procura de trabalho e direcionamos o fogo para a localização do inimigo; os artilheiros detonaram a posição inimiga com uma barragem precisa de 7,62mm.

Um artilheiro SEAL, Ryan Job, empunhava sua grande metralhadora com precisão mortal. Destemido, ficou na janela, enfrentando as balas inimigas que chegavam, enquanto lançava de três a cinco rajadas contra as posições insurgentes. Um grupo de insurgentes armados tentou se aproximar mais de nós se escondendo em um curral. Ryan os massacrou e reprimiu a tentativa antes que se materializasse. As ovelhas no curral sofreram algumas baixas no fogo cruzado.

"Merda", falei. "As ovelhas não tinham nada com isso."

"Eram ovelhas *muj*", riu Ryan.

Lancei várias granadas explosivas de 40mm em uma porta onde o chefe vira caças inimigos nos atacando. *Buuuuuuuum!*, soou a explosão, quando uma bala colidiu do outro lado da porta, causando uma explosão de fogo. *Isso vai sossegar eles*.

Muito antes do amanhecer, naquela manhã, antes que a primeira chamada do dia ecoasse pelos representantes do minarete de muitas mesquitas do Centro-sul de Ramadi, nosso grupo de SEALs do Pelotão Charlie, nossos operadores de EOD (que faziam parte do pelotão), intérpretes e soldados iraquianos haviam patrulhado furtivamente sob a escuridão pelas ruas empoeiradas e cobertas de entulho. Tínhamos "entrado no BTF", como nosso chefe dizia. BTF significava "Modo de Resistência" [Big Tough Frogman], um mantra não oficial adotado pelo pelotão. O BTF envolvia assumir um esforço físico substancial e um grande risco e perseverança, como um Big Tough Frogman. Adentrar o território inimigo era uma evolução do BTF. Sabíamos que isso acarretaria um tiroteio — o que o chefe chamava de "Grande Bagunça" [Big Mix-It-Up]. Nossa rotina para a maioria dessas operações, na terminologia do chefe, era a seguinte: "BTF na entrada, Grande Bagunça, BTF na saída." Depois, de volta à base, chegávamos ao refeitório para a "Grande Refeição" [Big Chow].

Tínhamos patrulhado o COP Falcon na escuridão da alvorada, pelo bairro urbano lotado de sobrados, casas separadas por muros e portões de metal pesados. Andamos a pé por cerca de 1,5km, transportando nossos equipamentos pesados e poder de fogo substancial, para outro bairro violento da cidade, mantido pelo inimigo — uma área passível de sofrer uma insurgência brutal. Expulsos de leste a oeste, os combatentes inimigos escolheram ficar e lutar pelo território sujo no centro geográfico da cidade. Posicionamo-nos em um prédio da rua ao lado de uma mesquita que reunia a chamada ao jihad de seu minarete às centenas de *muj* bem armados que ocupavam a área.

Não muito tempo antes, na mesma rua, uma grande força de combatentes inimigos atacou um esquadrão de Fuzileiros dos EUA e os prendeu por horas, antes que pudessem evacuar seus feridos. Duas semanas antes, a apenas meio quarteirão ao sul, aquela rua testemunhara a destruição de um veículo de remoção de minas fortemente blindado, dos EUA, pela explosão maciça de um IED. Cerca de uma dúzia de tanques e blindados norte-americanos foram destruídos naquela seção da cidade. O "cemitério de veículos" em Camp Ramadi se tornou o local de despejo dos destroços carbonizados. Os pedaços de metal enegrecido e retorcido queimavam como um lembrete da intensidade da violência e dos muitos feridos e mortos.

Nosso pelotão SEAL escolhera aquele edifício por sua vista impressionante da área. Mais importante, ficava bem no quintal do inimigo. Ali, combatentes insurgentes desfrutavam de um refúgio completo e liberdade total de movimento. O ataque frequente e intenso de tiros de metralhadoras inimigas e foguetes de RPG servia agora como testamento de que nossa presença era muito indesejável.

Tínhamos despertado um vespeiro, mas era exatamente onde queríamos estar. Nosso plano: ir para onde os bandidos menos nos esperavam, a fim de interromper seu programa, matar o máximo de combatentes possível e diminuir sua capacidade de atacar postos avançados de combate do Exército e da Marinha dos EUA nas proximidades. Queríamos que o inimigo soubesse que não desfrutariam mais de refúgios ali. Aquele bairro não era mais deles. Tínhamos dominado o terreno.

Ir tão longe no território inimigo acarretava enormes riscos. Embora o posto avançado de combate mais próximo dos EUA não estivesse a mais de 1,5km de nossa posição, em uma reta, a ameaça extrema do IED e a forte presença de inimigos tornavam qualquer apoio necessário, de tanques ou blindados, extremamente perigoso e difícil, se não impossível. Embora nossos irmãos do Exército nos ajudassem se ligássemos, sabíamos que os colocaríamos em grande risco. Foi uma tática que aprendemos com as companhias da Marinha, estacionadas ao longo da rota principal pela cidade: a menos que tivéssemos uma vítima em situação urgente, manteríamos nossa posição. Não chamaríamos veículos nem tropas adicionais, colocando-os em risco, a menos que tivéssemos baixas graves e precisássemos deles.

O prédio agora ocupado pelo nosso pelotão SEAL proporcionava uma excelente posição tática. Com uma vista mais alta, acima dos prédios ao redor, suas grossas paredes de concreto nos protegiam contra o fogo inimigo. Havia apenas um problema: tinha apenas uma entrada e saída do segundo andar — uma escada estreita que levava à rua. Não havia como observar a entrada ou a rua ao redor dela durante o dia sem nos expor ao fogo inimigo. Isso significava que o inimigo poderia colocar IEDs na entrada enquanto estivéssemos no prédio e detoná-los quando saíssemos.

Ouvimos histórias de como isso aconteceu com uma equipe de snipers da Marinha e outras unidades norte-americanas em nossa investida. Para combater a ameaça, meu chefe e eu pensamos em ocupar uma casa do outro lado da rua, que nos permitia vigiar a entrada. Mas não tínhamos mão de obra. Sem alternativa viável, acatamos a vulnerabilidade. Para atenuar o risco de um IED ser implantado na porta, os operadores de EOD estudaram a área em torno da saída e planejaram uma varredura meticulosa de explosivos antes de nossa partida, prevista para aquela noite.

O ataque do pesado fogo inimigo continuou recorrente ao longo do dia, alternando períodos de intensa violência e de calmaria. Os combatentes inimigos atacaram de várias direções, e os snipers SEAL atacaram e mataram muitos deles. Nossos artilheiros devolveram o fogo às posições inimigas com efeito devastador. Outros SEALs dispararam foguetes LAAW (armas leves antiblindadas) e granadas de 40mm contra inimigos que se escondiam atrás das paredes de concreto. Até os soldados iraquianos, mais focados na autopreservação, participaram da luta e devolveram o fogo com suas metralhadoras AK-47 e PKC. À medida que o dia se desvanecia e o sol mergulhava no horizonte, os ataques diminuíram. Os tiros e as explosões diminuíram. Com a escuridão, um silêncio misterioso desceu sobre Ramadi, interrompido apenas pelo chamado da noite à oração, que ecoava pelos telhados empoeirados.

O pelotão SEAL e os soldados iraquianos juntaram suas coisas e se prepararam para partir. Lembrando a vulnerabilidade da saída única, nossos dois técnicos de bombas EOD tomaram a frente. Olhando pela varanda do segundo andar com os óculos de visão noturna, examinaram a área em torno da porta e a rua cheia de lixo e buracos, em alguns pontos marcada pelas crateras das explosões anteriores de IED. Mas algo estava fora de lugar; algo parecia diferente de quando examinaram a área na escuridão da alvorada. Um item discreto estava encostado na parede do edifício, a poucos metros da saída, coberto com uma lona de plástico. Uma minúscula lasca de um objeto cilíndrico e liso aparecia debaixo da lona.

"Algo parece suspeito", transmitiu-me um operador de EOD. Foi uma notícia muito desagradável, já que a escada para a rua era o nosso único meio de partida.

Liguei para o chefe, nosso chefe de polícia líder (LPO) e nossos oficiais juniores do pelotão. "Precisamos descobrir outra maneira de sair daqui", falei. Não seria uma tarefa fácil.

No segundo andar, três lados do edifício davam para uma queda de quase 6 metros de uma janela ou varanda, direto para a rua. Não tínhamos corda. Saltar com todos os nossos equipamentos pesados resultaria em ferimentos graves, e na mesma rua havia, pelo menos, um explosivo. Tínhamos que presumir que havia mais.

Alguém sugeriu um método de fuga pueril: "E se amarrarmos os lençóis das camas e descermos das janelas do terceiro andar para o telhado ao lado?" Era uma ideia temerária, mas, naquelas circunstâncias, precisava ser seriamente considerada.

A quarta parede do segundo andar era de concreto sólido, sem janelas, portas e aberturas. Não conseguiríamos contornar nem pular. Mas poderíamos atravessá-la.

"Parece que é hora do BTF", disse o LPO. Isso significava que estávamos prestes a enfrentar outro grande feito de força e resistência que desafiaria nossos limites físicos. Mas o Pelotão Charlie se orgulhava de realizar tais feitos. "Vamos detonar tudo!"

Sempre carregávamos uma marreta conosco para atravessar portas e janelas trancadas. O LPO pediu o "material" e foi trabalhar. Ele começou a bater a marreta com força total contra a parede de concreto, cada golpe a impactava com um estridente *PÁÁÁÁÁÁ!* Ele e um punhado de outros SEALs se revezavam batendo na parede espessa. Era um trabalho lento e desagradável. Precisávamos de um buraco grande o suficiente para operadores com mochilas e equipamentos pesados atravessarem para o telhado plano da casa ao lado.

Enquanto isso, nossos operadores de EOD foram averiguar o IED implantado em nossa porta. Por meio de uma investigação minuciosa, descobriram dois projéteis de 130mm, cujos cones foram embalados com Semtex, um explosivo plástico. Se não tivessem descoberto o dispositivo — e o tivéssemos acionado —, a explosão maciça e os estilhaços mortais destruiriam metade de nosso pelotão. Não podíamos deixar aquele IED ali, para matar outros Soldados e Fuzileiros dos EUA, ou civis iraquianos inocentes. Portanto, o EOD colocou sua própria carga explosiva nele para detoná-lo (ou "explodir no lugar") onde estava. Uma vez preparados, os operadores de EOD me notificaram e esperaram o comando "estourar fumaça", e acenderam o fusível que iniciaria a carga.

Após vinte minutos de marretadas furiosas, o LPO e sua equipe de BTF SEALs finalmente romperam a parede de concreto. Eles estavam sem fôlego e suavam profusamente no calor sufocante, mas agora tínhamos uma saída que nos permitiria contornar a ameaça do IED.

Todo mundo checou suas coisas, para não deixarmos nada para trás, depois nos alinhamos ao lado do buraco irregular na parede e nos preparamos para sair do prédio.

"Aguardando para sair", falei pelo rádio interesquadrão. SEALs e soldados iraquianos colocaram suas mochilas nos ombros. "Estourar fumaça", passei para os técnicos de EOD que esperavam. Um soltou a fumaça enquanto o outro acionou um cronômetro, que marcava a detonação. Agora, tínhamos poucos minutos para levar todos a uma distância segura do que seria uma explosão significativa. Rapidamente, atravessamos o buraco irregular no concreto e subimos no telhado plano e empoeirado da casa adjacente. Os snipers SEAL se espalharam, procurando ameaças, armas apontadas para janelas escuras e telhados dos edifícios mais altos que nos cercavam. Taticamente, essa era uma péssima posição: um telhado aberto, sem cobertura, cercado por edifícios mais altos, no fundo do quintal inimigo, após ter sofrido ataques o dia inteiro.

"Precisamos de uma contagem de cabeças; verifique se todos estão aqui", falei ao LPO. O LPO já estava preparado e começou a contagem.

De repente, um SEAL andando pela beira do telhado, poucos passos à minha frente, quebrou o telhado e caiu seis metros no chão, aterrissando com um forte ruído no concreto.

Puta merda!, pensei, parado logo atrás dele. Isso foi loucura. Na escuridão, a beira do telhado parecia uma lona de plástico coberta de poeira. Em um instante, tudo se transformou em caos.

O SEAL estava no chão, gemendo de dor. Chamamos de cima do telhado e tentamos entrar em contato pelo rádio.

"Ei, você está bem?", perguntei a ele. Não houve resposta. Os SEALs logo à frente tentaram chegar até ele, mas a porta da única escada que descia do telhado estava bloqueada por um portão de pesadas barras de ferro, acorrentadas e trancadas.

Isso era *péssimo*. Estávamos terrivelmente expostos em um telhado aberto, sem cobertura, completamente cercados por posições mais altas, taticamente superiores, no coração de uma área extremamente perigosa e controlada pelo inimigo. Um grande número de combatentes inimigos tinha total liberdade de movimento, atacou-nos ao longo do dia e conhecia nossa localização. Pior, o relógio estava correndo, com uma carga explosiva que provocaria uma enorme explosão de IED, lançando fragmentos de metais mortais em todas as direções. Nosso destacamento SEAL ainda não tinha a contagem total de cabeças fora do edifício.

Agora, um dos nossos SEALs estava sozinho e incapaz de se defender na rua mais perigosa da área mais desagradável e controlada pelo inimigo em Ramadi, e não conseguíamos chegar até ele. Seu pescoço ou suas costas podiam estar quebradas. Seu crânio podia estar fraturado. Tivemos que chamar um Soldado SEAL — nosso médico de combate — para ele. Mas não o alcançaríamos sem abrir um portão de ferro trancado para chegar ao andar de baixo. A pressão maciça da situação me atingiu. Esse era um dilema infernal, que poderia abalar até o líder mais competente. Como enfrentar tantos problemas ao mesmo tempo?

Priorize e Execute. Nem o maior dos líderes no campo de batalha pode lidar com uma série de desafios simultaneamente sem ficar sobrecarregado. Isso arriscava falhar com todos. Tive que manter a calma, afastar-me da minha reação emocional imediata e determinar a prioridade da equipe. Em seguida, direcionar a equipe para essa prioridade. Quando as rodas estavam em movimento e todos os recursos da equipe envolvidos no esforço de maior prioridade, poderia determinar a seguinte, concentrar o esforço da equipe no local e passar para a próxima. Eu não podia me deixar abater. Tive que relaxar, olhar em volta e dar uma ordem. Era disso que se tratava Priorizar e Executar.

Com dezenas de intensos cenários de treinamento durante o ano anterior, nosso pelotão SEAL e nossa unidade de tarefas ensaiaram em situações caóticas e difíceis. O treinamento fora planejado para nos subjugar, para nos tirar da nossa zona de conforto e nos forçar a tomar decisões críticas sob pressão. Em meio ao ruído, caos e incerteza do resultado, tínhamos praticado a capacidade de permanecer calmos, afastar-nos mentalmente da situação, avaliar o cenário, decidir o que precisava ser feito e dar uma ordem. Aprendemos a Priorizar e Executar. Esse processo não era intuitivo para a maioria das pessoas, mas poderia ser aprendido, construído e aprimorado bastante com muitas iterações de treinamento.

Ali, reconheci nossa prioridade mais alta e dei a orientação geral para executá-la com um simples comando: "Reforcem a segurança!" Embora eu, como todo mundo em nosso pelotão, quisesse desesperadamente ajudar nosso ferido na rua, a melhor maneira de fazer isso era ocupando a posição tática mais forte para nos defender. Com ameaças ao redor e acima de nós, precisávamos de snipers SEAL cobrindo posições com armas prontas para enfrentar qualquer ameaça inimiga aos homens no telhado exposto, aqueles SEALs e outros ainda saindo do prédio, e o homem ferido deitado indefeso na rua.

O chefe entrou e começou a direcionar atiradores que passavam pelo buraco na parede e pelo telhado. "Me dê umas armas aqui!", gritou.

Em poucos instantes, tínhamos armas e, em particular, metralhadoras, em posições críticas de cobertura e estávamos seguros.

Segundo, a próxima prioridade: encontrar um caminho para tirar todos do telhado exposto e chegar ao nosso homem ferido. Para isso, os SEALs da frente precisavam de um violador para atravessar o portão de ferro trancado e chegar a uma escada que levava à rua. Todo o treinamento transmitira o instinto de Priorizar e Executar a todo o pelotão. A equipe inteira avaliava problemas simultaneamente, descobria qual era o mais importante com o mínimo de orientação minha e o resolvia antes de passar para o próximo. E os SEALs da frente, que viam o portão trancado, fizeram o trabalho sem nenhuma orientação. Com uma simples ordem de "violador", um violador avançou rapidamente e se pôs a arrombar o portão.

Terceiro, a próxima prioridade: garantir uma contagem total de cabeças e confirmar que todos saíram do edifício e estavam a uma distância segura da explosão iminente.

"Contagem de cabeças", ordenei ao LPO. Apesar do caos imediato, nosso LPO permaneceu calmo, manteve o foco e conseguiu contar as pessoas que haviam saído do prédio.

Em instantes, ele me informou: "Estamos seguros." Todos estavam fora do prédio, incluindo o operador que caíra na rua. Boas notícias.

Em menos de um minuto, o violador SEAL arrombou o portão trancado. Agora, tínhamos como chegar até nosso homem ferido e podíamos dar o fora do telhado exposto. Se levássemos um tiro ali, sem cobertura, teríamos baixas substanciais.

"Avançar", ordenei, enquanto a voz de nosso chefe se unia à minha para ajudar a investida, ordenando que os snipers voltassem à escada e que cobrissem os outros SEALs que desciam para a rua. Os atiradores

SEAL correram para a rua e armaram a segurança com armas apontadas para um lado e outro da rua. Depois, outros foram resgatar o homem abatido. Com isso, todo o nosso destacamento seguiu o exemplo, descendo as escadas e indo para a rua. Após descer, fomos rapidamente para uma distância segura da iminente explosão do IED. Lá, paramos brevemente para contar as cabeças, garantindo que ninguém fora deixado para trás. Os líderes da equipe de bombeiros se reportaram aos líderes de esquadrão, que se reportaram ao nosso LPO, que me relatou: "Estamos seguros." Em poucos minutos após deixarmos o prédio, nosso pelotão SEAL, EOD e os soldados iraquianos nos seguiram, para termos a contagem total.

BOOOOOOOOMMMMM!!!!! O grande impacto da explosão maciça e da enorme bola de fogo iluminaram a noite, e choveram fragmentos por um quarteirão inteiro da cidade, em todas as direções.

A carga explosiva do nosso técnico de EOD acionou o IED, na hora certa, com o cronômetro. O terrível impacto quebrou a quietude da noite. Os IEDs eram devastadores — e mortais. Mas nenhuma tropa norte-americana nem iraquiana foi morta, nem ferida, graças a Deus. Felizmente, o operador SEAL caíra do telhado em cima de sua mochila, o que absorveu sua queda. Ele estava abalado, com uma desagradável laceração no cotovelo, mas estava bem. Quando voltamos à base, os médicos lhe deram pontos, e ele já pôde sair conosco na operação seguinte.

PRINCÍPIO

No campo de batalha, inúmeros problemas se somam, em um efeito bola de neve; todo desafio é complexo por si só, todos exigem atenção. Mas um líder deve permanecer calmo e tomar as melhores decisões. Para isso, os líderes de combate SEAL Priorizam e Executam. Verbalizamos esse princípio com esta orientação: "Relaxe, olhe em volta, dê uma ordem."

Até os líderes mais competentes ficam sobrecarregados se enfrentarem vários problemas ou tarefas ao mesmo tempo. A equipe provavelmente fracassará em todas essas tarefas. Mas os líderes devem determinar a tarefa de maior prioridade e executá-la. Quando se sentir sobrecarregado, recorra a este princípio: Priorizar e Executar.

Múltiplos problemas e ambientes de alta pressão e risco não são exclusivos do combate. Eles ocorrem em várias áreas da vida e, em particular, nos negócios. As decisões de negócios podem não ter o imediatismo da vida e da morte, mas as pressões sobre os líderes ainda são intensas. O sucesso ou o fracasso da equipe, do departamento, da empresa, do capital dos investidores, carreiras e meios de subsistência estão em jogo. Essas pressões geram estresse e exigem decisões de execução rápida. Essa tomada de decisão pode sobrecarregar os líderes.

Um meio eficaz para ajudar a Priorizar e Executar sob pressão é ficar, pelo menos, um ou dois passos à frente dos problemas. Por meio de um cuidadoso planejamento de contingência, um líder antecipa prováveis desafios decorrentes da execução e articula uma resposta eficaz a eles, antes que aconteçam. Esse líder e sua equipe têm muito mais chances de vencer. Ficar à frente da curva evita que um líder seja sobrecarregado quando a alta pressão começar e lhe dá maior poder de decisão. Se a equipe foi informada e entende quais ações devem ser executadas nas prováveis contingências, agirá rapidamente quando elas surgirem, mesmo sem orientações específicas dos líderes. Essa é uma característica crítica de qualquer equipe vencedora de alto desempenho em qualquer empresa ou setor. Também viabiliza um comando descentralizado eficaz (Capítulo 8).

Diante de planos operacionais imensos e do intrincado labirinto desses esquemas, é fácil se perder nos detalhes, desviar-se ou perder o foco do esforço maior. Portanto, é crucial que os líderes "saiam da linha de fogo", recuem e percebam o quadro estratégico. Isso é essencial para que a equipe priorize corretamente. Com essa perspectiva, fica muito mais fácil determinar o esforço de maior prioridade e concentrar todas as energias em sua execução. Os líderes seniores devem ajudar os líderes de equipe subordinados a priorizar seus esforços.

Assim como ocorre no combate, as prioridades podem mudar, e rápido. Quando isso acontece, a comunicação dessa mudança para o restante da equipe, tanto para cima quanto para baixo na cadeia de comando, é fundamental. As equipes devem ter o cuidado de não se concentrar em um único problema. Elas precisam reconhecer quando a tarefa de maior prioridade muda. A equipe deve ser capaz de rapidamente priorizar seus esforços e adaptar-se a um campo de batalha em constante mudança.

Para Priorizar e Executar em qualquer negócio, equipe ou organização, um líder deve:

- Avaliar o problema de maior prioridade.
- Estabelecer, em termos simples, claros e concisos, o alvo de maior prioridade para sua equipe concentrar seus esforços.
- Desenvolver e determinar uma solução, buscar informações dos principais líderes e da equipe sempre que possível.
- Direcionar a execução dessa solução, concentrando todos os esforços e recursos nessa tarefa prioritária.
- Ir para o próximo problema prioritário. Repetir esse ciclo.
- Quando as prioridades mudarem dentro da equipe, informar sobre a situação para cima e para baixo da cadeia.
- Não deixar o foco em uma prioridade cegar para outros alvos. Manter a capacidade de perceber outros problemas e adaptar-se rapidamente, conforme o necessário.

APLICAÇÃO NO MUNDO DOS NEGÓCIOS
Jocko Willink

Havia apenas um grande problema: a empresa estava perdendo dinheiro. Por anos como participante lucrativa no setor farmacêutico, a empresa passou por várias fases de expansão. Tudo parecia correr bem, mas as receitas tiveram uma leve tendência de queda. No início, ela foi atribuída a "condições de mercado" ou a "discrepâncias sazonais", mas, como continuou, ficou claro que as receitas mais baixas haviam passado de desastre temporário à nova realidade.

O CEO da empresa me chamou para aplicar treinamento e consultoria em liderança. O CEO e seus executivos prepararam um resumo do "estado da empresa", que detalhava sua visão estratégica para melhorar o desempenho. O resumo tinha várias seções, todas com várias tarefas e projetos associados.

Ele me explicou o resumo para me dar uma ideia do que estavam fazendo. Continha uma infinidade de iniciativas, cada uma com os próprios desafios. Primeiro, o CEO planejava lançar várias linhas de produto, cada uma com o próprio plano de marketing. Visando a expansão, o CEO esperava estabelecer centros de distribuição em uma dúzia de novos mercados em até 24 meses. Além disso, planejava entrar no mercado de equipamentos de laboratório, por meio do acesso a médicos e hospitais.

O CEO também discutiu um novo programa de treinamento para educar os gerentes e melhorar sua eficácia como líderes. Além disso, a empresa planejava fazer uma revisão completa do site para atualizá-lo e melhorar a experiência do cliente e branding. Por fim, visando melhorar as vendas, o CEO planejava reestruturar a equipe de vendas e o plano de remuneração da empresa. Isso implicava um sistema de gestão de atividades que focaria de maneira mais eficiente as atividades com as quais os vendedores geravam renda, reduzindo o desperdício de tempo e esforço. O CEO detalhou uma infinidade de planos impressionantes. Ele era claramente apaixonado pela empresa e estava empolgado para implementar essa série de iniciativas para colocar a empresa de volta aos trilhos. Após a elucidação, o CEO perguntou se eu tinha alguma dúvida.

"Você já ouviu o termo militar 'decisivamente engajado'?", perguntei.

"Não, nunca. Não servi ao Exército", respondeu com um sorriso.

"Decisivamente engajado", continuei, "é um termo usado para descrever uma batalha em que uma unidade bloqueada em uma situação de combate difícil não pode manobrar ou se libertar. Em outras palavras, eles não podem recuar. Eles *precisam* vencer. Com todas as suas novas iniciativas, eu diria que você tem muitas batalhas em mãos", observei.

"Absolutamente. Estamos muito dispersos", reconheceu o CEO, imaginando aonde eu queria chegar.

"De todas as iniciativas, qual você considera *a mais importante*?", perguntei. "Qual é a sua *maior prioridade*?"

"Isso é fácil", respondeu o CEO rapidamente. "Gerir as atividades de nossos vendedores é a maior prioridade. Temos que garantir que eles se engajem com as atividades certas. Se não ficarem na frente dos clientes e venderem nossos produtos, estaremos aniquilados", afirmou o CEO.

"Com tudo o que planejou, você acha que sua equipe sabe, com clareza, que essa é sua maior prioridade?", perguntei.

"Provavelmente não", admitiu o CEO.

"No campo de batalha, se os caras da linha de frente, cara a cara com o inimigo, não fazem seu trabalho, nada mais importa. A derrota é inevitável", respondi. "Com todos os seus outros esforços, todos os seus outros focos, quanta atenção será dedicada para garantir que seus vendedores da linha de frente façam o melhor trabalho possível? Qual seria a diferença se você e toda a empresa lhes dessem 100% de atenção pelas próximas semanas, ou até meses?"

"Provavelmente, uma enorme diferença", admitiu o CEO.

"Como SEAL, sempre vi essa postura em líderes juniores no campo de batalha", continuei. "Com tanta coisa acontecendo no meio do caos, eles queriam assumir muitas tarefas ao mesmo tempo. Isso nunca funcionou. Eu os ensinei a Priorizar e Executar. Priorize seus problemas e cuide deles, um de cada vez, a partir da mais alta prioridade. Não tente fazer tudo de uma só vez ou você falhará." Expliquei como um líder que quer enfrentar muitos problemas ao mesmo tempo tende a falhar em todos eles.

"E todas as outras iniciativas?", perguntou o CEO. "Elas nos ajudarão também."

"Não estou dizendo para jogá-las fora", respondi. "Elas parecem grandes iniciativas, definitivamente importantes. Mas você não mexerá nelas por enquanto. Minha sugestão é focar uma e, quando estiver concluída, ou, pelo menos, em vias de conclusão, passar para a próxima e se concentrar nela. Quando a concluir, passe para a próxima, e assim por diante até dar cabo de todas elas."

"Faz sentido", respondeu o CEO. "Farei isso." Ele estava ansioso para mudar o desempenho da empresa.

Nos meses seguintes, o CEO concentrou os esforços de toda a empresa no suporte à equipe de vendas da linha de frente, deixando claro que essa era a maior prioridade da empresa. Os laboratórios organizaram passeios para os clientes. Os designers de marketing ajudaram a criar panfletos informativos sobre os produtos. Os gerentes de vendas estabeleceram metas para quantas reuniões de apresentação com médicos e administradores a equipe de vendas deveria realizar toda semana. A equipe de marketing da empresa criou vídeos online, entrevistando seus principais vendedores sobre as técnicas mais bem-sucedidas, para que os outros assistissem e aprendessem. Houve um foco total de esforços na iniciativa de maior prioridade para aumentar os negócios da empresa.

Esse foco em uma iniciativa unificou os esforços de toda a empresa. O progresso foi visto rapidamente e ganhou impulso. O CEO reconheceu o poder e a eficácia do método: Priorizar e Executar.

Nascer do sol sobre o Centro-sul de Ramadi. Um veículo de combate Bradley M2 oferece cobertura para as tropas norte-americanas e iraquianas no chão e um sniper SEAL vigia além da linha de avanço frontal. O chamado da manhã para a oração sinalizou o amanhecer em Ramadi, seguido por ataques inimigos cruéis, que continuaram ao longo do dia.

(Fotografia dos autores)

CAPÍTULO 8
Descentralizar o Comando

Jocko Willink

CENTRO-SUL DE RAMADI, IRAQUE: O RECONHECIMENTO
"Temos inimigos armados no topo de um prédio. Parecem snipers", soou o rádio. A preocupação e a emoção na voz do Soldado norte-americano transmitindo as informações eram evidentes.

O relato foi alarmante e alertou todos na rede de rádio. Snipers inimigos eram mortais. Embora não se equiparassem em termos de habilidade, treinamento e equipamento a nossos snipers militares norte-americanos, eram habilidosos e infligiam danos substanciais, matando ou ferindo regularmente Soldados norte-americanos e iraquianos com tiros precisos.

Dois destacamentos de nossos SEALs da Unidade de Tarefas Bruiser estavam lá em território inimigo entre uma força insurgente hostil, com tropas amigas do Exército dos EUA se movendo para a área. Meu trabalho era comandar e controlar mais de trinta SEALs e a força parceira de soldados iraquianos, mas eu só conseguia administrá-los efetivamente Descentralizando o Comando. Era a única maneira de agir.

• • •

No campo de batalha, esperava que meus líderes subordinados fizessem exatamente isto: *liderar*. Eu os havia preparado e treinado — Leif e seus colegas oficiais SEAL, seus chefes de pelotão e oficiais subalternos — para tomar decisões. Eu confiava que a avaliação das situações em que estavam e de suas decisões seria agressiva na busca pela realização da missão, bem pensada, taticamente correta e, em última análise, promoveria nossa missão estratégica. Eles consolidaram essa confiança ao longo dos meses em Ramadi. Leif e meus outros líderes foram colocados em algumas das piores situações imagináveis: fogo inimigo, confusão e caos, fogo amigo, e, pior ainda, a dor e a comoção por nossos irmãos SEALs feridos ou mortos. Em cada uma dessas situações, eles lideravam com autoridade e coragem, tomando decisões rápidas, sequenciais, de vida e morte em situações angustiantes, com informações limitadas. Eu confiava neles.

Eles conquistaram essa confiança em meses de treinamento, errando e aprendendo com os erros, enquanto eu os observava de perto e os treinava nos princípios de liderança que aprendi em quinze anos nas equipes SEAL. Meus comandantes de pelotão eram novos nas equipes, mas, felizmente, estavam ansiosos por aprender, liderar e, o mais importante, eram humildes, mas confiantes para comandar.

Contudo, em Ramadi, eu não podia pegar suas mãos e guiá-los. Tive que capacitá-los para liderar. Depois de vê-los evoluir em nosso ciclo de treinamento para líderes ousados e confiantes, eu sabia que Leif, no Pelotão Charlie, e seu companheiro comandante do Pelotão Delta tomariam as decisões certas. E eu sabia que eles garantiriam que seus líderes subordinados, em cada um dos pelotões, fizessem o mesmo. Eu os soltei no campo de batalha para executar, com confiança total em sua liderança.

Levar a tomada de decisões aos subordinados, líderes da linha de frente na unidade de tarefas, foi fundamental para o nosso sucesso. Essa estrutura de Descentralização do Comando me permitiu, como comandante, manter o foco no quadro geral: coordenar ativos amigos e monitorar a atividade inimiga. Se eu me envolvesse em detalhes, não haveria ninguém para desempenhar meu papel e gerenciar a missão estratégica.

O entendimento e a utilização adequados da Descentralização do Comando demandam tempo e esforço. É difícil para todo líder depositar plena fé e confiança em líderes juniores, com menos experiência, e permitir que gerenciem suas equipes. Requer uma enorme confiança e segurança naqueles líderes da linha de frente, que devem entender claramente a missão estratégica e garantir que suas decisões táticas imediatas contribuam, no fim das contas, para os objetivos gerais. Os líderes da linha de frente também devem ter confiança em seus líderes seniores, para saber que têm permissão de tomar decisões e que seus líderes seniores os apoiarão.

A habilidade de Descentralizar o Comando não fora magicamente concedida à Unidade de Tarefas Bruiser. Ela veio por meio de preparação e treinamento difíceis, durante os meses antes de irmos para o Iraque. Aprendemos nossas maiores lições durante o treinamento OMTU (Operações Militares em Terreno Urbano), em Fort Knox, Kentucky. Lá, sob intensa pressão e cenários desafiadores, aprendemos a empregar esse princípio de maneira eficaz, mesmo nos cenários mais caóticos.

A instalação do OMTU era uma cidade simulada, com múltiplas estruturas de concreto, variando de pequenas casas a grandes e complexos edifícios de vários andares, construídos para preparar unidades militares para os desafios do combate urbano — exatamente o ambiente que as forças norte-americanas encontrariam no Iraque. O destacamento de treinamento SEAL, ou TRADET (que, mais tarde, eu comandaria), foi encarregado de preparar pelotões e unidades de tarefa SEAL para destacamentos no Iraque e no Afeganistão, e sabíamos que tirariam o melhor de nós. Os instrutores criaram cenários de treinamento para confundir, desorientar, estressar física e mentalmente e sobrecarregar as unidades, principalmente os líderes. Eles "tiravam nosso sangue". Os agentes que atuavam como "forças inimigas" nos cenários de treinamento não seguiam as regras do jogo. Alguns SEALs reclamavam, achando que o treinamento era irreal, e acusavam a TRADET de forçar a barra.

Eu discordava. O inimigo que enfrentaríamos no Iraque não teria regras. Não se importaria com danos colaterais. Eles não se importavam com fratricídio nem fogo amigo. Os insurgentes iraquianos eram especialistas em analisar e explorar nossas fraquezas. Eram selvagens brutais, e seu método era pensar nas maneiras mais horríveis, covardes e *eficazes* de nos matar. Então, *precisávamos* que a TRADET fizesse o mesmo.

Durante os primeiros dias do treinamento OMTU da Unidade de Tarefas Bruiser, meus líderes SEAL tentaram controlar tudo e todos. Tentaram direcionar todas as manobras, controlar todas as posições e gerir pessoalmente cada um de seus homens — até 35 indivíduos da Unidade de Tarefas Bruiser. Não funcionou. Pela sua experiência ao longo da história, as unidades militares se deram conta de que ninguém possui capacidade cognitiva, onipresença ou onisciência em um campo de batalha complexo para efetivamente liderar de tal maneira. Em vez disso, meus líderes aprenderam que deveriam confiar em seus líderes subordinados para se encarregar de suas equipes menores dentro da equipe, e permitir que agissem com base em um bom entendimento da missão mais ampla (conhecida como intuito do comandante) e dos procedimentos operacionais padrão. Essa é a eficaz Descentralização do Comando.

Assim, dividimo-nos em pequenas equipes, de quatro a seis SEALs, um tamanho gerenciável para um líder controlar. Cada comandante de pelotão não se preocupou em controlar os 16 operadores que lhe foram designados, apenas três: seus líderes de esquadrão e seu chefe de pelotão. Cada chefe de pelotão e suboficial tinha apenas que controlar os líderes de seu corpo de bombeiros, que controlavam quatro snipers SEAL. E eu só tinha que controlar duas pessoas — meus comandantes de pelotão.

Cada líder tinha a confiança de liderar e orientar sua equipe em apoio à missão geral. Esses líderes juniores aprenderam que deveriam tomar decisões. Eles não podiam perguntar: "O que eu faço?" Em vez disso, tinham que declarar: "É isso que eu *vou fazer*." Após eu garantir que todos entendessem a intenção geral da missão, cada líder trabalhou e *liderou* separadamente, mas de maneira unificada, o que contribuiu para a missão geral, atenuando os cenários mais caóticos.

Quando chegamos a Ramadi, Iraque, a Descentralização do Comando foi crucial para nosso sucesso. Apoiamos muitas operações de larga escala e participamos de todas as grandes investidas em Ramadi, enquanto as forças da coalizão firmavam pontos de apoio no território inimigo.

Após alguns meses de nossa implantação, realizamos nossa maior operação. Incluía dois batalhões diferentes do Exército dos EUA, cada um com centenas de Soldados, um batalhão da Marinha dos EUA, quase cem veículos blindados e aeronaves norte-americanas nos céus. Muitas dessas unidades operavam em diferentes redes de comunicações, o que aumentava bastante a complexidade e o risco.

Nossas equipes de snipers SEAL lideraram o caminho para a área de operações. Ao ocupar o terreno alto, com a melhor visibilidade do campo de batalha, os SEALs da Unidade de Tarefas Bruiser obtiveram uma vantagem tática substancial sobre o inimigo e puderam proteger outras forças dos EUA em terra. Mas todo esse movimento poderia criar caos. Meu trabalho era comandar e controlar as equipes de vigilância de snipers SEAL do Pelotão Charlie e do Delta e as unidades do Exército e dos Fuzileiros dos EUA.

Essa operação se concentrou nos arredores de uma estrada norte-sul importante, ladeada por dois bairros violentos — o distrito de Mala'ab, um bairro devastado pela guerra a leste, e, a oeste, o Bloco J: designação norte-americana para a seção violenta da região central de Ramadi. Em Mala'ab, a Unidade de Tarefas Bruiser teve a primeira vítima nas primeiras semanas de implantação. Um jovem operador SEAL sofreu um ferimento de um projétil perfurante de armadura, de uma metralhadora inimiga, que estraçalhou seu fêmur e abriu um enorme buraco em sua perna. O artilheiro SEAL, Mike Monsoor, lançou fogo supressivo e ajudou a arrastá-lo para fora da rua, em segurança. Felizmente, o SEAL ferido sobreviveu e voltou aos EUA para uma longa recuperação. Os SEALs em Corregidor travavam tiroteios diários em Mala'ab.

Leif e os SEALs do Pelotão Charlie estavam envolvidos em constantes batalhas com os combatentes inimigos. No Bloco J, poucas semanas antes, Ryan Job foi atingido por um sniper inimigo e ficou cego. Mais tarde, no mesmo dia em que Ryan foi ferido, Marc Lee foi baleado e morto, na mesma rua do Bloco J. Marc foi o primeiro membro da Unidade de Tarefas Bruiser morto em ação e o primeiro Navy SEAL morto no Iraque.

Ainda sofríamos com as perdas durante o que foi uma das batalhas mais furiosas que aconteceram em Ramadi. Leif também foi ferido, atingido nas costas por uma bala durante a batalha. Ter sido ferido não o impediu de liderar a operação. Tampouco mitigou seu desejo de caçar o inimigo e matá-lo.

Não foi por acaso que nossa maior operação aconteceu naquela área. Foi um acerto de contas.

A operação começou quando nossos SEALs, envoltos pela escuridão, patrulharam a pé a posição — Pelotão Charlie, da COP Falcon, a oeste, e o Pelotão Delta, da COP Eagle's Nest, a leste. Eles passavam suas posições pelo rádio periodicamente para mim, para que, com nossos colegas do Exército na COP Falcon e outras forças amigas, eu pudesse rastrear seus movimentos.

Tanto o Pelotão Charlie quanto o Delta haviam pré-selecionado locais para suas posições de snipers de tocaia com base em cuidadosos estudos de mapas da área. Com o quadro estratégico maior para coordenar, deixei isso por conta deles. Eles tinham autoridade total para mudar de local se as posições pré-selecionadas não fossem adequadas quando chegassem. O líder sênior de cada destacamento de sniper SEAL decidia com base na orientação do comandante subjacente, que conduzia as operações de vigilância, como foram treinados:

1. Cubra o maior número possível de rotas inimigas de entrada e de saída.
2. Selecione posições que se apoiem.
3. Escolha posições sólidas de combate que possam ser defendidas de pesados ataques inimigos por um longo período, se necessário.

Com suas vidas e as de seus homens em risco, meus comandantes de pelotão entenderam as orientações — talvez até melhor que eu. Portanto, não precisei explicá-las em todas as operações; já tinham se naturalizado. Com isso, meus líderes da linha de frente tinham autorização para tomar decisões táticas nas operações. Eram eles que estavam no local, enquanto eu fazia localizações a mais de 1km da COP Falcon, rastreando a missão com os comandantes do Exército dos EUA.

Às vezes, apesar dos estudos detalhados dos mapas e do planejamento, meus líderes da linha de frente descobriam que os locais planejados não eram viáveis. Em várias ocasiões, nossos destacamentos de vigilância chegavam a um prédio que planejavam utilizar e percebiam que ele estava mais distante da estrada do que parecia no mapa, ou não tinha ângulos ideais para cobrir as rotas inimigas e proteger as posições. Outras vezes, o prédio era cercado por pontos cegos — áreas difíceis de ver e de defender. Então, cabia à liderança do pelotão selecionar outro edifício que atendesse melhor à missão.

Assim, Descentralizar o Comando era uma necessidade. Em tais situações, os líderes não me ligavam e me perguntavam o que fazer. Em vez disso, eles me diziam o que fariam. Confiei neles para ajustar e adaptar o plano a circunstâncias imprevistas, mantendo-se dentro dos parâmetros que eu lhes dera e de nossos procedimentos operacionais padrão. Eu confiava neles para *liderar*. Meu ego não se ofendia com meus líderes subordinados das linhas de frente tomando decisões. Na verdade, eu tinha orgulho de seguir a liderança deles e apoiá-los. Com meus líderes dirigindo suas equipes e lidando com as decisões táticas, meu trabalho ficava muito mais fácil, e eu podia me concentrar no quadro geral.

Naquela operação em particular, a posição que o Pelotão Charlie planejara funcionou bem. Mas o Pelotão Delta percebeu que não podia utilizar o edifício que planejara. Seu comandante e sua liderança sênior encontraram outro edifício que poderia funcionar. O comandante passou um rádio e disse que seu pelotão atravessaria a rua para o outro prédio, o edifício 94.

Eu respondi a ele pelo rádio: "Aqui é Jocko; copiei que você deseja se mudar para o edifício 94. Faça isso." O pelotão Delta levou a informação para o resto das forças amigas, incluindo a equipe do batalhão do Exército dos EUA e a liderança da companhia com a qual eu estava na COP Falcon. Sentei-me e observei o plano deles ser transmitido e assegurei que as informações ficassem claras para a sede mais alta. Depois que o Pelotão Delta confirmou que todas as forças amigas foram notificadas, iniciaram a mudança para o novo prédio selecionado.

O edifício 94 se mostrou um excelente ponto de observação. Um dos edifícios mais altos da região, com quatro andares, tinha uma visão clara da principal estrada norte-sul e do local onde o Exército logo construiria o COP Grant, o novo posto avançado de combate. O edifício 94 era fácil de defender e oferecia boas posições de tiro, que cobriam muitas rotas inimigas em potencial para dentro e para fora da área.

Quando o pelotão Delta estava em posição, o operador de rádio informou: "O prédio 94 está seguro. As posições de tocaia estão definidas no quarto andar e no telhado."

"Copiei", avisei.

O operador de rádio então transmitiu essas informações para outras unidades na área, e confirmei se as outras unidades tinham entendido a localização da nova posição do Delta.

Com os pelotões Charlie e Delta seguros, as tropas norte-americanas invadiram a área. Essa parte da missão as deixou vulneráveis. Ainda sem segurança permanente, os bravos engenheiros do Exército começaram a construir o COP, um projeto em uma zona hostil de combate. A tensão aumentava nas ruas e entre o destacamento de comando e de controle, em que eu estava, na COP Falcon. À medida que as forças amigas se aproximavam, chegavam relatos de possíveis movimentos inimigos às redes de rádio: luzes se acendiam em edifícios, enquanto, em outros, apagavam-se; veículos davam partida, saíam das calçadas e se moviam pelas ruas; um homem em idade militar manobrava pelos becos observando os movimentos das tropas. Um relatório descreveu uma possível força inimiga de dois a quatro homens em idade militar saindo de um prédio e se dispersando. Outros homens foram vistos conversando em rádios.

Aquele foi o momento mais angustiante — antes do início dos disparos, prenunciado, com uma ansiosa expectativa, a luta. Nossos SEALs e as centenas de tropas norte-americanas da operação travaram duras batalhas contra o inimigo nos arredores nos últimos meses. Muito sangue norte-americano foi derramado, incluindo o de nossos irmãos SEALs. Era uma questão de tempo até o inimigo atacar, o que seria brutal.

Então, de um veículo de combate Bradley, equipado com visão térmica para operações noturnas, o relatório foi transmitido pelo rádio: "Temos inimigos armados no topo de um prédio. Parecem ser snipers."

Uma única bala inimiga atingiu Ryan Job, ferindo-o gravemente, deixando-o cego e, finalmente, levando-o à morte. Um jovem Fuzileiro do 2º ANGLICO, com quem trabalhávamos, fora baleado e morto por um único tiro de espingarda poucas semanas antes. Muitos outros foram feridos ou mortos por uma única bala. Assim como nossos snipers estremeciam o inimigo, um sniper inimigo era um pesadelo para nós: atirar com precisão de posições invisíveis, infligir baixas e sumir. Portanto, o relato de que snipers inimigos foram vistos fez com que as defesas de todos disparassem e aumentou a tentação de puxar o gatilho.

Os Pelotões Charlie e Delta, em suas respectivas posições de tocaia, ouviram o relatório em seus rádios e ficaram tensos com a ligação. Talvez um ou mais desses snipers inimigos tivessem sido responsáveis por acertar Ryan e nosso parceiro da Marinha. Qualquer um dos nossos SEALs eliminaria com facilidade os snipers inimigos. Mas, apesar da visão romântica de uma perseguição de snipers, nosso combate preferido foi bem desigual: um sniper inimigo contra o poder de fogo maciço de um tanque de guerra M1A2 Abrams. Um sniper inimigo pode se barricar em uma sala atrás de sacos de areia e concreto. Enquanto isso dificultava para um tiro de rifle, não era páreo para a ótica eletronicamente aprimorada dos tanques e o canhão gigante de cano liso de 120mm disparado por trás da segurança de armaduras pesadas. Todos esperávamos um rápido ataque do Bradley, que vira o sniper inimigo.

Claro, eu queria mais que qualquer um ver um sniper inimigo acabado ou, melhor ainda, vários deles. Mas aquele era um campo de batalha complexo, que confundia e perturbava até os Soldados e SEALs mais experientes. A névoa da guerra em um ambiente urbano caótico cresce rápido e afeta até as situações mais óbvias.

O comandante da companhia (um capitão do Exército dos EUA) encarregado do Veículo de Combate Bradley que delatou os snipers inimigos era um guerreiro e líder excepcional, a quem nossos SEALs respeitavam e admiravam. Ele e seus Soldados eram um grupo extraordinário. Formamos um vínculo tremendo com eles nas dezenas de operações em que trabalhamos juntos. Nossos snipers SEAL apoiavam suas operações e, por sua vez, respondiam aos nossos pedidos de ajuda, lançando seus tanques por estradas perigosas e mal iluminadas, para levar poder de fogo e evacuar nossas vítimas SEAL. Toda vez que pedíamos ajuda, o comandante da companhia colocava a si e a seus homens em grande risco, sem medo. Ele mesmo dirigia seu tanque para somar forças e repelir ataques inimigos em posições SEAL. Agora, o comandante da companhia ouviu o relato sobre snipers inimigos. Ele respondeu pelo rádio: "Descreva o alvo."

O comandante do Bradley respondeu: "Há vários homens em idade militar em um telhado. Parecem ter armas pesadas, e alguns têm o que parecem ser escopetas de snipers."

Monitorando as chamadas de rádio, fiquei ao lado do comandante da companhia no TOC improvisado da COP Falcon. Sabendo que eu tinha snipers SEAL no telhado, perto de onde o inimigo foi avistado, falei: "Descubra em qual prédio eles veem o inimigo." O comandante passou um rádio para o comandante do Bradley, pedindo uma posição exata.

"Edifício 79", respondeu o comandante do veículo Bradley.

"Vocês não estão no edifício 79, estão?", confirmou o comandante comigo.

Olhei meu mapa de batalha para coordenar os números que ouvia na rede. Localizei o prédio 79, na mesma rua em que o Pelotão Delta estava, no prédio 94.

"Negativo", respondi. "Tenho SEALs no 94; não no 79."

"Tudo bem. Vamos atacar!", disse o capitão, animado para matar snipers inimigos. Todos estávamos ansiosos para derrotar os combatentes e proteger as tropas dos EUA, então em perigo. Mas tínhamos de ter certeza.

"Aguarde", falei. "Vamos confirmar o que temos aqui."

Liguei meu rádio para conversar com meus SEALs, pela rede informal que apenas nós utilizávamos. Falei com o comandante do Pelotão Delta: "Há atividade inimiga na sua vizinhança, possíveis snipers; ataque com a arma principal do Bradley.* Preciso que confirme sua posição, 100%."

"Entendido", respondeu, "já verifiquei três vezes. O prédio na direção sul é o 91. O sul dele é a estrada. O telhado do nosso prédio possui um cômodo em forma de L. Você o vê no mapa de batalha. Estou sentado nele. Está confirmado: estamos no 94. 100%. É isso".

Endossei a transmissão do comandante do Pelotão Delta. Então, disse ao comandante da companhia, ao meu lado: "Está confirmado, meus homens estão no 94."

"Tudo bem então, vamos destruir esses caras", respondeu o comandante.

"Espere", falei, verificando mais uma vez. "Vamos confirmar o que vocês estão vendo."

"Confirmamos: snipers inimigos no telhado do prédio 79", respondeu o comandante. "Não há amigos naquele prédio. Precisamos atacar enquanto podemos." Ele não queria perder a chance crítica de matar snipers inimigos.

Também não gostei da ideia de adiar a oportunidade de matá-los. Mas, conhecendo o caos do campo de batalha urbano e a facilidade com que erros acontecem, eu tinha que ter certeza.

---

* Canhão automático de 25mm, cujas balas são altamente explosivas.

"Faça-me um favor", pedi ao comandante da companhia. "Só para confirmar, peça ao seu comandante do veículo Bradley que conte o número de prédios que vê, desde o cruzamento principal [onde ele estava posicionado] até o prédio onde esses snipers inimigos estão."

O comandante da companhia me olhou com certa frustração. Se realmente fossem snipers inimigos, poderiam atacar as forças norte-americanas a qualquer momento. Permitir que vivessem por mais alguns minutos significava que eles poderiam concluir seus planos.

"Só quero ter certeza", acrescentei. O comandante não trabalhava para mim. Eu não poderia ordenar que se atrasasse. Porém, ao longo de várias operações de combate junto com nossos SEALs nesse ambiente difícil, desenvolvemos uma forte relação profissional. Ele amava nossos SEALs e reconhecia os danos que infligíamos ao inimigo. Ele confiava em mim o suficiente para atender ao meu pedido.

"Tudo bem", falou. Ele pediu pelo rádio ao comandante do veículo Bradley: "Para confirmação final, conte o número de prédios do cruzamento onde você está até o prédio onde você vê os snipers inimigos."

O comandante do Bradley fez uma pausa, provavelmente pensando por que lhe pediram aquilo enquanto snipers inimigos esperavam para atacar. Mas ele seguiu as instruções, respondendo: "Entendido. Espera."

Não deveria demorar mais de quinze segundos para contar os prédios até o prédio alvo, mas o silêncio pelo rádio foi maior — bem maior.

Por fim, o silêncio foi quebrado: "Correção: a posição inimiga suspeita é o edifício 94. Digo novamente, 94. Contei os edifícios no quarteirão. Julgamos mal a distância. É isso."

"Segure o fogo!", disse o comandante da companhia com autoridade, percebendo que o "inimigo" relatado no edifício 94 era, na verdade, amigo. "Todas as estações: segure o fogo. O pessoal do edifício 94 é amigo. Digo novamente, o edifício 94 é uma posição amiga. Temos snipers SEAL no telhado daquele prédio."

"Entendido", disse o comandante do veículo Bradley, em um tom solene, reconhecendo que seu erro quase causou um fratricídio.

"Entendido", retrucou. Alarmado com a facilidade com que esse erro poderia acontecer e reconhecendo o quão mortal e devastador seria, o comandante da companhia olhou para mim e disse, em um tom sombrio: "Essa foi por pouco."

Sem placas ou números formais de rua — com cruzamentos e becos caóticos —, essa confusão era algo fácil de acontecer. Mas, se tivessem atacado, teria sido horrível. A arma pesada de 25mm do Bradley disparava balas explosivas, que atravessariam o telhado, provavelmente, matando ou ferindo vários SEALs naquela posição.

Felizmente, nossa tropa operava sob Descentralização do Comando. Meus comandantes de pelotão não apenas me diziam qual era a situação, mas o que fariam para corrigi-la. Esse tipo de Responsabilidade Extrema e liderança de meus líderes subordinados não apenas permitia que liderassem com confiança, também permitia que eu me concentrasse no quadro geral — no caso, monitorar as ações das unidades de coordenação naquele ambiente dinâmico. Se eu tentasse liderar e dirigir as decisões táticas de Charlie e Delta, da minha posição distante, poderia muito bem ter perdido os outros eventos. Poderia ser catastrófico.

Em vez disso, a Descentralização do Comando, além de funcionar, permitiu que, como equipe, gerenciássemos efetivamente os riscos, evitássemos desastres e cumpríssemos nossa missão. Logo os verdadeiros combatentes inimigos atacariam violentamente para proteger "seu" território, ao longo da rua norte-sul central. Mas o entusiasmo de nosso inimigo se extinguiu rapidamente quando snipers e metralhadores SEAL os mataram nas mesmas ruas que pretendiam defender. A Descentralização do Comando nos permitiu operar efetivamente em um campo de batalha desafiador e colaborar com nossos parceiros do Exército dos EUA para a construção do novo posto avançado de combate, e garantir que mais Soldados voltassem para casa com segurança. Em última análise, isso ampliou a missão estratégica de estabilizar Ramadi e proteger a população, o que foi altamente bem-sucedido nos meses seguintes.

PRINCÍPIO

Os seres humanos não são capazes de gerenciar mais de dez pessoas, principalmente quando as coisas dão errado e surgem contingências inevitáveis. Não se pode esperar que nenhum líder sênior gerencie dezenas de indivíduos, muito menos centenas. As equipes devem ser divididas em partes gerenciáveis de quatro a cinco operadores, com um líder designado. Esses líderes devem entender a missão geral e seu objetivo final — o intuito do comandante. Os líderes juniores devem ser capazes de tomar decisões sobre as principais tarefas necessárias para cumprir essa missão da maneira mais eficaz e eficiente possível. Subequipes são organizadas para obter a máxima eficácia em uma missão específica, com líderes cujas responsabilidades são claramente definidas. Todo líder de equipe de nível tático deve entender *não apenas o que fazer, mas o propósito do que fazem*. Se os líderes da linha de frente não o entenderem, deverão pedir explicações ao chefe. Isso se relaciona à fé (Capítulo 3).

Descentralizar o Comando não significa que os líderes juniores ou membros da equipe devem operar o próprio programa; isso cria caos. Em vez disso, os líderes juniores devem entender completamente o que está dentro de sua alçada — as "fronteiras" de sua responsabilidade. Além disso, devem se comunicar com os líderes seniores para recomendar decisões fora de sua autoridade e passar informações críticas para a cadeia, para que a liderança sênior possa tomar decisões estratégicas informadas. Espera-se que os líderes SEAL no campo de batalha descubram o que precisa ser feito e o façam — para informar à autoridade superior o que planejam fazer, em vez de perguntarem: "O que você quer que eu faça?" Os líderes juniores devem ser proativos, não reativos.

Para ter o poder de tomar decisões, é imperativo que os líderes da linha de frente ajam com confiança. Os líderes táticos devem ter certeza de que compreendem a missão estratégica e o intuito do comandante. Eles devem ter a confiança implícita de que seus líderes seniores apoiarão suas decisões. Sem essa confiança, os líderes juniores não agirão com confiança, o que significa que não Descentralizarão o Comando com eficácia. Para garantir a descentralização, os líderes seniores precisam constantemente se comunicar e enviar informações — o que chamamos de "consciência situacional" no jargão militar — a seus líderes subordinados. Da mesma forma, os líderes juniores devem levar a consciência situacional até seus líderes seniores para mantê-los informados sobre tudo que afeta a tomada de decisões estratégicas.

Nas equipes SEAL — como em qualquer equipe corporativa —, há líderes que concentram o comando. Quando isso ocorre, as operações podem rapidamente se perder no caos. A solução é capacitar os líderes da linha de frente por meio da Descentralização do Comando e garantir que dirijam suas equipes de forma a apoiar a missão geral, sem o microgerenciamento do topo.

Da mesma forma, há líderes seniores que ficam tão afastados das tropas da linha de frente que se tornam ineficazes. Esses líderes podem aparentar controle, mas não têm ideia do que suas tropas estão fazendo e não conseguem guiá-las efetivamente. Chamamos essa característica de "distanciamento do campo de batalha". Essa atitude cria uma desconexão significativa entre a liderança e as tropas, e a equipe desse líder rala muito para cumprir a missão.

Determinar a quantidade de líderes envolvidos e sua posição para melhor comandar e controlar a equipe é fundamental. Quando as unidades de tarefa SEAL treinam para ataques — no que chamamos de combate de curta distância, ou CQB, da sigla em inglês —, praticam em uma "casa de tiro", uma instalação de vários quartos com paredes balísticas que os SEALs, outras forças armadas e unidades policiais usam para treinar suas habilidades de CQB.

Para os jovens oficiais SEAL, aprendendo os meandros da liderança, atravessar a casa de tiro com o pelotão é uma oportunidade de treinamento para determinar o quanto devem se envolver e onde se posicionar. Às vezes, o oficial assume a dianteira de tal forma que todos o requisitam. Quando isso acontece, ele se concentra nas minúcias de o que está acontecendo onde está e perde a consciência situacional de o que está acontecendo com o resto da equipe, e para de fornecer comando e controle eficazes.

Outras vezes, o policial fica preso nos bastidores. Quando isso acontece, ele está muito atrás para saber o que está acontecendo na frente e não pode direcionar sua força de ataque. Aconselhei muitos oficiais que o envolvimento ideal — a posição apropriada — está em algum lugar no meio, geralmente, junto da maior parte de sua força: não tão à frente a ponto de serem muito requisitados, mas não tão afastados que não saibam o que está acontecendo. Diferentemente do que se entende, de forma equivocada, os líderes não têm uma posição fixa. Os líderes devem ficar livres para ir aonde for necessário, o que muda durante as operações. Compreender o posicionamento adequado é um componente vital da boa Descentralização do Comando, não apenas no campo de batalha. Em qualquer equipe, empresa ou organização, a mesma regra se aplica.

A eficácia da Descentralização do Comando é fundamental para o sucesso de qualquer equipe em qualquer setor. Em ambientes caóticos, dinâmicos e em rápida mudança, líderes de todos os níveis devem ser capazes de tomar decisões. Descentralizar o Comando é essencial para vencer.

APLICAÇÃO NOS NEGÓCIOS

"Posso ver seu organograma?", perguntei ao presidente regional de um grupo de consultores de investimentos. O "organograma" mostrava a estrutura organizacional e a cadeia de comando. Responsável por dezenas de agências e mais de mil funcionários, era inteligente e motivado. Ele não acreditava muito na liderança, embora parecesse ansioso para aprender.

"Na verdade, não temos um atualizado", respondeu o presidente. "Gosto de manter essas informações por perto. Se forem divulgadas, e as pessoas descobrirem, algumas podem ficar chateadas ao se dar conta de que precisam se reportar a alguém que veem como colega. Já tive problemas com isso antes."

"Então, como eles sabem quem está no comando?", perguntei. "Sem uma cadeia de comando clara — pessoas sabendo quem está encarregado do que —, a liderança se enfraquece. E isso é fundamental para o sucesso de qualquer equipe, incluindo as equipes SEAL e sua empresa."

"Deixe-me pensar no que temos", disse o presidente.

Ele abriu um documento em seu computador e colocou um organograma na grande tela de plasma na parede da sala de conferências.

Levantei-me e dei uma olhada. A equipe pela qual ele era responsável ocupava uma região de tamanho e largura expressivos. Havia filiais espalhadas por uma enorme área geográfica dos EUA. Mas algo se destacou para mim. O organograma não apresentava uniformidade nem ordem.

"O que é isso aqui?", perguntei, apontando para um local que listava 22 funcionários.

"Isso é uma filial", respondeu o presidente.

"E quem lidera todas essas pessoas?", perguntei.

"O gerente da filial", respondeu.

"Ele lidera 21 pessoas? Todas se reportam a ele?", perguntei.

"Sim, ele está no comando de todas", disse o presidente.

Olhei para outra área no organograma. Cliquei em outro local, que indicava um escritório com três pessoas. "E o que é isso aqui?", perguntei.

"É outra filial", respondeu o presidente.

"Quem lidera essas pessoas?", perguntei novamente.

"O gerente da filial", respondeu ele.

"Ele lidera duas pessoas?", perguntei.

"Isso mesmo", disse o presidente.

"Então, um gerente de filial lidera 21 pessoas e outro, 2?"

"Sim... um pouco estranho, mas funciona na prática."

"Como?", perguntei. Se não estava claro para mim, olhando para o organograma, eu sabia que era altamente provável que não fizesse sentido para as tropas da linha de frente que executavam a missão da empresa.

"Bem, as filiais maiores têm mais pessoas porque são mais bem-sucedidas e geralmente têm um gerente mais forte. Por ser eficaz, a filial cresce e exige mais funcionários, o que aumenta o número de subordinados diretos. Com o tempo, algumas filiais ficam bem grandes", explicou.

"O que acontece com a eficiência das filiais quando elas crescem?"

"Sabe, honestamente, quando uma filial atinge um certo tamanho, o crescimento rápido diminui", admitiu ele. "O gerente da filial geralmente se concentra apenas nos melhores desempenhos e o restante se perde na confusão dos negócios do dia a dia. Com o tempo, a maioria desses gerentes de filial parece perder a noção do que fazemos e de nossas iniciativas de crescimento estratégico."

"E as filiais menores?", perguntei. "Por que elas não crescem?"

"Surpreendentemente, é por uma razão semelhante", respondeu ele. "Quando uma filial tem poucas pessoas, não há receita suficiente para o gerente ganhar um bom dinheiro. Portanto, esses gerentes são forçados a fazer negócios eles mesmos. Quando estão vendendo em campo, não têm tempo para se concentrar na liderança e no gerenciamento de suas equipes, e perdem a noção do quadro geral — construir e crescer."

"Então, qual você acha que é o tamanho ideal de uma equipe ou filial de sua empresa?", perguntei.

"Provavelmente, cinco ou seis; quatro ou cinco consultores financeiros e pessoas de apoio", respondeu o presidente.

"Isso faz todo o sentido", falei. "As equipes SEAL e as forças armadas dos EUA, assim como as forças armadas ao longo da história, basearam-se em equipes de quatro a seis homens, com um líder. Nós as chamamos de 'equipes de tiro'. Esse é o número ideal para um líder liderar. Além disso, qualquer líder pode perder o controle assim que uma pressão mínima se acomete sobre a equipe quando surgem desafios inevitáveis."

"Então, como você lidera equipes maiores no campo de batalha?", perguntou o presidente, curioso.

"Às vezes, em nossas unidades, trabalhamos com até 150 pessoas em operações específicas", respondi. "Embora possamos ter apenas 20 SEALs, quando se atacam soldados iraquianos e apoiam tropas do Exército ou dos Fuzileiros, o pessoal pode chegar até 150", expliquei. "Mas a verdade é que, mesmo com todos aqueles homens, eu só conseguia realmente liderar, gerenciar e coordenar cerca de quatro a seis, no máximo."

Vi que isso despertou o interesse do presidente. "É por isso que utilizamos a Descentralização do Comando", expliquei. "Eu não conseguia conversar com todos os atiradores de todos os pelotões, esquadrões e equipes de bombeiros. Eu falava com o comandante do pelotão. Ele repassava minhas orientações aos líderes de esquadrão. Eles, aos líderes das equipes de bombeiros. E eles executariam a ordem. Se houvesse uma companhia do Exército nos apoiando, eu conversaria com o comandante, ou talvez com um dos comandantes de pelotão, e, novamente, eles passariam minhas orientações à liderança subordinada."

"As coisas não ficavam confusas? Como um telefone sem fio, você sussurra uma palavra no ouvido de uma pessoa no círculo e ela volta totalmente diferente?", perguntou o presidente.

"É por isso que a simplicidade é fundamental", respondi. "A boa Descentralização do Comando requer ordens simples, claras e concisas, para que todos na cadeia de comando as entendam. Explicava o intuito do comandante diretamente para as tropas, para que soubessem qual era o objetivo final da missão. Dessa forma, seriam capazes de agir no campo de batalha de maneira que apoiasse o objetivo geral, sem ter que pedir permissão. Os líderes juniores devem ter o poder de tomar decisões e iniciativas para cumprir a missão. Isso foi fundamental para nosso sucesso no campo de batalha. E isso o ajudará muito aqui."

"Mas isso não pode resultar em várias pequenas células independentes fazendo o que bem entendem, ao deus-dará?", perguntou, cético.

"Isso acontece *se* você, como líder, não der uma orientação clara e se for dois pesos, duas medidas. Com orientações e limites claros para a tomada de decisão, que seus líderes subordinados entendam, eles podem agir de forma independente e permanecerão unificados no objetivo."

"Entendi", disse o presidente, "uma declaração de missão".

"Isso faz parte", respondi, "mas não para por aí. Uma declaração de missão diz a suas tropas o que você está fazendo. Mas elas precisam entender *por quê*. Quando os líderes subordinados e as tropas da linha de frente entendem completamente o objetivo da missão, como se vincula aos objetivos estratégicos e qual é seu impacto, saberão liderar, mesmo na ausência de ordens expressas".

"Isso faz sentido", reconheceu ele.

"As equipes precisam ser pequenas o suficiente para que uma pessoa possa realmente liderá-las", continuei. "'Extensão do controle' é o termo usado. Quantas pessoas um líder pode efetivamente liderar? Em combate, dependendo da experiência e capacidade do líder, do nível de habilidade e experiência das tropas, e dos níveis de violência e caos potencial em uma área, esses números variam. Você precisa descobrir o tamanho ideal para suas equipes. E, se são cinco ou seis, com um líder no topo, é assim que deve estruturá-las."

Do ponto de vista da liderança, expliquei ao presidente, não há nada mais importante do que a compreensão da dinâmica da Descentralização do Comando. É a simplificação da ideia de comando e controle. É uma das estratégias mais complexas de se executar corretamente. Como líder, é preciso força para abrir mão. É preciso fé e confiança nos líderes subordinados da linha de frente e em suas habilidades. Acima de tudo, requer confiança na cadeia de comando: confiança de que os subordinados farão a coisa certa; confiança de que os superiores apoiarão os subordinados se agirem de acordo com a declaração de missão e o intuito do comandante.

A confiança não é cega. Ela deve ser construída com o tempo. Às vezes, as situações exigem que o chefe se afaste de um problema e permita que os líderes juniores o resolvam, mesmo que ele saiba que pode resolvê-lo com mais eficiência. É mais importante que os líderes juniores estejam aptos a tomar decisões — e corrigi-las, se tiverem sido precipitadas. Conversas francas geram confiança. Superar o estresse e ambientes desafiadores gera confiança. Dar conta de emergências e perceber como as pessoas reagem gera confiança.

"Os líderes juniores devem saber que o chefe os apoiará mesmo que tomem uma decisão que não gere os melhores resultados, desde que a decisão tenha sido tomada em um esforço para atingir o objetivo estratégico", expliquei. "Essa fé completa no que os outros farão, em como reagirão e em quais decisões tomarão é o ingrediente vital do sucesso da Descentralização do Comando. E isso é essencial para o sucesso de qualquer equipe vencedora de alto desempenho."

"Entendido", respondeu o presidente. "Vou fazer acontecer."

PARTE III
MANTENDO A VITÓRIA

Equipe SEAL Três, Unidade de Tarefas Bruiser, Espaço de Planejamento da Missão do Pelotão Charlie no Camp Marc Lee. Mesa de materiais com munição pronta, incluindo cartuchos, balas de metralhadora, granadas de mão, sinalizadores, granadas de 40mm e foguetes de 84mm. As fotos foram colocadas na parede em honra aos irmãos SEAL abatidos, Mike Monsoor (à esquerda) e Marc Lee (ao centro), e Ryan Job (à direita), que morreu em decorrência de uma cirurgia para reparar ferimentos de combate.

(Fotografia dos autores)

CAPÍTULO 9
Plano

Leif Babin

RAMADI, IRAQUE: RESGATE DOS REFÉNS

"Eles têm IEDs enterrados no quintal e posições com metralhadoras", disse nosso oficial de inteligência, com cara de preocupado.

Era uma missão de resgate de reféns, uma operação de alto risco: não só pelos bandidos a matar, mas pelos inocentes a salvar. Tínhamos treinado para missões como essa, mas eram raras. Agora, a Unidade de Tarefas Bruiser tinha a oportunidade de executar essa operação de verdade.

Um adolescente iraquiano, sobrinho de um coronel da polícia iraquiano, fora sequestrado por um grupo terrorista ligado à Al-Qaeda. Eles exigiram que a família pagasse um resgate de US$50 mil e ameaçaram decapitá-lo se não o fizessem. Sequestros e decapitações eram ocorrências comuns na província de Ramadi e Anbar naquela época. Muitas vezes, os reféns eram torturados ou mortos, mesmo que a família pagasse o resgate. Aqueles sequestradores terroristas eram pessoas más, pura e simplesmente, e era certo que cumpririam sua terrível ameaça. Para a Unidade de Tarefas Bruiser, não havia tempo a perder. Precisávamos montar um plano às pressas, resumi-lo às tropas e agir o mais rápido possível.

Nossa inteligência indicava que os reféns estavam em uma casa nos arredores de um subúrbio de Ramadi. As estradas para a área foram destroçadas, e a ameaça era alarmante. Era um bairro perigoso, controlado pelo inimigo. Mas era onde se acreditava estar o refém e os bandidos que o detinham, e tivemos que descobrir a melhor maneira de entrar e sair da área. Nosso plano tinha que ampliar as chances de sucesso da missão, minimizando os riscos para a nossa força de ataque de SEALs, técnicos de bombas EOD e nossa força parceira de soldados iraquianos.

A Unidade de Tarefas Bruiser tinha um departamento de inteligência com dez funcionários de apoio, SEALs e não SEALs. À frente da sede, havia um jovem alferes (o posto de oficial mais jovem da Marinha) recém-formado pela Academia Naval dos EUA. Ele não era SEAL. Sua especialidade era inteligência. Ele era novo e inexperiente, mas inteligente, dedicado e altamente motivado. Em referência ao personagem da série *South Park*, do Comedy Central, apelidamos ele de "Butters". Butters e sua equipe de especialistas em inteligência coletaram dados de centenas de relatórios e extraíram o máximo de informações possível para facilitar nosso planejamento. Enquanto isso, nós — os SEALs da Unidade de Tarefas Bruiser — começamos a elaborar o plano.

Como comandante do Pelotão de Charlie, comandei a força de ataque de mais de dez SEALs, um técnico de EOD e quinze soldados iraquianos, que dariam busca na casa. Jocko, como comandante da Unidade de Tarefas Bruiser, comandou a força terrestre, responsabilizando-se pelo comando e controle de todos os ativos — a força de ataque, nossos veículos, aeronaves e quaisquer outros elementos de apoio — envolvidos na operação.

Com o tempo correndo, analisamos a missão, expusemos a inteligência que tínhamos e detalhamos os recursos de apoio disponíveis: nossos Humvees blindados e dois helicópteros da Marinha dos EUA HH-60 Seahawk. Montamos um plano sólido. A pequena equipe de snipers se posicionaria clandestinamente onde mantivesse os olhos no alvo e cobrisse nossa força de ataque ao nos aproximarmos do edifício-alvo. A força de ataque entraria na casa, limparia todos os cômodos, eliminaria ameaças e (com sorte) recuperaria o refém. Jocko permaneceria com os veículos e coordenaria os ativos de apoio até que o alvo estivesse limpo. Todos voltaríamos à base e encaminharíamos o refém para os cuidados médicos.

Movido por um propósito, atravessei Camp Ramadi, a grande base dos EUA nos arredores da cidade, onde a maioria das forças norte-americanas vivia e trabalhava, para uma rápida reunião com o comandante do Exército dos EUA encarregado da área onde se localizara o edifício-alvo. O major e sua companhia estavam em Ramadi há mais de um ano. Travaram batalhas ferozes contra um inimigo mortal por toda aquela parte da cidade, haviam perdido vários soldados corajosos, e outros ficaram em estado deplorável. Ele conhecia o bairro como a palma da mão. Seus tanques e soldados nos apoiariam na operação, caso tivéssemos problemas.

O major e sua companhia eram guardas nacionais do Exército dos EUA, o que significava que eram Soldados de meio período. De volta à vida normal, era professor. Mas, em Ramadi, ele e seus homens eram guerreiros em tempo integral, e absurdamente bons. Ele era um excelente líder de combate e oficial. Tínhamos um enorme respeito pelo major e por sua companhia, e valorizávamos sua experiência na área. Revisei nosso plano com ele, que me deu algumas dicas para entrar na área sem ser detectado e sobre como os tanques Abrams e os veículos de combate Bradley poderiam nos apoiar melhor. Ouvi atentamente.

De volta ao nosso acampamento SEAL, então "Sharkbase*", finalizamos um plano inovador, desenvolvido para pegar os terroristas de surpresa e reduzir os riscos para nossa força, dando-nos mais chances de sucesso. Reunimos todos os operadores SEAL no espaço de planejamento da missão para resumir o plano. Além dos SEALs, técnicos de bombas EOD e intérpretes que nos acompanhariam na operação (ligaríamos mais tarde e informaríamos às tropas iraquianas), contratamos o pessoal de suporte principal da nossa unidade de tarefas, que permaneceria para trás coordenando o TOC. Era essencial que todos entendêssemos o plano, como e quando nos comunicar e o que fazer se e quando as coisas dessem errado. O tempo era essencial para termos sucesso. Rapidamente, desenvolvemos o resumo.

Fiz meus comentários finais como comandante da força de ataque. Nossos atiradores tinham recebido muita informação. Minhas observações finais ajudaram a priorizá-las — as três coisas mais importantes que eu queria que lembrassem:

1. Mantenha o elemento surpresa; ao nos aproximarmos do alvo, furtividade é mais importante do que velocidade.

2. Após o bote, assim que entrarmos, a velocidade é mais importante. Daremos busca e protegeremos o alvo o mais rápido possível.

3. Bom PID (identificação positiva) de possíveis ameaças. Cuidado para não ferir o refém. Esteja pronto para socorrê-lo.

Como comandante da força terrestre, responsável pela operação, Jocko fez seus comentários finais, simplificando a complexa formalidade das regras de ataque em uma declaração clara e concisa, que

---

* Mais tarde, mudamos o nome para Camp Marc Lee em homenagem a Marc, o primeiro SEAL morto em ação no Iraque.

todos entendiam: "Se precisar puxar o gatilho, tenha certeza de só matar os bandidos."

Com isso, o resumo foi concluído, e os SEALs saíram do prédio. Todo mundo usava seu equipamento operacional e, apressado, carregava veículos e fazia verificações finais do equipamento. Jocko e eu éramos os únicos que restavam no espaço de planejamento da missão, conversando sobre os detalhes finais do nosso plano.

De repente, Butters entrou na sala. "Acabamos de receber novas informações", disse ele, com a voz preocupada e alterada. "Eles têm IEDs enterrados no quintal e posições com metralhadoras." Significava que os terroristas estavam prontos para uma luta, e o risco para nossa força era alto. Butters nos encarou com um olhar sério de preocupação.

Jocko olhou para mim. "Vocês vão conseguir", disse com um sorriso confiante e um aceno de cabeça. Ele entendia os riscos. Mas sabia que nosso plano era sólido, e que nossa força de ataque e ativos de apoio estavam bem preparados para enfrentar a ameaça inimiga.

"Assim espero", falei, sorrindo para Jocko e concordando, acrescentando uma frase que usamos quando enfrentamos algo particularmente desafiador ou infeliz: "Bons tempos."

Saímos para os veículos, onde os atacantes e as equipes de veículos SEAL estavam de pé, prontos para partir.

"Ouçam a atualização mais recente da inteligência", passei para as tropas. Contei sobre os IEDs e as posições de metralhadoras relatados.

"Entendido", veio a resposta de vários SEALs. "Vamos pegá-los."

Eles estavam a mil. Era típico da Unidade de Tarefas Bruiser.

Não era arrogância nem excesso de confiança. Pelo contrário, cada homem sabia que aquela era uma operação perigosa e que poderia muito bem voltar para casa em um saco de necrotério. Mas, apesar da nova inteligência, estávamos confiantes em nosso plano. Nosso objetivo era manter o elemento surpresa e atingir os bandidos antes que percebessem que estávamos lá. Isso nos daria mais chances de resgatar o refém e proteger os atacantes SEALs das ameaças inimigas. Após o resumo, cada operador entendeu o plano geral, sua função específica e o que fazer se tudo desse errado. Em seguida, começamos a operação treinada com força total. Como resultado, estávamos confiantes de que poderíamos agir com excelência. Abordamos e mitigamos todos os riscos que pudemos com o planejamento. Mas é impossível controlar *todos* os riscos. Essa missão era inerentemente perigosa. Ainda não sabíamos se resgataríamos o refém.

Carregamos nossos veículos e iniciamos a operação, saindo pelo portão e adentrando nas trevas.

Quando estacionamos nossos veículos nas proximidades, a força de ataque se alinhou em formação de patrulha. Ouvi atualizações do nosso sniper no meu rádio.

"Nenhum movimento no alvo", relatou. "Tudo parece tranquilo." É claro que isso não significava que tudo estava realmente tranquilo, apenas que eles não podiam ver nenhum movimento.

A noite estava escura quando a força de ataque se deteve, e, rápida, mas silenciosamente, subimos ao edifício-alvo. Como comandante da força de ataque, fiz uma checagem dupla com meu apontador para garantir que estávamos no lugar certo. Não parei de olhar ao redor, vigiando o edifício-alvo e o restante da força de ataque.

Conforme nos aproximávamos, dava para sentir a tensão aumentando. No alvo, o EOD liderou o caminho, procurando ameaças de IED. Nossa equipe foi até a porta e colocou uma grande carga explosiva na porta.

BOOM!

Está feito, pensei comigo mesmo.

Com um refém iraquiano a resgatar, planejamos deixar os soldados iraquianos liderar o caminho. Mas, como era típico, eles se retesaram de medo e se recusaram a passar por cima do metal quebrado e retorcido da porta e adentrar a sala cheia de fumaça. A partir dali, cada nanossegundo contava. Nossos conselheiros de combate SEALs, prontos para a contingência, agarraram os soldados iraquianos e os atiraram sem cerimônia porta adentro. Não era hora de hesitar.

Nossa força de ataque SEAL se colou aos soldados iraquianos, e quando, de novo, vacilaram, na sala ao lado, nossos SEALs assumiram a liderança e limparam a casa. Em minutos, todos os quartos haviam sido vasculhados e todos os prisioneiros estavam sob nosso controle.

"Alvo seguro", avisei. Nenhum tiro foi disparado. Agora, tínhamos que descobrir quem capturamos.

Um adolescente iraquiano, perplexo, estava entre os detidos. Nós o puxamos de lado e, depois de algumas perguntas intermediadas pelo intérprete, confirmamos que ele era realmente o refém. Marc Lee, integrante da força de ataque SEAL, nunca perdeu uma oportunidade de fazer piadas. Marc se aproximou do garoto iraquiano e, em sua melhor representação do tenente James Curran, interpretado pelo ator Michael Biehn no filme *Comando Imbatível*, de 1990, disse: "Somos uma equipe SEAL, estamos aqui para resgatá-lo. Não há motivo para nos agradecer, porque não existimos. Você nunca nos viu. Isso nunca aconteceu." Rimos muito daquilo, porque o garoto iraquiano, que não falava uma palavra de nossa língua, ficou grato e aliviado por ter sido resgatado.

O plano havia sido perfeitamente executado. A primeira pista que os bandidos tiveram de que os SEALs estavam lá foi quando a porta se abriu. Nós os pegamos de surpresa, inesperadamente. Fui até o telhado do edifício-alvo, liguei o rádio e chamei Jocko, que agora estava com a força de bloqueio do lado de fora: "Jocko, aqui é Leif. Alvo seguro." E falei as palavras mágicas: "O refém está conosco."

Tínhamos resgatado o refém, são e salvo. Demos todo o crédito aos soldados iraquianos. O impacto estratégico de nossa força parceira iraquiana foi substancial. Serviu como uma grande vitória para as forças de segurança iraquianas, que estavam em desenvolvimento, libertando a população da brutalidade da insurgência.

O melhor de tudo, nenhum dos nossos caras foi ferido. Não encontramos IEDs enterrados no quintal nem posições com metralhadoras, embora eles certamente tivessem acesso a essas armas. Nós tivemos sorte. Mas também fizemos a nossa sorte. Mantivemos o elemento surpresa. Nosso plano funcionou como mágica, prova das sólidas habilidades de planejamento que desenvolvemos na Unidade de Tarefas Bruiser. Ter a humildade de confiar na experiência do bom major do Exército dos EUA e de seus Soldados, que viveram e lutaram lá por um ano, ajudou-nos muito nesse sucesso.

De volta a San Diego, um ano depois, fui instrutor de liderança de nosso comando de treinamento básico SEAL. Usei o mesmo cenário para um exercício de tomada de decisão de liderança. Em uma sala de aula cheia de comandantes e pelotões SEAL recém-promovidos, montei o cenário: garoto iraquiano mantido refém, local conhecido, missão de resgate de reféns planejada e pronta para começar. "Pouco antes de sairmos", falei, "o oficial de inteligência informa que há IEDs enterrados no quintal e posições com metralhadoras. O que fazer?".

Havia graus variados de experiência de combate naquela sala.

"Não vá", disse um oficial SEAL. "Não vale a pena arriscar." Alguns na sala concordaram.

Um chefe de pelotão disse: "Replaneje a missão." Vários outros concordaram.

Fiz uma pausa por alguns instantes para que pesassem as opções.

"Deixe-me fazer uma pergunta", falei ao grupo. "Em que ataque de captura/ação direta, você tem certeza de que não há IEDs enterrados no quintal ou posições com metralhadoras?"

Cabeças meneavam pela sala. A resposta foi a óbvia: em nenhum. Você nunca pode assumir que tais riscos não o aguardam em um alvo. Você tem que assumir que haverá o risco, considerá-lo em *todas* as operações e reduzir ao máximo o risco dessas ameaças. Assumir o contrário era um fracasso de liderança. Era a isso que se resumia o planejamento da missão: não minimizar a importância de nenhum aspecto e preparar a equipe para as contingências mais prováveis, maximizando a possibilidade de sucesso da missão e mitigando os riscos impostos à tropa.

Na Unidade de Tarefas Bruiser, conseguimos iniciar a operação de resgate de reféns, apesar das novas informações de ameaças mortais, porque já as tínhamos levado em consideração e nos planejado de acordo com elas. Implementamos etapas específicas para mitigar o risco de possíveis IEDs dentro e fora do edifício-alvo. Planejamos cuidadosamente nossa operação para manter o elemento surpresa, para que, mesmo que os bandidos estivessem ocupando posições de metralhadoras em bunkers, não percebessem nossa chegada até que fosse tarde demais. Portanto, não precisávamos replanejar a operação. Estávamos prontos. E, como resultado de um bom planejamento e da execução sólida desse plano — combinado com um pouco de sorte —, tivemos sucesso.

Entender como os SEALs planejam uma missão de combate fornece técnicas aplicáveis a todo o espectro. Para qualquer equipe de qualquer empresa ou setor, é essencial desenvolver um padrão de planejamento.

PRINCÍPIO

Qual é a missão? O planejamento começa com a análise da missão. Os líderes devem dar diretrizes claras para a equipe. Depois de entenderem a missão, podem transmitir esse conhecimento aos principais líderes e tropas da linha de frente encarregados de executá-la. Uma missão ampla e ambígua resulta em falta de foco, execução ineficaz e morosidade.

Para evitar isso, a missão deve ser refinada e simplificada, para que seja clara e baseada na visão estratégica maior da qual faz parte.

A missão deve explicar o objetivo geral e o resultado desejado, ou "estado final", da operação. As tropas da linha de frente encarregadas de executá-la devem entender o propósito por trás dela. Embora seja uma declaração simples, o intuito do comandante é a parte mais importante do resumo. Quando entendida por todos os envolvidos na execução do plano, orienta cada decisão e ação prática.

Diferentes cursos de ação devem ser explorados para descobrir a melhor forma de cumprir a missão — com mão de obra, recursos e bens de apoio disponíveis. Uma vez determinado o curso de ação, o planejamento adicional exige uma coleta detalhada de informações para facilitar o desenvolvimento de um plano completo. É essencial utilizar todos os ativos e contar com a experiência daqueles mais bem capacitados para fornecer as informações mais precisas e atualizadas.

Os líderes devem delegar o processo de planejamento pela cadeia, tanto quanto possível, para os principais líderes subordinados. Líderes das equipes menores, da linha de frente, e líderes de nível tático devem se responsabilizar por suas tarefas dentro do plano e da missão. A participação da equipe — mesmo das juniores — é fundamental no desenvolvimento de soluções ousadas e inovadoras para os problemas. Delegar a responsabilidade, mesmo que de uma pequena parte do plano, às tropas da linha de frente lhes dá apoio, ajuda-as a entender o propósito do plano e permite-lhes acreditar mais na missão, o que se traduz em uma implementação e execução muito mais eficazes.

Enquanto o líder sênior supervisiona todo o processo de planejamento dos membros da equipe, deve cuidar para não se atolar em detalhes. Ao cultivar uma perspectiva geral do plano, o líder sênior garante a conformidade com os objetivos estratégicos. Isso permite que os líderes seniores "se afastem e sejam o gênio tático" — para identificar pontos fracos ou lacunas no plano que teriam perdido se ficassem imersos em detalhes. Isso permite que os líderes preencham essas lacunas antes da execução.

Uma vez desenvolvido o plano detalhado, ele deve ser informado a toda a equipe e aos participantes e elementos de apoio. Os líderes devem priorizar as informações a serem apresentadas no formato mais simples, claro e conciso possível, para que os participantes não sofram sobrecarga de informações. O processo de planejamento e o resumo devem incentivar a discussão, perguntas e esclarecimentos até do pessoal júnior. Se as tropas da linha de frente não tiverem entendido o plano com clareza e ainda ficarem muito intimidadas para fazer perguntas, a capacidade da equipe de executar o plano diminui radicalmente. Portanto, os líderes devem fazer perguntas a suas tropas, incentivar a interação e garantir que suas equipes entendam o plano.

Após um bom resumo, todos os participantes da operação entenderão a missão estratégica, o intuito do comandante, a missão específica da equipe e seus papéis. Eles entenderão as contingências — prováveis desafios que possam surgir e como reagir a eles. *O teste para saber se um resumo foi bem-sucedido é simples: a equipe e os apoiadores o entenderam?*

Sempre que possível, o plano deve mitigar os riscos identificados. Os SEALs são conhecidos por assumir riscos significativos, mas, na realidade, eles os calculam com muito cuidado. Um bom plano deve propiciar à missão mais chances de sucesso, mitigando os riscos o máximo possível. Há alguns riscos que não podem ser mitigados, e os líderes devem se concentrar naqueles que podem ser controlados. Planos detalhados de contingência ajudam a gerenciá-los, porque todos os envolvidos na execução direta (ou no apoio) da operação saberão o que fazer ao surgirem obstáculos ou quando as coisas derem errado. Mas, seja no campo de batalha ou no mundo dos negócios, os líderes devem se sentir à vontade para aceitar um certo nível de risco. Como disse o herói naval da Guerra da Independência e pai da Marinha dos EUA, John Paul Jones: "Quem não arrisca não pode vencer."*

As melhores equipes estão sempre analisando suas táticas e sua eficácia para adaptar seus métodos e implementar as lições aprendidas nas missões futuras. Muitas vezes, as equipes de negócios afirmam que não têm tempo para fazer análises. Mas é preciso criar tempo. Após toda operação de combate, as melhores unidades SEAL fazem o "relatório pós-operacional". Não importa o quanto estejam cansados após uma operação ou ocupados planejando a próxima, devem arrumar tempo para ele, porque vidas e o sucesso da missão dependem dele.

O relatório pós-operacional examina todas as fases de uma operação, do planejamento à execução, de forma concisa. Ele aborda: o que deu certo? O que deu errado? Como adaptar nossas táticas para nos tornar ainda mais eficazes e aumentar nossa vantagem sobre o inimigo? Essa autoavaliação permite que as unidades SEAL reavaliem, aprimorem e refinem o que funcionou e o que não funcionou, para que melhorem constantemente. É fundamental para o sucesso de qualquer equipe fazer o mesmo e implementar as alterações nos planos, para não repetir os mesmos erros.

Embora as empresas tenham o próprio processo de planejamento, devem padronizá-lo para que todos os departamentos e ativos de apoio externos a ela (como prestadores de serviços e subsidiárias) entendam e usem a mesma estrutura e terminologia. Ele deve ser acessível e orientar os usuários com uma lista de todas as coisas importantes em que precisam pensar. O plano deve ser passado aos participantes, voltado para as tropas da linha de frente encarregadas da execução, para que o entendam. A implementação garantirá o mais alto nível de desempenho e dará maiores chances às equipes de cumprir a missão e vencer.

---

* Citação do site da Academia Naval dos EUA, Public Affairs Office, John Paul Jones: www.usna.edu/PAO/faq-pages/JPJones.php.

A lista de um líder para o planejamento deve incluir:

- Analisar a missão.
  - Entender a missão da sede superior, o intuito do comandante e o estado final (a meta).
  - Identificar e indicar o intuito do comandante e o estado final da missão específica.
- Identificar pessoal, ativos, recursos e tempo disponíveis.
- Descentralizar o processo de planejamento.
  - Capacitar os principais líderes da equipe para analisar possíveis cursos de ação.
- Determinar um curso de ação específico.
  - Inclinar-se para selecionar o curso de ação mais simples.
  - Concentrar os esforços no melhor curso de ação.
- Capacitar os principais líderes para desenvolver o plano para o curso de ação desejado.
- Planejar contingências prováveis em cada fase da operação.
- Mitigar riscos que podem ser controlados.
- Delegar partes do plano e resumi-las aos líderes juniores.
  - Afastar-se e ser o gênio tático.
- Verificar e questionar com frequência o plano em relação a informações emergentes para confirmar se é adequado à situação.
- Resumir o plano para todos os participantes e ativos de apoio.
  - Enfatizar o intuito do comandante.
  - Fazer perguntas e participar de discussões e interações com as equipes para garantir que entendam.

- Realizar uma análise pós-operacional após a execução.
— Analisar as lições e implementá-las no planejamento.

APLICAÇÃO NO MUNDO DOS NEGÓCIOS

"Temos que estabelecer um processo de planejamento", disse o vice-presidente de mercados emergentes. "Nosso sucesso surgiu designando pessoas experientes para novas áreas. Elas fazem descobertas, executam um plano, e, como resultado, vencemos. Porém, conforme a empresa cresce e entra em novos mercados, precisamos de um processo padronizado, uma lista que as pessoas menos experientes acompanhem."

O vice-presidente de mercados emergentes era um líder impressionante e um dos principais impulsionadores do sucesso geral da empresa. Tal qual um bom líder de combate SEAL, era agressivo e assumia a Responsabilidade Extrema para resolver desafios e cumprir a missão. Embora não fosse muito paciente com a burocracia da empresa, seu esforço o tornou muito bem-sucedido e levou sua equipe aos mais altos padrões de desempenho. Sua liderança e esforços pessoais contribuíram para a rápida expansão e crescimento da empresa, gerando centenas de lojas de varejo e centenas de milhões de dólares em receita. Sua equipe era altamente eficaz, estabelecendo bases fortes em áreas tradicionalmente dominadas pelos concorrentes. Eles tomavam atitudes ousadas e, como resultado, obtinham ganhos expressivos.

Há pouco tempo, havia ministrado uma palestra na Echelon Front sobre os conceitos de liderança SEAL para sua equipe de mercados emergentes, e, na discussão posterior, o vice-presidente se dedicou ao planejamento.

"Constantemente discordo de minha equipe quanto ao planejamento", disse o vice-presidente. Ele perguntou a um de seus principais líderes, gerente regional: "Quantas vezes você me ouviu falar sobre isso?"

"Inúmeras", respondeu. Era notável que o gerente regional respeitava o chefe, mas sua linguagem corporal indicava que ele não compartilhava de suas preocupações sobre a importância de estabelecer um processo de planejamento. Sem dúvida, ele pensava: *Estamos indo bem. Para que termos a dor de cabeça de fazer trabalho extra e mexermos em papelada, para escrever um planejamento e ensiná-lo aos principais líderes?*

Mas ele estava errado. E seu chefe — vice-presidente de mercados emergentes — tinha uma boa visão estratégica para entender a importância do planejamento para o sucesso da empresa em longo prazo.

"No início da minha carreira como oficial SEAL, eu achava que o planejamento da missão era desnecessário e oneroso. Mas eu estava errado. Um processo de planejamento eficaz e acessível é essencial para o sucesso de qualquer equipe." Contei a eles como entendi quais eram o planejamento e o resumo da missão adequados, com anos de erros e investidas frustradas. Tudo começou nos primeiros dias de treinamento SEAL.

A OLP é para os entendidos. Era um lema frequente nos pelotões e unidades de tarefa SEAL quando entrei. Ele implicava que o resumo de uma missão de combate fosse articulado e desenvolvido para quem executaria a operação. OLP significa "ordem do líder de pelotão", um termo usado pelos SEALs desde a época do Vietnã. O resto das forças armadas dos EUA chamava de ordem de operações (OPORD).

Após o 11 de Setembro, operações conjuntas em estreita coordenação com o Exército, Fuzileiros e Força Aérea, durante as guerras no Afeganistão e no Iraque, fizeram com que os SEALs adotassem o termo OPORD. Mas, seja qual for o nome, o significado era o mesmo: um resumo da missão. Esse resumo expunha os detalhes sobre quem, o que, quando, onde, por que e como uma operação de combate seria conduzida. A OPORD era preparada e repassada aos SEALs e ativos de apoio que participariam da operação. Seu objetivo era fazer com que todos os membros de um destacamento SEAL e outras forças dos EUA (ou aliadas estrangeiras) envolvidos entendessem o plano geral, seu papel no plano, o que fazer quando as coisas dessem errado e como conseguir ajuda se o pior cenário possível se instalasse. Um bom plano era essencial para a realização da missão, e o resumo para as tropas permitia sua boa execução. Sem uma execução bem-sucedida, mesmo os melhores planos não valiam de nada.

O problema era que, como um novo oficial SEAL para o treinamento, a ideia de que a *OLP é para os entendidos* não era válida. Nos cenários de treinamento que encontrei, o resumo da OLP, ou da OPORD, parecia impressionar os instrutores ou o oficial sênior com nossas proezas no PowerPoint. Durante mais de um ano e meio de treinamento no pipeline SEAL, sempre havia instrutores e/ou oficiais participando do resumo para avaliá-lo. Todas as vezes, sem exceção, a equipe de instrutores dividia nosso plano e, em particular, nosso resumo, esmiuçando todos os detalhes. Suas críticas se concentravam principalmente nos slides da apresentação, com um recado direto: era preciso haver mais — mais slides, mais gráficos, mais cronogramas, mais diagramas de fases, mais imagens etc. Era humilhante, mas, ao mesmo tempo, impressionante.

Como oficial subalterno de um pelotão SEAL, meu trabalho era supervisionar o plano e elaborar o resumo da OPORD para captar, da melhor maneira, o plano tático desenvolvido por nosso chefe, uma série de agentes importantes do pelotão e eu. Eu compilava todas as informações em uma apresentação do PowerPoint e, junto dos principais participantes, repassava aos operadores e às tropas que executariam a missão. Enquanto os operadores juniores preparavam equipamentos, e os chefes e oficiais subalternos discutiam táticas e definiam quem estava encarregado de cada parte da missão, os oficiais trabalhavam nos slides do PowerPoint para reunir todas essas informações em um resumo.

O planejamento da missão era assustador. Havia muitas peças e partes flexíveis em todas as operações de combate; muitas variáveis. O formato do resumo do OPORD que nos foi dado foi desenvolvido para um ciclo de planejamento de 96 horas: supunha que teríamos quatro dias para nos preparar para a missão. Eram mais de setenta slides. Na prática, tínhamos poucas horas para planejar os exercícios de treinamento; portanto, o formato extenso e detalhado nos deixava pouco tempo. Desperdiçávamos a maior parte de nossos esforços fazendo slides e negligenciando partes vitais do plano.

Em minha primeira missão como oficial SEAL, fomos para Bagdá, Iraque. A guerra no Iraque, na época, colocou muitas unidades militares dos EUA em combate pesado. Mas não vivi o fluxo de operações de combate como esperava. Passamos a maior parte do tempo protegendo uma das principais autoridades do governo interino do Iraque. E passei a maior parte do tempo no centro de operações táticas, sentado, fazendo ligações, monitorando nossa equipe via rádio e fazendo slides. Como oficiais SEAL, ficávamos tão soterrados pelo PowerPoint que alguns criaram patches para seus uniformes para indicar, de brincadeira: "PowerPoint Rangers, 3 mil horas." Era típico dos SEALs rir da tristeza.

Felizmente, o oficial executivo percebeu que era importante colocar seus jovens líderes em combate e me encarregou de liderar um pequeno destacamento em uma série de missões de sniper aliadas ao batalhão do histórico "Big Red One" — a 1ª Divisão de Infantaria do Exército dos EUA — na cidade de Samarra. Conseguimos fazer a diferença e diminuir o número de ataques a Soldados do Exército dos EUA. Após três semanas, tivemos apenas uma morte confirmada de um lutador inimigo e mais duas prováveis. Coordenamos as unidades do Exército, mas não fizemos nenhum planejamento nem resumo detalhado. Na verdade, aprendi alguns maus hábitos quando se tratava de planejamento.

Quando entrei para a Unidade de Tarefas Bruiser, na Equipe Três, e me tornei comandante de pelotão para o Pelotão Charlie, comecei a trabalhar para Jocko. Ele esperava que eu (e meus principais líderes do Pelotão Charlie) utilizasse o processo de planejamento padrão das outras pequenas unidades das forças armadas. Ele esperava que dominássemos — Responsabilidade Extrema. Em um treinamento de seis meses, a Unidade de Tarefas Bruiser aprendeu a trabalhar como equipe em todo o espectro de operações do SEAL, em ambientes diferentes. A fase final de cada etapa de treinamento era uma série de exercícios em campo (FTXs). Eram missões de treinamento em larga escala que exigiam que elaborássemos um plano, o resumíssemos a nossas tropas e o executássemos. Nosso desempenho no treinamento ditaria nossa função na implantação.

Nem todos os membros das três unidades de tarefa SEAL de nossa equipe participariam da luta no Iraque. Nossa equipe teve que alocar uma unidade de tarefas para o que seria uma implantação de não combate às Filipinas. A Unidade de Tarefas Bruiser, como as outras, queria lutar, para usar nossas habilidades em uma situação na qual faríamos a diferença. Era uma competição: obter excelência no treinamento para ser escolhido.

Quando estávamos em nosso bloco final de treinamento, uma decisão sobre quem iria para onde era iminente. Nosso comandante da equipe SEAL (CO) e o chefe de operações nos informaram que nos visitariam na Unidade de Tarefas Bruiser para observar nosso resumo do FTX final. Sabíamos que, para sermos escolhidos, tínhamos que ser fenomenais.

"Sem pressão", disse Jocko ao outro comandante do pelotão SEAL e a mim com um sorriso sarcástico. "A chance da nossa vida de ir para a guerra do Iraque depende de vocês dois conseguirem um bom resumo."

Freneticamente, fizemos cada um dos principais líderes de nosso pelotão trabalhar no desenvolvimento de um plano para a missão FTX e começamos a elaborar o resumo. Mas, ao montá-lo, ficou claro que pecávamos em muitas áreas. Era pesado nos slides do PowerPoint, excessivamente complexo e não tão claro sobre as diferentes partes da execução. Estávamos ficando sem tempo.

"Nós vamos falhar", insistiu o outro comandante de pelotão para Jocko e eu. Francamente, eu não estava muito mais confiante.

"Escute", disse Jocko. "É isto que eu quero que vocês façam: esqueçam todo esse PowerPoint louco. Quero que esse plano seja claro para todos que estão no seu pelotão. Não estou preocupado com o CO ou com o chefe principal. Informe seus rapazes: as tropas que executarão a missão.

"O verdadeiro teste para saber se um resumo é bom", continuou Jocko, "não é se os oficiais seniores ficaram impressionados. É se as tropas que executarão a operação a entendem. O resto é besteira. Alguma coisa dessa porcaria complexa ajuda um de seus atiradores a entender o que precisa fazer e o plano geral da operação?".

"Não", respondi.

"Longe disso!" continuou Jocko. "Na verdade, é confuso para eles. Vocês precisam fazer um resumo que faça seu subordinado da base entender completamente a operação — o menor denominador comum. Um resumo é *isso*. E é isso que eu quero que você faça. Se houver alguma objeção do CO, não se preocupe. Eu darei conta."

Com essa orientação, reformulamos nossas apresentações do OPORD. Simplificamos e reduzimos o número de slides do PowerPoint e focamos as partes mais importantes do plano, o que daria a oportunidade a nossas tropas de fazer perguntas para esclarecer qualquer coisa que não fosse entendida. Penduramos mapas nas paredes — os mesmos que carregaríamos no campo — e os esmiuçamos para que todos se familiarizassem. Incorporamos esboços manuais e listas de manuseio em quadros brancos. Pedimos às tropas que informassem as partes que estavam planejando ou liderando e lhes fizemos perguntas para garantir que tudo estivesse claro e compreendido. Isso era algo para o qual nunca tivemos tempo, atolados criando resumos de cem slides no PowerPoint.

Mais importante, Jocko nos explicou que, como líderes, não devemos nos arrastar para os detalhes, mas permanecer focados no quadro geral.

"A parte mais importante do resumo", disse Jocko, "é explicar o intuito do comandante". Quando todos que participam de uma operação sabem e compreendem o propósito e o estado final da missão, em teoria, podem agir sem orientações extras. Essa era uma mentalidade completamente diferente da que conhecíamos, e seguimos em frente.

Enquanto Jocko nos pressionava para focar o intuito do comandante e o plano mais amplo, incentivava-nos a deixar que os líderes juniores do pelotão resolvessem e planejassem os detalhes. "Como líder, se você fica no mato planejando detalhes com seus colegas", disse Jocko, "terá a mesma perspectiva deles, o que não é muito útil. Mas, se você permitir que eles planejem os detalhes, terão domínio sobre sua parte do plano, e você verá tudo de uma perspectiva diferente, o que é muito útil. Você o verá de uma perspectiva maior, melhor e mais detalhada. Como resultado, perceberá erros e descobrirá aspectos que precisam ser reforçados, o que lhe tornará um gênio tático, graças à visão mais abrangente".

Percebi que isso era o que Jocko fazia conosco o tempo todo.

Foi uma corrida contra o tempo, mas, pouco antes da chegada do CO e do chefe, nossos pelotões terminaram suas partes do plano, e conversamos sobre elas. Como Jocko previra, notamos coisas que eles não viam. Com alguns pequenos ajustes, preenchemos as lacunas. Repassamos o plano com Jocko uma última vez, ensaiamos as apresentações, reforçamos algumas coisas e fizemos os ajustes finais. Nossa confiança já havia aumentado, porque estávamos informando o que realmente sabíamos e entendíamos — e o que sabíamos que os membros de nosso pelotão também entendiam completamente. Por fim, nossos resumos estavam prontos.

Quando o CO e o chefe chegaram, sentaram-se no fundo da sala, enquanto apresentávamos nosso resumo da OPORD aos pelotões. O outro comandante de pelotão e eu demos uma visão geral da missão, e, em seguida, nossos principais líderes se levantaram e informaram os detalhes. Reunimos todos ao redor do mapa para lhes mostrar nossa rota. Explicamos todas as fases da missão de forma simples, para que todos entendessem. Paramos em pontos-chave e fizemos perguntas às tropas para garantir que estavam absorvendo as informações. Alguns membros do pelotão até confirmaram partes do plano, a fim de verificar se tinham um entendimento claro e poderiam executar a missão, se necessário.

Quando algo não estava completamente claro, nossos operadores SEAL pediram esclarecimentos, o que nos permitiu ter certeza de que entendiam e estavam assumindo a responsabilidade de seu papel. Quando o resumo foi concluído, dessa vez — para nossa surpresa —, o CO e o chefe nos elogiaram pela consistência. O CO disse que, de todos os resumos de missão que ouvira durante o trabalho, esse foi o que ele entendeu com mais clareza. Ainda tínhamos trabalho a fazer para aprimorar e refinar ainda mais nossas habilidades de planejamento, mas entendêramos que o planejamento e o resumo da missão eram fundamentais.

Pouco tempo depois, recebemos a notícia de que a Unidade de Tarefas Bruiser havia sido escolhida para se instalar no Iraque. Era a notícia que esperávamos. Isso trilhou o caminho que, meses mais tarde, levou-nos à cidade de Ar Ramadi e a alguns dos combates urbanos mais difíceis da história das equipes SEAL. Nesse ambiente desafiador, o planejamento detalhado da missão e as instruções tiveram um papel crítico. Planejamos e informamos centenas de operações de combate na Unidade de Tarefas Bruiser, e as executamos com precisão. Participamos dos planos de missão e dos resumos da OPORD com o Exército e os Fuzileiros Navais dos EUA para dezenas de operações em proporção de batalhão e brigada em larga escala, algumas envolvendo até mil Soldados e Fuzileiros em terra, e quase cem tanques e veículos blindados.

Tínhamos o controle do processo de planejamento. Após cada operação de combate, reuníamos nosso pelotão e conversávamos sobre os detalhes em um relatório pós-operacional. Com formato conciso e direto, analisávamos o que tinha funcionado e o que não tinha, e como refinar e otimizar nossos procedimentos operacionais padrão. Como resultado, aprendíamos constantemente e nos tornávamos mais eficazes. Isso garantiu o desempenho máximo e possibilitou nosso sucesso. Em um ambiente tão perigoso, ajudou-nos a manter uma vantagem e nos permitiu mitigar alguns riscos, o que significou que mais pessoas voltaram para casa.

O planejamento da missão teve seu papel no nosso sucesso no campo de batalha. O processo certo importava. Os procedimentos de planejamento, também. Sem eles, nunca teríamos sido bem-sucedidos.

Com a longa história de como aprendi a planejar como líder SEAL, expliquei como o vice-presidente de mercados emergentes e seu gerente regional se beneficiariam desse sistema.

"Vocês poderiam usar um procedimento de planejamento como o nosso", falei a eles. "Vocês devem desenvolver um processo padrão com terminologia e método intercambiáveis, aplicáveis a todos os aspectos da sua equipe e empresa."

"É disso que precisamos", disse o VP. "Precisamos reunir nossos procedimentos operacionais padrão para o planejamento. Precisamos de um processo acessível. Você pode ensiná-lo à minha equipe?"

"Claro", falei.

Nas semanas seguintes, enviei uma apostila ao VP de mercados emergentes, seu gerente regional e equipe sênior. Ela traçava a visão geral do processo de planejamento de missões militares que tínhamos usado, adaptado para o mundo dos negócios. Agendamos várias teleconferências, nas quais expliquei nosso processo e propósito. O vice-presidente e sua equipe de liderança o adaptaram aos desafios de seu setor. Depois que entenderam bem a estrutura de planejamento, agendamos uma apresentação para os principais líderes das equipes de mercados emergentes.

Voei e apresentei o conhecimento básico do processo de planejamento em detalhes com a apostila. Em seguida, aplicamos à equipe um exercício de planejamento, usando uma operação futura, semelhante às que eles costumavam encontrar. Eu e o gerente regional orientamos a equipe na elaboração do plano.

Após mais ou menos uma hora, eles construíram o básico de seu plano em um resumo para nos apresentar, assim como um pelotão ou unidade de tarefas SEAL apresentaria um OPORD. Durante a apresentação, o gerente regional e eu analisamos o plano. Em seguida, conversamos sobre os pontos fortes e fracos, sobre as partes excessivas, que precisavam de esclarecimentos, e levantamos pontos que haviam sido ignorados ou negligenciados e por que eram importantes. Eu os instruí a revisar o plano com essas ideias em mente, sob a guarda do gerente regional.

Um mês depois, liguei para a gerente regional para acompanhar o progresso da equipe. Ela me enviou uma cópia do último plano detalhado.

"Gosto do plano que me enviou", falei. "Melhorou muito desde a primeira tentativa."

"Sim. E acabamos de executar esse plano, e tudo correu bem. Como resultado do planejamento, a equipe conseguiu antecipar e resolver algumas contingências. Antes, elas teriam nos custado negócios e uma perda expressiva de receita. Mas agora, com nosso processo de planejamento em andamento, estávamos preparados, e a equipe sabia como reagir. Como resultado, continuamos a gerar receita."

"Ótimo", falei.

"Com todos entendendo meu 'intuito do comandante', a equipe se tornou mais incisiva nas linhas de frente. Ela consegue apoiar a missão sem precisar perguntar tudo para seus superiores. Nossa capacidade de planejar nos permite executar de forma muito melhor e vencer."

Comando e controle do alto escalão: Jocko (à direita) e o consultor sênior SEAL (à esquerda) observam o campo de batalha com o comandante da companhia do Exército dos EUA da Companhia Charlie, 1/506ª 101ª Aerotransportada, alerta para "lutador armado". Soldados da Companhia Charlie combatiam o inimigo diariamente.

(Fotografia dos autores)

CAPÍTULO 10
Liderando Acima e Abaixo na Cadeia de Comando

Leif Babin

CAMP MARC LEE, RAMADI, IRAQUE: LIDERANDO ABAIXO NA CADEIA DE COMANDO

O céu noturno de repente se iluminou como as luzes de um show de rock. Perto do rio, as posições de segurança dos EUA, no coração de Ramadi, estavam sob ataque. No ato, as sentinelas norte-americanas revidaram com rajadas expressivas de metralhadoras pesadas, devolvendo as balas traçantes às posições inimigas. Demorava segundos para que o estrondo distante das metralhadoras, misturado a explosões intermitentes, chegasse a nós.

Como todo veterano sabe, as balas traçantes são alocadas a cada cinco outras no cinto das metralhadoras, o que representava um monte de chumbo quente voando na escuridão que não podíamos ver. O tiroteio continuou por um tempo. Enquanto Jocko e eu observávamos, os raios flamejantes dos motores de uma aeronave de ataque norte-americana camuflada (provavelmente um F/A-18 Hornet da Marinha) apareceram no céu. A luz piscou quando um míssil disparou pela asa, atravessou o céu e explodiu em uma luz forte. Felizmente, detonaram o inimigo sem nenhuma vítima norte-americana. Foi um show e tanto. Mas, em Ramadi, era mais um dia comum.

Era uma noite tranquila e clara até o tiroteio a iluminar. O calor escaldante do verão iraquiano dera lugar a um outono mais tolerável e fresco. Jocko e eu estávamos sentados no telhado empoeirado do prédio de três andares que nos servia de centro de operações táticas na base que fora nossa casa, o Camp Marc Lee. Nossa unidade de tarefas SEAL estava em Ramadi há quase seis meses. Logo voltaríamos aos EUA. Sem operações de combate pendentes, Jocko e eu tivemos um raro momento de reflexão, observando as águas escuras e pacíficas do Eufrates e as luzes de Ramadi além da margem oposta. Relembramos das operações de combate em que nossa unidade de tarefas atuou e tudo o que acontecera até então.

A Unidade de Tarefas Bruiser executara centenas de operações e suportara muitos ataques inimigos como aquele. Estivemos em dezenas de tiroteios, atiramos milhares de balas e fomos alvejados com outros milhares, e, com frequência, pedíamos apoio de tanques ou aeronaves dos EUA. Nossos SEALs causaram danos substanciais aos inimigos. Testemunhando o triunfo do sucesso, sabíamos que fizéramos a diferença. Mas também sofremos perdas extraordinárias. Dois meses antes, no meio de uma enorme batalha pelo coração da cidade, havíamos perdido Marc Lee, o primeiro SEAL morto em ação na Guerra do Iraque, e em cuja honra nomeamos o acampamento. A morte de Marc foi devastadora. Deixou um vazio perene.

No mesmo dia em que perdemos Marc, outro amado SEAL do Pelotão Charlie, Ryan Job, foi atingido no rosto por um sniper inimigo. Ryan perdeu um olho e sofreu danos substanciais no rosto. Mas tínhamos a esperança de que a visão retornaria no olho remanescente. Três semanas depois, enquanto se recuperava em um hospital na Alemanha, essa esperança foi frustrada ao descobrirmos que Ryan nunca mais enxergaria: ficara cego. A notícia deixou todos arrasados. Então, quando nossa missão chegou ao fim, um SEAL da Unidade de Tarefas Bruiser, do pelotão Delta, Mike Monsoor, estava no que seria sua última operação de combate antes de voltar para casa quando uma granada inimiga atingiu a posição do Pelotão Delta. Mike mergulhou em direção à granada, protegendo os companheiros que estavam em volta da explosão, sacrificando-se por eles. Cada um dos SEALs caídos eram companheiros de equipe, amigos e irmãos amados. Lamentaremos a perda deles para sempre.

No telhado, naquela noite, enquanto Jocko e eu conversávamos sobre tudo o que vivemos em Ramadi, sabíamos que a Unidade de Tarefas Bruiser havia cumprido um papel fundamental na estratégia da Equipe de Combate Ready First dos EUA (1ª Divisão Blindada), livrando os principais bairros de Ramadi dos insurgentes. Após meses de esforço e incontáveis tiroteios, as forças norte-americanas e suas aliadas do exército iraquiano estavam onde nunca haviam estado. Agora, podiam proteger a população dos insurgentes selvagens que controlavam a maior parte da cidade há muito tempo. Isso — e a previsão da liderança da Equipe de Combate Ready First — fez com que os xeiques tribais se levantassem contra a Al-Qaeda no Iraque e se unissem às forças norte-americanas no que se tornaria o Despertar de Anbar.

A Unidade de Tarefas Bruiser estava orgulhosa de ter contribuído para o sucesso da Equipe de Combate Ready First. Matamos centenas de combatentes insurgentes, eliminamos muitos de seus refúgios seguros e destituímos sua liberdade de movimento. Agora, com os postos avançados de combate da Ready First em grande parte da cidade, o inimigo não exercia mais controle sobre muitos bairros de Ramadi. Mas o tiroteio distante que acabáramos de testemunhar no telhado era um lembrete de que o inimigo ainda era capaz, letal e determinado a lutar pelo controle da cidade.

Que impacto duradouro real tivemos aqui?, pensei.

• • •

Logo depois, transferimos nossas operações para a próxima unidade de tarefas SEAL, que assumiu nosso lugar. Nossa passagem por Ramadi terminou quando o último de nossa unidade embarcou em um grande avião de carga C-17 da Força Aérea dos EUA para casa.

Uma vez nos EUA, passamos por uma grande transição, da violência nas ruas sangrentas de Ramadi à paz e tranquilidade de San Diego, Califórnia. Para muitos, foi um retorno emocionante. Depois de todo o sangue, suor e lágrimas que a Unidade de Tarefas Bruiser — e nossos irmãos e irmãs de armas do Exército e dos Fuzileiros dos EUA — derramou, senti-me dilacerado. Havíamos perdido os primeiros SEALs em ação na Guerra do Iraque. Como líder, nada me preparara para esse fardo que sempre carregarei de não devolver todos os meus homens a suas famílias. Se eu pudesse, trocaria de lugar com eles. Quando Ryan levou um tiro e Marc foi morto, estavam fazendo exatamente o que eu lhes pedira. Eu estava no comando; eu fui o responsável. Meu colega comandante de pelotão sentia o mesmo por Mike Monsoor. Eu sabia que Jocko sentia esse fardo por todos os seus homens.

Fiquei puto com os jornalistas norte-americanos falando sobre o "sangue e tesouro" gastos no Iraque. Para eles, as vítimas eram estatísticas — números em uma página. Para nós, eram companheiros de equipe e amigos — irmãos. Suas famílias sofreram os maiores martírios. Aqueles homens fariam muita falta, e nosso sofrimento era lancinante. Outros foram gravemente feridos e alguns nunca se recuperariam. Suas vidas e as de suas famílias e amigos nunca mais seriam as mesmas. Os verdadeiros sacrifícios das tropas que travaram a guerra estavam muito além de qualquer coisa que a maioria dos norte-americanos pudesse compreender.

Em nossa amada comunidade SEAL, ouvimos críticas sobre nossas operações nas sedes, fora dos campos de batalha. Eles não entendiam o que havíamos feito e por quê. Não testemunharam o impacto de nossas operações ou a diferença que fizemos. Com ódio, lutei para responder de forma profissional aos detratores, principalmente aos oficiais seniores sem experiência real de combate. Parte de mim queria lhes dar um soco na boca. Mas uma parte maior de mim só queria que eles entendessem o que conseguimos e por quê. Eu sabia que qualquer um que compreendesse o que a Unidade de Tarefas Bruiser fizera e que entendesse a incrível vitória que a Equipe de Combate Ready First do Exército dos EUA alcançara em Ramadi respeitaria não apenas a bravura e a dedicação das tropas, mas o sucesso estratégico — resgatando Ramadi e a Província de Anbar, à beira do desastre. Foi um triunfo monumental para as forças norte-americanas em um dos campos de batalha mais árduos do mundo, quando muitos duvidavam que pudéssemos vencer. Os que duvidaram estavam errados.

Alguns membros da comunidade SEAL disseram que nos arriscamos muito, que nossas operações de snipers eram brincadeiras. Acostumados ao paradigma das Operações Especiais tradicionais, não compreendiam as adaptações que fizemos nem o risco que elas minimizavam. Eles também não entendiam a natureza da contrainsurgência e a reversão espetacular da paz e da segurança alcançadas.

Alguns dos melhores políticos e oficiais militares de Washington sentiram que matar bandidos só criava mais inimigos. Mas eles não faziam ideia. Nossas operações letais foram cruciais para proteger a população. Cada caça inimigo destruído significava que mais Soldados e Fuzileiros dos EUA voltariam para casa, significava que mais soldados e policiais iraquianos viveriam para continuar a luta e significava que a população civil de Ramadi viveria com menos medo. O inimigo não poderia mais cruelmente torturar, estuprar e assassinar civis inocentes. Uma vez que a população não temesse mais os insurgentes, ela se disporia a se unir às forças dos EUA e do Iraque para derrotá-los.

Após o retorno da Unidade de Tarefas Bruiser aos EUA, no final de outubro de 2006, Jocko foi convidado a fazer uma apresentação para o chefe de operações navais — o almirante mais graduado da Marinha, membro dos chefes de gabinete dos EUA e consultor direto do presidente. Jocko pegou um mapa de Ramadi e construiu uma sobreposição que mostrava as áreas geográficas sob controle inimigo — áreas de batalha da Al-Qaeda — quando chegamos. Estas eram as áreas que, quando cheguei a Ramadi, o comandante do pelotão SEAL que passara os seis meses anteriores lá me disse: "Não vá até lá. Vocês todos serão mortos, e ninguém [forças dos EUA] conseguirá tirá-los de lá."

A partir desse mapa de Ramadi, Jocko fez alguns slides mostrando como a estratégia de Conquistar, Liberar, Manter e Construir, da Equipe de Combate Ready First, em meses de esforço, estabeleceu uma presença permanente nos bairros então controlados pelo inimigo e o expulsou. As forças dos EUA e as iraquianas mostraram ao povo de Ramadi que, agora, éramos o lado mais forte. Como resultado, a população se juntou a nós e se voltou contra os insurgentes que a aterrorizavam. Os slides mostravam como os SEALs da Unidade de Tarefas Bruiser foram o elemento principal de quase todas as grandes operações para construir um posto avançado de combate em território inimigo e recuperar aqueles bairros.

Quando Jocko me mostrou os slides, a ficha caiu. Embora eu estivesse diretamente envolvido no planejamento de quase todas as missões, estivesse em terra liderando a equipe de operadores, coordenada com os outros destacamentos do campo de batalha, e tivesse escrito relatórios detalhados do que acontecera após as missões, ainda não pensara nem considerara seu impacto estratégico. Mas, agora, o resumo de Jocko captou em termos simples tudo o que fora realizado na Batalha de Ramadi.

Foi uma constatação impressionante: fui comandante do Pelotão Charlie, abaixo apenas de Jocko na Unidade de Tarefas Bruiser. E, no entanto, imerso nos detalhes das operações táticas, não havia percebido como aquelas operações contribuíam para a missão estratégica, com resultados espetaculares, superando os sonhos mais loucos de todos nós.

"Cacete", falei a Jocko. "Eu ainda não tinha concatenado." Aqueles slides mostraram por que havíamos feito o que fizéramos. Embora essa certeza nunca possa aliviar a dor sofrida pela perda de incríveis amigos e colegas de equipe SEAL, sem dúvida, ajudou-nos a entender por que havíamos assumido tal risco e o que havia sido realizado.

Como comandante de pelotão, tinha informações detalhadas sobre o planejamento e a coordenação com os batalhões e companhias do Exército e da Marinha, a que os operadores SEAL não tinham acesso. No entanto, se eu não compreendi ou percebi o impacto estratégico do que havíamos feito, como podia esperar que minhas tropas da linha de frente — meus operadores juniores SEAL, sem papéis de liderança — percebessem? A resposta: não podia. Para um jovem atirador SEAL, com um papel limitado no processo, fazendo a manutenção de nossos veículos ou construindo bombas de demolição, que entrara na missão perguntando: *O que faremos agora?* não havia contexto para entender o propósito, ou como a próxima missão tática se encaixaria no quadro geral da estabilização e proteção de Ramadi.

Fui perceber depois que, como líder, não consegui explicar-lhes isso. Claramente, havia um nível de perspectiva e compreensão estratégicas que só viriam com tempo e reflexão. Mas eu poderia ter feito um trabalho muito melhor como líder, de perceber o impacto estratégico de nossas operações e transmitir essa visão às minhas tropas.

Quando Jocko viu minha reação à apresentação que fizera, também percebeu que deveria ter detalhado melhor o impacto estratégico e o propósito do que estávamos fazendo. Ele percebeu que, mesmo quando um líder pensa que suas tropas entendem o quadro geral, muitas vezes têm dificuldade em ligar os pontos entre a missão tática na qual estão imersos e o objetivo maior.

Relembrando a implantação da Unidade de Tarefas Bruiser em Ramadi, percebi que os SEALs do Pelotão Charlie que sofreram os maiores males do combate, cujas atitudes se tornaram mais pessimistas com o passar dos meses de combate pesado, que mais questionaram o nível de risco que assumíamos nas operações, tinham menos ciência do planejamento de cada operação. Por outro lado, os operadores SEAL mais focados e otimistas, que acreditavam no que fazíamos, ansiosos para continuar e, se pudessem, estender os seis meses de implantação, tinham noção do propósito de cada operação.

Mesmo que controlassem apenas uma pequena parte do plano — a rota rumo a um alvo, a brecha da porta, a coordenação com o suporte de aeronaves, a gestão de uma força de ataque de soldados iraquianos —, entendiam melhor a missão, as etapas detalhadas para mitigar os riscos que podíamos controlar, o intento subjacente do comandante nos propósitos da operação. Os SEALs com pouca ou nenhuma noção estavam, de certa forma, no escuro. Como resultado, tinham mais dificuldade para entender por que estávamos correndo os riscos e nosso impacto na libertação de Ramadi.

Analisando o que fizemos, uma das maiores lições que aprendi foi que eu poderia ter feito um trabalho muito melhor liderando abaixo da cadeia de comando. Deveria ter dado mais ciência dos planos às tropas — principalmente aos que se sentiam pessimistas e estavam menos comprometidos com a missão. Deveria ter tirado um tempo para entender melhor como o que fazíamos contribuía para a missão estratégica. Deveria ter feito essas perguntas a Jocko e à cadeia de comando acima de mim. Deveria ter elaborado uma visão geral estratégica de rotina e entregado aos operadores do Pelotão Charlie, para que entendessem o que fazíamos e como nossas missões consolidavam os objetivos estratégicos de estabilizar Ramadi e proteger a população.

Com as dificuldades físicas de operar no Iraque no verão, o calor chegando a 48°C, carregando equipamentos pesados e travando combates violentos contra as forças inimigas, os operadores SEAL do Pelotão Charlie precisavam ver o contexto mais amplo para entender por que isso era necessário. Vendo os slides da visão geral de Ramadi que Jocko preparara, entendi o que havíamos feito e, mais importante, o que era liderar abaixo na cadeia de comando. Foi difícil aprender essa lição, mas nunca a esquecerei.

PRINCÍPIO: LIDERANDO ABAIXO NA CADEIA

Todo bom líder está imerso em planejamento e execução de tarefas, projetos e operações para levar a equipe a atingir uma meta estratégica. Eles têm uma visão geral e sabem por que tarefas específicas precisam ser realizadas. Essa informação não é enviada automaticamente aos líderes subordinados e tropas da linha de frente. Os membros juniores da equipe — os operadores de nível tático — estão, corretamente, focados em seus trabalhos específicos. É o que devem fazer para cumprir a missão tática. Eles não precisam do pleno conhecimento e discernimento de seus líderes seniores, nem estes, de um entendimento complexo dos trabalhos dos operadores de nível tático. Ainda assim, é fundamental que cada um entenda o papel do outro. E é primordial que os líderes seniores expliquem a seus líderes juniores e tropas que executam a missão como seu papel contribui para o sucesso do quadro geral.

Isso não é intuitivo e nunca é tão óbvio para os funcionários comuns quanto os líderes costumam pensar. Os líderes devem instituir uma rotina de comunicação com os membros de sua equipe para ajudá-los a entender seu papel na missão geral. Líderes e tropas da linha de frente podem conectar os pontos entre o que fazem todos os dias — as operações do dia a dia — e como isso afeta os objetivos estratégicos da empresa. Esse entendimento ajuda os membros da equipe a priorizar seus esforços em um ambiente dinâmico e em rápida mudança. Isso é liderar abaixo na cadeia de comando. Requer sair regularmente do escritório e participar de conversas cara a cara com subordinados diretos e observar as tropas da linha de frente em ação para entender seus desafios específicos e lê-los no intuito do comandante. Isso permite que a equipe entenda por que ela está fazendo o que está fazendo, o que facilita Descentralizar o Comando (conforme detalhado no Capítulo 8).

Como líder que adota a Responsabilidade Extrema, se sua equipe não estiver fazendo o que você precisa que ela faça, repare primeiro em você. Em vez de culpá-los por não terem visualizado a estratégica, você deve descobrir uma maneira de melhor comunicá-la a eles em termos simples, claros e concisos, para que a entendam. É disso que se trata a liderança abaixo na cadeia de comando.

CAMP MARC LEE, RAMADI, IRAQUE: LIDERANDO ACIMA NA CADEIA DE COMANDO

"Você só pode tá de sacanagem!", gritei, quando entrei no escritório de Jocko no TOC. Eu estava fora de mim. "Essa porra é *séria*?"

Nosso TOC ficava em um grande edifício de três andares às margens do Eufrates, que abrigara parte do alto escalão militar de Saddam Hussein antes da invasão do Iraque pelos EUA, em 2003. O edifício, outrora chamativo, estava todo deteriorado. Era a peça central do nosso acampamento SEAL, depois da grande base operacional em Camp

Ramadi, nos limites da cidade devastada pela guerra. Exércitos invasores acamparam ao longo daquelas margens por milênios: babilônios, assírios, persas, gregos, árabes, turcos otomanos e tropas britânicas. Agora era a vez das forças norte-americanas, incluindo os Navy SEALs e o pessoal de apoio da Unidade de Tarefas Bruiser.

Fiquei furioso e desabafei minha frustração com Jocko. "Inacreditável. Como esperam que planejemos nossas operações enquanto nos bombardeiam com perguntas ridículas?", perguntei. Jocko acabara de me enviar um e-mail da sede, liderada pelo comandante (CO) da nossa equipe SEAL. O e-mail pedia esclarecimentos sobre uma operação que o Pelotão Charlie planejava executar nas próximas horas.

Como um dos dois comandantes de pelotão da Unidade de Tarefas Bruiser, eu era subordinado direto de Jocko. Ele se reportava diretamente ao CO, geralmente por meio de sua equipe, que enviara o e-mail. Enquanto a Unidade de Tarefas Bruiser estava localizada em Ramadi, o CO e sua equipe estavam a 50km a leste de Faluja, uma cidade que havia sido limpa pela enorme ofensiva da Marinha dos EUA em 2004. Agora, dois anos depois, Faluja permanecia bastante estável. Era um ambiente muito diferente da constante violência de Ramadi. Nossos planos operacionais exigiam a aprovação do CO e da cadeia de comando do próximo nível. O CO e sua equipe também forneciam muitos dos recursos e apoio necessários para executarmos nossas missões em Ramadi.

"O que foi?", perguntou Jocko, vendo que eu estava puto. "O e-mail?" Ele também estava frustrado com as frequentes perguntas e a vigia.

"Sim, o e-mail", respondi. "Tudo o que fazemos, *eles* não entendem!" Os culpados, "eles", neste caso, eram pessoas de fora do meu grupo imediato, do Pelotão Charlie e da Unidade de Tarefas Bruiser.

Jocko riu. "Sei que você está frustrado...", disse ele. "Eu também."

Eu o interrompi. "É realmente insano. Estamos detonando, arriscando nossas vidas e esculachando no pior campo de batalha do Iraque. E tenho que responder a perguntas idiotas, como se temos uma QRF alinhada."

A QRF, ou força de reação rápida [do inglês, *quick reaction force*], consistia em Soldados ou Fuzileiros dos EUA que respondiam com veículos blindados, duas dúzias de tropas e um poder de fogo pesado quando nossos SEALs entravam em um sério conflito e eram detidos por forças inimigas. Muitos de nós da Unidade de Tarefas Bruiser já tínhamos ido ao Iraque, e alguns assistiram a combates de peso. Nas implantações anteriores, a ativação da QRF era esporádica. Mas, em Ramadi, era comum. Em qualquer operação, a qualquer momento, sabíamos que poderíamos ser atacados por um número esmagador de combatentes inimigos, e nossa posição, dominada. Só nos primeiros meses no local, nós (do Pelotão Charlie e nossos irmãos no Pelotão Delta) ativamos a QRF mais vezes do que pude contar.

O e-mail que Jocko acabara de me enviar de nossa sede superior perguntava uma série de coisas que nosso CO queria saber antes de aprovar nossa operação pendente. Uma das perguntas era: "Você coordenou uma QRF apropriada?"

Achei a pergunta ultrajante. "Eles realmente acham que faríamos qualquer tipo de operação sem uma QRF forte, coordenada, que já estivesse a postos?", perguntei. "Até criamos QRFs para nossos comboios administrativos. Isso é Ramadi. Ir para lá sem uma QRF seria suicídio."

Jocko sorriu. Nas semanas anteriores, expressara uma frustração semelhante para mim, provavelmente mais do que deveria. Ríamos entre nós de algumas das perguntas da sede superior. Em uma operação recente que o Pelotão Charlie planejara, perguntaram-nos se os morteiros eram um perigo para nós. Morteiros — com mais de 10kg de explosivo revestido em aço com 1cm de espessura — caíam do céu e explodiam com uma tremenda força, que jogava estilhaços letais em todas as direções. Com frequência, os combatentes inimigos disparavam morteiros com uma precisão impressionante. Eles eram um perigo para nós em *todas* as operações, mesmo quando estávamos parados na base. Escolhemos prédios com paredes de concreto mais espessas para nos proteger e buscamos não ser previsíveis, para que o inimigo não antecipasse nossos passos. Além disso, eles eram um risco além do nosso controle. Tínhamos que concentrar nossos esforços de planejamento nos riscos que poderíamos controlar.

Jocko ficara muito frustrado com algumas perguntas e comentou comigo. Porém percebeu que as frustrações que sentimos com nossos superiores estavam equivocadas. O CO e sua equipe não queriam dificultar nossas vidas nem dissuadir nossas operações. Eles eram pessoas boas, fazendo seu trabalho da melhor maneira possível, e davam o que precisávamos para cumprir a missão. Mas eles não estavam no campo de batalha conosco. Não entendiam as ameaças com as quais lidávamos diariamente e o quanto trabalhávamos para mitigar todos os riscos possíveis. Ainda assim, isso era combate, e havia riscos inerentes. Em Ramadi, tropas dos EUA eram mortas ou feridas quase todos os dias.

"Perdemos nosso tempo respondendo perguntas após perguntas", falei. "Isso exige muito esforço que tiramos do nosso planejamento e da preparação para a operação em si. É realmente perigoso!"

Jocko sabia que eu tinha razão. Mas precisava me fazer enxergar além do meu foco imediato, que era minha equipe — o Pelotão Charlie —, e entender o quadro geral. Jocko me acalmou e me ajudou a ver nossas operações de combate pelos olhos do CO; da perspectiva de sua equipe, na Força-Tarefa de operações especiais. "O CO tem que aprovar todas as missões. Se quisermos operar, precisamos tranquilizá-lo, para que ele as aprove e possamos agir", disse Jocko.

"Quanto mais damos a eles, mais eles pedem", respondi. "Eles querem uma tabela de assentos atualizada de nossos veículos cinco minutos antes do lançamento das operações, mesmo que tenhamos que fazer alterações de última hora. Querem o nome de cada soldado iraquiano que trabalha conosco, mesmo que eu não saiba até pouco antes do lançamento."

Jocko apenas assentiu, percebendo que eu precisava desabafar. Ele sabia que eu já provara minha capacidade como líder. Ele havia me treinado e orientado no ano anterior, para me preparar para os rigores das operações de combate, e me delegou o Pelotão Charlie no campo de batalha. Mas também sabia que eu precisava ver a importância de levar as informações para a cadeia, além do meu pelotão e unidade de tarefas. Eu precisava entender como e por que liderar acima na cadeia de comando.

A quantidade de informações que tínhamos que reunir e a documentação exigida, que éramos obrigados a enviar só para obter aprovação de cada missão de combate, era impressionante. Não era como as pessoas viam em filmes de guerra ou em programas de televisão. Nunca em meus sonhos de infância de glória no campo de batalha eu imaginara que tais coisas seriam necessárias. Mas a realidade é outra história.

"Sabemos que nossas operações de combate estão causando impacto no campo de batalha. Elas são importantes", disse Jocko. Meneei a cabeça.

Jocko continuou: "Mas todas essas operações precisam da aprovação do CO. Ele tem que estar confortável com o que fazemos. E precisamos do apoio dele para obter aprovações adicionais do alto da cadeia. Assim, podemos reclamar disso o dia todo e não fazer nada, ou repassar as informações necessárias para a cadeia, para que o CO fique confortável e nos dê a aprovação."

Jocko tinha razão. O CO e sua equipe não estavam conosco em Ramadi. Eles não entendiam nem percebiam os esforços que fazíamos para mitigar riscos, e as excelentes relações de trabalho que construímos com os batalhões do Exército e da Marinha dos EUA e as companhias que nos apoiaram com as QRFs.

"Não dá para esperar que eles leiam mentes", disse Jocko. "A única maneira de obter informações é por meio do que passamos para eles, pelos relatórios que escrevemos e telefonemas que damos. E, obviamente, não estamos fazendo um bom trabalho se eles ainda têm dúvidas relevantes."

"Bem, eles deveriam vir aqui, então", respondi.

"Deveriam", respondeu Jocko. "Mas dissemos a eles que deveriam vir ou marcamos de buscá-los? É, eu sei que não", admitiu Jocko.

Isso vai contra o senso comum. Normalmente, as tropas da linha de frente queriam líderes seniores o mais longe possível, para evitar perguntas ou escrutínio sobre coisas pequenas, como padrões de higiene e se o campo era ou não padronizado.

"Estamos aqui. Estamos no solo. Precisamos deixar toda a cadeia ciente", disse Jocko. "Se eles tiverem perguntas, é nossa culpa, por não termos comunicado adequadamente as informações de que precisam. Temos que liderá-los."

"Eles nos comandam. Como podemos liderá-los?", questionei.

Essa epifania ocorrera a Jocko ao examinar as próprias frustrações com a cadeia. "A liderança não flui apenas para baixo da cadeia de comando, mas também para cima", falou. "Temos que dominar tudo em nosso mundo. É nisso que se resume a Responsabilidade Extrema."

Meneei a cabeça, endossando sua lógica. Eu ainda não tinha entendido totalmente as orientações de Jocko. Ele me ensinou a ser o líder de combate que eu precisava ser. Mas esta era uma atitude nova, uma mentalidade diferente de tudo que eu tinha visto ou aprendido. Em vez de culpar os outros, em vez de reclamar das perguntas do chefe, eu tinha que me apoderar do problema e liderar. Isso incluía os líderes *acima* de mim em nossa cadeia de comando.

"Precisamos olhar para nós mesmos e ver o que podemos fazer melhor", continuou Jocko. "Temos que escrever relatórios mais detalhados, que os façam entender o que estamos fazendo e por que tomamos certas decisões. Temos que nos comunicar mais abertamente nas ligações e, quando eles tiverem perguntas, precisamos levantar todas as informações de que precisarem para que eles entendam o que está acontecendo aqui."

Finalmente entendi. Longe de querer nos sobrecarregar com perguntas, nosso CO e sua equipe estavam trabalhando arduamente para obter as informações necessárias para aprovar nossos planos, encaminhá-los para outras aprovações e nos permitir iniciar missões de combate. Eu precisava corrigir minha postura negativa, que era corrosiva e, no final das contas, apenas atrapalhava nossa capacidade de agir.

Agora, eu aceitara de verdade o desafio de Jocko. "Você está certo", falei. "Posso reclamar das perguntas deles e questionar tudo, mas, no fim das contas, não teremos a aprovação para nossas operações. Se eu conseguir as informações necessárias e deixar o CO tranquilo com o que estamos fazendo, obteremos a aprovação para operações muito mais rápido, o que nos permitirá infligir maiores danos aos inimigos e vencer."

"Exatamente", disse Jocko.

A partir desse dia, iniciamos uma campanha de liderança acima na cadeia de comando. Apresentávamos documentos de planejamento de missão e relatórios pós-operacionais extremamente detalhados. Levamos esse entendimento aos líderes de nossa equipe no pelotão. Convidamos o CO, nosso chefe de comando e outras equipes para nos visitar em Ramadi e nos oferecemos para levá-los às operações de combate. Nosso comandante-chefe nos acompanhou em várias missões. Quanto mais informações passávamos, mais ele e nossa equipe entendiam o que fazíamos. Ele entendia melhor nossos esforços detalhados de planejamento, como coordenávamos nossas QRF e a extensão substancial de nossa mitigação de riscos. O CO ficou mais confortável com nossas operações de combate. Ele e sua equipe desenvolveram confiança em nós. Como resultado, todas as missões de combate que submetemos foram aprovadas, o que permitiu que o Pelotão Charlie e a Unidade de Tarefas Bruiser causassem um grande impacto no campo de batalha.

PRINCÍPIO: LIDERANDO ACIMA NA CADEIA

Se seu chefe não estiver tomando decisões em tempo hábil ou fornecendo o apoio necessário para você e sua equipe, não o culpe. Primeiro, culpe a si mesmo. Examine o que pode fazer para transmitir melhor as informações críticas para que as decisões sejam postas em prática e o suporte, alocado.

Liderar a cadeia de comando requer um envolvimento diplomático com o chefe imediato (ou, em termos militares, com a sede mais alta) para obter as decisões e o apoio necessários para ajudar sua equipe a cumprir sua missão e, finalmente, vencer. Para isso, um líder deve aumentar a consciência situacional acima na cadeia de comando.

Liderar acima na cadeia exige mais conhecimento e habilidade do que abaixo. Na liderança acima, o líder não pode recorrer à sua autoridade posicional. Em vez disso, o líder subordinado deve usar influência, experiência, conhecimento, comunicação e manter o alto profissionalismo.

Enquanto faz com que seu superior entenda o que você precisa, também saiba que seu chefe deve alocar recursos limitados e tomar decisões com a visão geral em mente. Você e sua equipe podem não representar o esforço prioritário naquele momento específico. Ou talvez a liderança sênior tenha escolhido uma direção diferente. Tenha a humildade de entender e aceitar isso.

Uma das funções mais importantes do líder é apoiar seu chefe. — sua liderança imediata. Em qualquer cadeia de comando, a liderança deve sempre apresentar uma frente unida às tropas. Uma demonstração pública de descontentamento ou desacordo com a cadeia de comando mina a autoridade dos líderes em todos os níveis. Isso é catastrófico para o desempenho de qualquer organização.

Como líder, se você não entende por que as decisões estão sendo tomadas, solicitações negadas ou suporte alocado em outro lugar, faça essas perguntas cadeia acima. Então, uma vez entendido, você pode passar à sua equipe. Líderes em qualquer cadeia de comando nem sempre concordam. Mas no final das contas, depois que o debate sobre um determinado curso de ação termina e o chefe toma uma decisão — mesmo que você tenha argumentado contra ela —, você deve executar o plano *como se fosse seu*.

Ao liderar acima na cadeia de comando, tenha cuidado e respeito. Mas lembre-se: se seu líder não estiver dando o apoio de que precisa, não o culpe. Em vez disso, reexamine o que pode fazer para melhor o esclarecer, informar, influenciar ou convencer a lhe dar o que você precisa para vencer.

Os principais fatores a serem observados ao liderar a cadeia de comando são:

- Assuma a responsabilidade de liderar todos em seu mundo, subordinados e superiores.
- Se alguém não estiver fazendo o que você quer ou precisa, olhe primeiro para si mesmo e descubra como mudar isso.
- Não pergunte a seu líder o que você deve fazer; diga a ele o que você fará.

APLICAÇÃO NO MUNDO DOS NEGÓCIOS

"A empresa não entende o que está acontecendo aqui", disse o gerente de campo. "Qualquer que seja a experiência que esses caras tiveram em campo, anos atrás, já esqueceram. Eles não entendem com o que estamos lidando, e suas perguntas e suposições impedem que eu e minha equipe façamos o trabalho."

O infame *eles*.

Visitei a equipe de liderança de campo de uma empresa cliente — as tropas da linha de frente que executavam a missão da empresa. Era onde se coloca a mão na massa: todas as iniciativas de capital corporativo, sessões de planejamento estratégico e recursos alocados eram direcionados para apoiar aquela equipe. A forma como as tropas da linha de frente executavam a missão representaria o sucesso ou o fracasso de toda a empresa.

A equipe do gerente de campo estava geograficamente separada da sede corporativa, localizada a centenas de quilômetros. Ele estava claramente frustrado. O gerente de campo tinha um trabalho a fazer e estava zangado com as perguntas e o julgamento distante. Ele era obrigado a enviar uma documentação substancial sobre todas as tarefas que a equipe realizava. Na sua opinião, isso gerava muito mais trabalho do que o necessário e prejudicava o foco e a capacidade de execução da equipe.

Eu o ouvi e deixei que desabafasse por vários minutos.

"Já estive no seu lugar", falei. "Eu ficava puto com a minha cadeia de comando quando estávamos no Iraque. Eles examinavam nossos planos, faziam perguntas estúpidas e exigiam uma puta papelada, que eu precisava apresentar antes e depois de cada operação."

"Você tinha que lidar com papelada enquanto Navy SEAL em guerra?", perguntou o gerente de campo, surpreso. "Eu nunca imaginaria."

"Pra cacete", falei. "Antes de cada missão de combate, tínhamos que obter aprovação da cadeia de comando em, pelo menos, dois níveis de chefes distantes, que não entendiam nada do que enfrentávamos. Isso exigiu que eu colocasse os detalhes intrincados das operações em vários slides de PowerPoint e em um documento do Word com várias páginas, só para obter aprovação. Depois de aprovados e liberados, tínhamos que gerar ainda mais papelada, na volta: um resumo detalhado de várias páginas com várias fotos. Se matássemos algum inimigo em uma missão de combate — o que, em Ramadi, acontecia em praticamente todas as operações —, teríamos que dar declarações juramentadas descrevendo exatamente o que acontecera e como nossas ações estavam em conformidade com as regras de combate para cada combatente inimigo morto. E isso nem incluía as páginas da documentação exigida sobre inteligência que tínhamos que compilar."

"Não achava que vocês tinham que lidar com essas coisas", disse o gerente de campo.

"Não importa quão grande ou burocrática sua empresa seja", falei, "isso não é nada perto da infinda burocracia militar dos EUA. E imagine como era arrasador e frustrante para nós quando nossas vidas estavam em risco todos os dias. Muitas vezes, eu ficava puto com questões muito semelhantes às que você tem aqui.

"Mas tínhamos duas opções. Render-nos à frustração e não fazer nada, ou descobrir como operar com mais eficiência dentro das restrições que tínhamos. Nós escolhemos a segunda.

"Deixa eu te perguntar", continuei. "Você acha que os executivos seniores que atuam na sede da empresa querem que você fracasse?"

O gerente de campo ficou intrigado. Ele nunca pensara naquilo.

"Você acha que eles estavam planejando como dificultar seu trabalho, deixar você e sua equipe confusos com perguntas, avaliações e papelada ou até como sabotar totalmente sua missão?", perguntei.

Claro, não era o caso. Tendo trabalhado com a equipe executiva da empresa, eu sabia que eles eram um grupo inteligente, de pessoas ávidas por realizações, que queriam que suas tropas da linha de frente não apenas cumprissem a missão, mas superassem todos os concorrentes e estabelecessem o padrão para o setor.

"Não, eles não querem que eu fracasse", admitiu o gerente de campo.

"Tudo bem", falei. "Então, se eles ficam fazendo perguntas, criticando seus planos e exigindo papelada, é porque precisam de algumas informações críticas. Quando Jocko era meu comandante da unidade de tarefas, teve essa mesma conversa comigo em Ramadi. Foi o que mudou minha opinião sobre tudo isso e possibilitou que nos tornássemos mais eficazes."

"O que o fez mudar de ideia?", perguntou o gerente de campo.

"Percebi que, se minha cadeia de comando tinha perguntas sobre meus planos ou precisava de informações adicionais ou de um trabalho mais detalhado, não era culpa dela", falei. "Era *minha* culpa. Eu sabia que estávamos tomando as decisões corretas e tendo o cuidado de mitigar todos os riscos que poderíamos controlar. Eu sabia que nossas operações de combate eram críticas para alcançar a vitória estratégica em Ramadi. Então, se meu chefe não estava confortável com o que eu estava fazendo, era apenas porque eu não havia comunicado claramente a ele."

O gerente de campo olhou para mim, começando a entender. "Então, se eles têm perguntas, é minha culpa que não obtiveram as informações de que precisam?", perguntou. Isso contradizia sua maneira de pensar e tudo o que vivenciou em sua formação em liderança. Essa mentalidade de "nós contra eles" era comum a quase todos os níveis de toda cadeia de comando, unidade militar ou corporação civil. Mas quebrar essa mentalidade foi o segredo para liderar adequadamente a cadeia de comando e melhorar radicalmente o desempenho da equipe.

"Escute: a liderança sênior da sede da empresa quer que você tenha sucesso", falei. "Isso é fato. Cabe a você informá-la e ajudá-la a entender alguns dos desafios com os quais está lidando aqui. Se você tiver dúvidas sobre o motivo de um plano específico ou documentação necessária, não se frustre nem desista. Pergunte-o aos seus superiores, para esclarecê-los, para que você os entenda. Dê um feedback construtivo para que eles percebam o impacto que esses planos ou requisitos têm em suas operações. É disso que se trata a Responsabilidade Extrema."

"Acho que nunca pensei nisso desse jeito", disse o gerente de campo.

"Isso é liderar acima na cadeia de comando", expliquei.

O gerente de campo aceitou bem essa conclusão. Ele viu que precisava otimizar a consciência situacional, a informação e a comunicação.

"Se você acha que eles não entendem completamente os desafios que está enfrentando aqui, convide seus executivos seniores para o campo, para ver sua equipe em ação", falei.

Nas semanas e meses seguintes, o gerente de campo adotou uma abordagem diferente com sua liderança sênior na sede corporativa. Ele tomou a iniciativa de entender de quais informações específicas precisavam e passou a lhes apresentar. Ele também recebeu os executivos seniores em uma visita de campo às tropas da linha de frente. Criou bons relacionamentos entre a equipe de liderança corporativa e a de operações do gerente de campo. A interação cara a cara ajudou os executivos seniores a entender alguns dos desafios do gerente de campo. E o tempo do gerente com os executivos o fez perceber ainda mais que seus líderes eram pessoas inteligentes, que queriam que ele se saísse bem. Foi um longo caminho até derrubar as barreiras que haviam se construído entre sua equipe de campo e a sede corporativa. Agora, ele estava pronto para liderar acima na cadeia.

Vigilância do sniper do Pelotão Charlie: Leif (à direita) relata a atividade inimiga e coordena o movimento amigo via rádio enquanto os snipers SEAL, incluindo Chris Kyle (à esquerda), combatem os lutadores inimigos que manobram para atacar as forças da coalizão.

(Fotografia dos autores)

CAPÍTULO 11

Decidir em Meio à Incerteza

Leif Babin

SNIPER DE TOCAIA, RAMADI, IRAQUE: SOB A MIRA

"Vejo um cara com uma escopeta na janela do segundo andar do prédio 127", disse Chris.

Isso era um pouco peculiar. Chris Kyle* era o apontador e sniper líder — o mais experiente do Pelotão Charlie e um dos melhores das equipes SEAL. Foi apelidado de "A Lenda" em uma missão anterior à do Iraque. Mas, como cabeça de nossas operações de snipers em Ramadi, matava combatentes inimigos a uma taxa que prometia superar os snipers de maior sucesso da história militar dos EUA.

O que tornou Chris Kyle um sniper tão bom não foi sua excepcionalidade. Seu segredo era praticar a Responsabilidade Extrema de seu ofício. Envolvido de perto no planejamento e na exploração de possíveis posições de tocaia de snipers, ficava no lugar certo e na hora certa para maximizar sua eficácia. Enquanto outros podiam ficar entediados

---

* Chris Kyle, autor do best-seller do *New York Times Sniper Americano*, inspiração para o filme homônimo.

e perder o foco após uma hora olhando pelo retículo de sua mira, Chris mantinha a disciplina e ficava vigilante. Ele teve sorte, mas, na maioria das vezes, ele fez sua sorte.

Se Chris, ou qualquer um de nossos atiradores SEAL, conseguisse identificar um bandido com uma arma cometendo um ato hostil ou determinar com uma certeza razoável se havia intenção hostil, tinha autorização para combater. Eles não precisavam da minha permissão. Se pedissem permissão, indicava que não havia uma certeza razoável de intenção hostil.

"Você consegue uma identificação positiva?", perguntei.

"Acabei de ver a sombra de um homem com uma escopeta, por uma fração de segundo", respondeu Chris. "Então ele se afastou da janela e desapareceu atrás de uma cortina."

"Entendido", falei. "Qual prédio, de novo?" Verifiquei o número no mapa de batalha que marcava todos os prédios e estruturas do setor. Todos nós na operação da Força-Tarefa da brigada do Exército dos EUA, incluindo meia dúzia de diferentes batalhões do Exército e dos Fuzileiros Navais dos EUA, e milhares de Soldados e Fuzileiros navais locais, operávamos no mesmo mapa de batalha, o que foi crucial. Mas combinar os números e nomes de ruas no mapa com o que víamos na nossa frente, nas ruas, era um grande desafio. Não havia placas de rua nem números de endereço. Essa era Ramadi. Em meio à expansão urbana de ruas e vielas cobertas de lixo, havia imensas crateras e paredes marcadas por balas e grafitadas com palavras árabes do jihad, que nossos intérpretes traduziram para nós como: "Vamos lutar até chegarmos a qualquer um dos dois paraísos: a vitória ou o martírio." Nossa missão era garantir que fosse a segunda opção.

À frente de uma enorme força de Soldados do Exército dos EUA a pé, tanques de batalha M1A2 Abrams e veículos de combate M2 Bradley, nosso pelotão SEAL patrulhara a pé a área na escuridão da manhã. Montamos guarda com snipers em um prédio de dois andares a alguns metros de onde um batalhão do Exército dos EUA estabeleceria seu mais novo posto avançado de combate. Mais uma vez estávamos no coração do território inimigo. Cobrimos os soldados quando adentraram a pé na área, acompanhados por tanques e Bradleys.

O sol havia nascido, e centenas de Soldados dos EUA chegaram, limpando os prédios ao redor. Chris e outros snipers SEAL já haviam matado vários inimigos que se preparavam para atacar — mais um dia comum no Centro-sul de Ramadi. Após cada ataque, eu enviava relatórios de situação (ou SITREPs) à companhia do Exército dos EUA encarregada do novo posto avançado de combate — Equipe Warrior do 1º Batalhão, 36º Regimento de Infantaria, atribuído à Força-Tarefa Bandit.

Os snipers fizeram a maior parte do tiroteio. Como oficial, meu trabalho não era acionar o gatilho, mas comandar, controlar e coordenar as unidades amigas da área.

No entanto, o relato de Chris de um cara com uma escopeta em uma janela do segundo andar levantou algumas questões. Soldados dos EUA limpavam edifícios bem na direção de seu campo de visão, e precisávamos ser claros em relação ao que víamos. Agachei-me ao lado de Chris e fiquei bem perto do chão para proteger minha cabeça. Ele segurou com firmeza o rifle e, através de sua mira de alta potência, observou atentamente a janela onde vira pela última vez a silhueta escura do homem com uma arma.

"Ainda tem ele na mira?", perguntei a Chris.

"Negativo", respondeu Chris sem tirar os olhos do seu rifle.

Olhando a rua que ele observava, eu podia enxergar algumas centenas de metros naquela direção. As ruas e os becos eram estreitos e confusos. O labirinto de edifícios de um e dois andares se misturava. Nossa visão era parcialmente obstruída por linhas de força suspensas e algumas palmeiras e carros estacionados.

Nas últimas semanas, snipers inimigos causaram estrago na área, matando um jovem Fuzileiro Naval e um Soldado do Exército, e ferindo gravemente outros. Ryan Job foi baleado a poucos quarteirões da nossa posição. Marc Lee foi morto a poucas casas do prédio que ocupávamos. A perda deles foi devastadora, tornando aquela luta pessoal para nós. Fizemos o máximo para eliminar todos os combatentes inimigos, para garantir que mais de nossos companheiros de equipe e irmãos de armas do Exército e dos Fuzileiros Navais dos EUA voltassem para casa vivos.

Matar um sniper inimigo, que provavelmente matou o nosso, tinha certa dose vingança e protegeria as vidas norte-americanas. Mas havia amigos — Soldados dos EUA — na área, então precisávamos de certeza.

Liguei pelo rádio — a rede de comunicações da companhia — e solicitei o comandante da Equipe Warrior. Ele era um líder respeitado e um excelente Soldado, pelo qual desenvolvi uma admiração quando trabalhamos juntos.

"Warrior, aqui é o Red Bull*", falei, quando ele atendeu. "Vimos um homem com uma arma de mira telescópica no segundo andar do prédio 127. Você pode confirmar que não tem pessoal naquele prédio?" Ouvi quando ele entrou em contato com o comandante de pelotão, responsável pelos prédios da área, na rede da companhia. O comandante do pelotão logo respondeu que não.

"Negativo", respondeu o comandante da companhia (via rádio) à minha pergunta. "Não temos ninguém naquele prédio." Seus Soldados haviam limpado a área uma hora antes.

"Solicito seu ataque", disse o comandante da companhia. Seu comandante de pelotão confirmou que nenhum de seus homens estava no prédio 127. Portanto, o homem que Chris vira devia ser um sniper

---

* Nossa identificação naquele momento, naquele espaço de combate em particular.

insurgente. E, como a ameaça inimiga era significativa, o comandante da companhia (como eu) queria que nossos snipers SEAL matassem qualquer sniper inimigo antes que pudesse matar as tropas Warrior.

Mas Chris, obviamente, não se sentiu bem com a situação, muito menos eu. Havia muitos amigos nas proximidades — Soldados da Warrior —, apenas um quarteirão além de onde Chris tinha visto o indivíduo. Chris manteve os olhos na janela em questão, através de sua mira, e esperou pacientemente. Ele sabia o que estava fazendo e não precisava de orientação minha.

"Acabei de vê-lo novamente", disse Chris. Ele descreveu como, por um breve momento, a silhueta escura de um indivíduo espiou por trás da cortina. Chris não conseguiu distinguir nada, exceto a forma de um homem e as linhas tênues de uma arma com uma mira. Então, como um fantasma, o homem voltou à escuridão da sala e a cortina foi fechada, bloqueando qualquer visão da sala. Não conseguimos identificar o indivíduo.

Liguei de novo para o comandante da companhia Warrior no rádio. "Acabamos de ver o indivíduo com a escopeta, no mesmo local", falei.

"Entendido", respondeu. "Destrua esse cara", insistiu em um tom exasperado. Estava claro que ele estava pensando: *O que diabos esses SEALs estão esperando? Um sniper inimigo é uma ameaça para meus homens: mate-o antes que ele nos mate!*

Certamente, não queríamos que nenhum Soldado da Warrior fosse morto ou ferido. Estávamos ali para impedir ataques, e eu sentia a pressão para cumprir a missão. Era um cara mau ou não? Eu não tinha certeza. Mas tive que tomar uma decisão.

E se não dermos o tiro, pensei comigo mesmo, *e Soldados da Warrior morrerem porque não agimos?* Isso seria possível. Seria um fardo pesado demais para carregar.

Por outro lado, pensei, *e se atirarmos, e for um cara legal — um Soldado dos EUA — naquela janela?* Esse resultado seria o pior de todos. Sabia que não poderia viver comigo mesmo se isso acontecesse. Apesar da forte pressão para obedecer, tive que dar um passo para trás e pensar no quadro geral. Lembrei-me dos meus dias de infância no Texas e de uma regra básica de segurança com armas que meu pai me ensinou: conheça seu alvo e seu entorno. Isso deixou a decisão muito clara. Não tinha como atirarmos. Independentemente da pressão, eu não podia arriscar.

"Negativo", respondi ao comandante da Warrior. "Há muitos amigos na área, e não temos identificação positiva. Recomendo que envie alguns Soldados para revistar aquele prédio."

Não trabalhava com o comandante, nem ele comigo. Ele não podia me obrigar a atirar; nem eu obrigá-lo a vasculhar o prédio. Mas já tínhamos trabalhado juntos antes. Eu o conhecia e o respeitava como líder, e sabia que era recíproco. Ele tinha que confiar no meu julgamento.

Ouvi na rede quando o comandante da Warrior chamou novamente o comandante de pelotão para discutir minha recomendação. Pelo tom de suas vozes, não estavam nada felizes. O que eu lhes pedi para fazer — um ataque a um prédio ocupado pelo inimigo — colocava seus Soldados em grande risco. Poderia muito bem matar alguns deles.

"Atire nele", veio a resposta mais uma vez do comandante da companhia. "Detone esse cara", disse ele, desta vez com mais força.

"Negativo", falei, irredutível. "Não estou confortável com isso." Eu não recuaria, independentemente da pressão que sofresse.

A paciência do comandante havia acabado. Ele tinha mais de cem Soldados sob seu poder, vários tanques e Bradleys, enquanto seus homens reviravam dezenas de edifícios. Responsável pelo estabelecimento do novo posto avançado de combate em território inimigo, também tinha que coordenar o movimento Warrior com seu batalhão e as companhias de apoio. Agora, tudo o que sabia era que tínhamos denunciado um possível bandido com uma escopeta, possivelmente um sniper. E pedíamos a seus Soldados que deixassem a relativa segurança dos prédios em que estavam, corressem por uma rua hostil em plena luz do dia e arriscassem suas vidas porque não nos sentíamos confortáveis em atirar.

Eu não podia julgá-lo por sua frustração. Tive empatia. Mas Chris era um dos melhores snipers de todos os tempos. Já fora responsável, sozinho, por dezenas de inimigos mortos e, certamente, não precisava do meu aval para puxar o gatilho quando identificava um inimigo. Seu nível de cautela indicava que eu, como comandante de pelotão SEAL, precisava tomar a decisão difícil — a melhor decisão que pudesse — com base nas informações que possuía.

Conforme a situação se desenrolasse, se as informações mudassem de repente, ainda poderíamos atacar, em um cenário mais bem definido do que o que tínhamos. Jocko sempre nos incentivou a ser agressivos na tomada de decisões. Mas parte disso era saber e entender que algumas decisões, embora fossem imediatamente impactantes, podiam ser revertidas ou alteradas; outras, como atirar em um ser humano, não. Se esperássemos para atirar, poderíamos mudar o rumo mais tarde, quando a decisão de acionar o gatilho e atingir aquele alvo sombrio seria derradeira.

Com isso em mente, mantive-me firme. "Não podemos atacar", falei a ele pelo rádio. "Recomendo que você limpe esse edifício."

O rádio ficou quieto por alguns momentos. Tenho certeza de que o comandante da companhia perdeu a voz de frustração. Então, relutante, orientou o comandante de seu pelotão a revirar o prédio. Pela voz dele no rádio, percebi que o comandante de pelotão estava puto. Mas ele sabia que tinha que enfrentar a ameaça. Instruiu um esquadrão de seus Soldados a sair do prédio em que estavam, revirar o 127 e procurar o misterioso "cara da escopeta".

"Vamos cobrir o seu movimento", falei.

"Se ele se mexer enquanto nossos homens estiverem ao ar livre", respondeu, "atire nesse filho da puta".

"Entendido", respondi. Se o indivíduo desse um indício de que era hostil, Chris o atacaria.

Fiquei parado ao lado de Chris, com seu rifle apontado para a janela, com meu fone, pronto para contatar os Soldados Warrior.

De repente, dez Soldados da Warrior saíram da porta de um prédio e atravessaram a rua correndo.

No ato, tudo ficou claro!

"Pare a equipe de busca e retorne ao COP", orientei o comandante da Warrior pela rede.

Logo reconheci nosso erro. Chris e eu estávamos olhando um quarteirão à frente do que imaginávamos. Em vez de olhar para o edifício que pensávamos ser 127 em nosso mapa de batalha, estávamos olhando para um dos edifícios em que os Soldados norte-americanos da Warrior estavam reunidos. Embora fosse um erro recorrente no ambiente urbano (mais do que qualquer comandante dos EUA gostaria de admitir), poderia ter tido consequências mortais e devastadoras. O cara com a escopeta que Chris tinha visto na janela não era um sniper inimigo. Era um Soldado dos EUA atrás da janela com uma mira Trijicon ACOG em seu rifle M16 militar, dos EUA.

Graças a Deus, pensei, e não era retórico. Agradeci pelo julgamento de Chris — uma decisão excepcional de que não deveria atirar, pois não conseguia identificar claramente. Ele fez o que deveria e me notificou para pedirmos orientação. Outros, com menos experiência, poderiam ter tomado decisões precipitadas e acionado o gatilho. Agradeci por ter mantido minha posição e, em última instância, tomado a decisão certa.

Mesmo assim, pensar o quão perto estávamos de atirar em um Soldado dos EUA me assustou muito. Se tivéssemos sucumbido à pressão, Chris teria atirado nele com um grande calibre, o que o mataria. Como líder, independentemente de quem puxara o gatilho, a responsabilidade seria minha. Viver com uma coisa dessas na minha consciência teria sido um inferno. Para mim, a guerra teria terminado. Não haveria escolha a não ser entregar meu Trident (nossas insígnias de guerra SEAL) e pendurar minhas botas de combate. Isso inutilizaria todo o trabalho que realizamos, no Pelotão Charlie e na Unidade de Tarefas Bruiser, os muitos Soldados e Fuzileiros Navais dos EUA que havíamos salvado. Nada faria sentido se eu tivesse ordenado Chris a puxar o gatilho.

Liguei meu rádio na rede da Warrior e expliquei o que havia acontecido ao comandante da companhia. Ele também entendeu a facilidade com que uma identificação errônea de um prédio acontecia. Era o tempo todo. E deu um enorme suspiro de alívio por não termos atacado.

"Estou feliz que você não tenha me ouvido", admitiu.

Na incerteza e no caos do campo de batalha, apesar da pressão para disparar, tive que agir de maneira decisiva; naquele caso, impedindo meu sniper de atirar em um alvo porque não tínhamos uma identificação positiva. Foi um dos vários exemplos de combate, de quando estávamos em Ramadi, que demonstrou o quão crítico era para a liderança decidir em meio à incerteza.

No combate e na vida, o resultado nunca é certo, o quadro nunca é claro. Não há garantias de sucesso. Mas, para ter sucesso, os líderes devem se sentir à vontade sob pressão e agir com lógica, não com emoção. Esse é um elemento crítico para a vitória.

PRINCÍPIO

Livros, filmes e shows podem nunca captar ou articular verdadeiramente a pressão da incerteza, do caos e do elemento desconhecido que os líderes enfrentam. O líder de combate quase nunca tem a imagem completa ou uma compreensão clara e certa das ações ou reações do inimigo, nem mesmo o conhecimento das consequências imediatas de decisões momentâneas. No campo de batalha, para quem está imerso na ação, o primeiro reconhecimento de um ataque pode ser o estalo perverso e o impacto violento das balas recebidas, fragmentos de concreto e detritos voadores ou gritos de dor dos parceiros feridos. Surgem perguntas urgentes: de onde estão atirando? Quantos são? Algum dos meus homens está ferido? Se sim, está muito ferido? Onde estão as forças amigas? É possível que esteja havendo fogo amigo? As respostas não são imediatamente óbvias. Em alguns casos, as respostas a "quem atacou" e "como" nunca serão conhecidas. Independentemente disso, os líderes não podem ser paralisados pelo medo. Isso resulta em inércia. É fundamental que os líderes ajam de forma decisiva em meio à incerteza; que tomem as melhores decisões possíveis com base apenas nas informações a que têm acesso.

Essa percepção foi uma das maiores lições para nossa geração de líderes de combate — tanto nas equipes SEAL quanto em outros ramos militares — durante os anos de combate no Iraque e no Afeganistão. Não existe uma solução 100% correta. A imagem nunca está completa. Os líderes devem ficar à vontade com isso e tomar decisões rapidamente, depois preparar-se para adequá-las às situações e novas informações. A coleta e a pesquisa de inteligência são importantes, mas devem ser empregadas com expectativas realistas e não devem impedir a rápida tomada de decisão, que faz a diferença entre a vitória e a derrota. Esperar uma solução 100% certa e ideal leva a atrasos, indecisões e incapacidade de execução. Os líderes devem estar aptos a criar suposições com base em experiências anteriores, conhecimento de como o inimigo opera, resultados prováveis e a inteligência disponível no momento imediato.

Esse princípio da "imagem incompleta" não é exclusivo do combate. Ele se aplica a praticamente todos os aspectos de nossas vidas, como decisões pessoais ligadas à saúde ou à mudança de rota em função de uma grande tempestade. Aplica-se particularmente à liderança e tomada de decisão nos negócios. Embora os líderes empresariais geralmente não enfrentem situações de vida ou morte, estão sob intensa pressão. Com o capital em risco, mercados em fluxo e concorrentes trabalhando para detonar oponentes, carreiras e salários estão em jogo. Os resultados nunca são certos; o sucesso nunca é garantido. Mesmo assim, os líderes empresariais devem ficar à vontade com o caos e agir de forma decisiva em meio à incerteza.

APLICAÇÃO NO MUNDO DOS NEGÓCIOS

"Em qual deles você acredita?" perguntou Jocko. Estava na hora de tomar uma decisão. Mas os executivos não tinham uma resposta. Havia muita coisa em jogo para a empresa, e o resultado estava longe de ser garantido. Eles não tinham certeza do que fazer.

Jocko e eu nos reunimos com o CEO de uma empresa de software bem-sucedida e o CEO de uma de suas subsidiárias, uma empresa de engenharia. Nem cinco anos após o lançamento do software da empresa e a empresa já tinha tido um rápido crescimento e um aumento exponencial da receita.

Grande parte da liderança da empresa e a de sua subsidiária era composta de indivíduos jovens e talentosos, movidos pelo sucesso. Jocko e eu fomos chamados para dar-lhes as ferramentas para liderar suas equipes, expandir agressivamente seu alcance e dominar a concorrência.

A empresa de engenharia, liderada por um talentoso CEO, já havia produzido ótimos resultados para a matriz. Eles haviam conseguido vários contratos lucrativos e logo estabeleceram uma boa reputação de qualidade e serviço.

Jim, o CEO da empresa matriz, e Darla, da subsidiária, estavam orgulhosos das equipes e dos processos eficazes que haviam desenvolvido. Cada um havia recrutado talentos substanciais de suas empresas anteriores para ingressar nas equipes atuais. Darla tinha cinco promissores engenheiros seniores, cada um com equipes de cerca de seis funcionários. Foi um ano impressionante para Darla e sua empresa de engenharia.

Mas, como em qualquer organização, havia desafios. A pressão constante dos esforços de recrutamento dos concorrentes, tentando atrair as pessoas mais talentosas, representava o impedimento mais substancial ao sucesso em longo prazo da empresa. Os cinco engenheiros seniores eram os principais alvos. As empresas sabiam que, se pudessem convencer um bom engenheiro sênior a ingressar em sua empresa, a equipe de engenharia — seus jogadores mais talentosos — poderiam segui-lo.

Os engenheiros seniores eram altamente competitivos. Em vez de colaborar e se apoiar, à medida que a empresa se expandia, alguns competiam, na esperança de se destacar para ganhar uma promoção.

Dois engenheiros seniores, Eduardo e Nigel, criaram uma animosidade particular um com o outro e se tornaram bastante impiedosos. Os dois brigavam e entravam em conflitos constantemente. Eles culpavam o outro quando os próprios projetos estouravam o prazo ou o orçamento. Eles criticavam o trabalho do outro para a CEO, Darla, na tentativa de prejudicá-lo.

Por meses, Darla fez o possível para minar seus problemas e animosidades. Realizava teleconferências e reuniões presenciais. Até levou Eduardo e Nigel para jantar várias vezes para ajudá-los a pôr uma pedra no assunto. Mas nada funcionava. Agora, o relacionamento deles se deteriorara a ponto de se tornar disfuncional e destrutivo para o resto da equipe.

Jocko e eu participamos de uma reunião externa com os executivos seniores da matriz e das subsidiárias para fazer uma apresentação sobre liderança e trabalho em equipe. Durante o trabalho externo, o conflito dos dois engenheiros seniores de Darla apareceu. Ela recebeu um e-mail de Eduardo dizendo que ele não podia mais trabalhar com Nigel e insistia que Nigel fosse demitido. Eduardo também mencionou o boato de que Nigel havia se encontrado com um recrutador de outra empresa e estava pensando em sair. Pouco tempo depois, Darla recebeu um e-mail de Nigel dizendo que havia percebido que Eduardo discutira uma possível mudança para outra empresa com alguns membros de sua equipe. Para não ficar atrás, Nigel insistiu que não poderia mais trabalhar com Eduardo e que Eduardo deveria ser demitido.

Darla mostrou os e-mails para Jim, CEO da matriz, durante uma pausa no cronograma. Os dois CEOs pediram a Jocko e eu que pensássemos no dilema com os dois engenheiros. Darla estava frustrada e nervosa devido ao cenário. Preocupavam-se com uma possível saída em massa, pois muito do conhecimento técnico dos projetos atuais poderia ser perdido. Isso significaria prazos perdidos e degradação da qualidade e dos serviços. Poderia custar os contratos futuros da empresa de Darla.

Quando Jocko perguntou: "Em qual deles você acredita?" Jim aguardou em silêncio, esperando a opinião de Darla.

"Não tenho certeza, nem sei se acredito em alguém", respondeu Darla após um tempo, "mas isso pode piorar muito rápido. Perder um deles e alguns de seus funcionários críticos seria terrível. Perder os dois — e os principais membros de suas equipes —, devastador".

"Não é uma boa posição para negociar", acrescentou Jim.

"Alguma coisa no contrato os impede de sair e levar pessoas com eles?", perguntou Jocko.

"Nada", disse Jim. "Por mais em alta que esse setor esteja no momento, as pessoas não fecham exclusividade. Ninguém gosta de ficar preso."

"Quão boas são as equipes deles?", perguntei.

"Surpreendentemente boas, apesar desse drama", respondeu Darla.

"E quão leais são as equipes a Eduardo e a Nigel?", perguntou Jocko.

"Difícil dizer", disse Darla, "mas não há fãs obstinados de verdade em nenhum dos grupos, pelo que vejo".

O intervalo terminou, e a programação teve que voltar ao normal. Ocorreram discussões estratégicas, mas Darla não se envolveu. Ela estava claramente frustrada com o drama das equipes e, com tanta coisa em jogo, sentia-se insegura sobre o que fazer a respeito.

Quando chegou o intervalo seguinte, Jim, Darla, Jocko e eu nos reunimos em uma sala para discutir suas opções.

"Acho melhor vermos onde isso vai dar", afirmou Darla.

Ela decidiu não decidir.

"O que a faz dizer isso?", perguntei. Nas equipes SEAL, ensinamos nossos líderes a agir de forma decisiva em meio ao caos. Jocko me ensinou que, como líder, minha postura padrão deveria ser agressiva — proativa, não reativa. Isso é fundamental para o sucesso de qualquer equipe. Em vez de deixar a situação ditar nossas decisões, devemos ditar a situação. Mas, para muitos líderes, essa mentalidade não era óbvia. Muitos operavam adotando uma abordagem de "esperar para ver". Mas a experiência me ensinou que o quadro nunca se completa. Sempre há algum elemento de risco. Não havia uma solução 100% correta.

"Bem, eu não sei dizer o que está acontecendo", respondeu Darla. "Eduardo e Nigel podem estar mentindo ou dizendo a verdade. Não há como saber. E não há informações suficientes para eu tomar uma atitude, então acho que preciso aguardar os próximos capítulos."

"Como você acha que isso vai acabar?", perguntei.

"O tempo dirá. Mas eles não gostam de trabalhar um com o outro", respondeu Darla. "Quando perceberem que manterei os dois, um sairá. Se optarem por sair, receberão ofertas de nossos concorrentes muito rapidamente. E provavelmente levarão alguns agentes importantes com eles."

"Existem outras opções?", perguntou Jocko.

"Bem, posso demitir um deles. Mas qual?", perguntou Darla. "E se eu escolher o errado? Não tenho informações suficientes para decidir."

"Acho que você tem", disse Jocko. Darla sabia o suficiente para determinar como o cenário se desenrolaria e, portanto, sabia o suficiente para tomar uma decisão. "Há outra opção", disse Jocko.

"Qual?", perguntou incrédula.

"Você pode demitir os dois", disse Jocko. Darla e Jim se entreolharam, intrigados. "Quando Leif e eu estávamos na Unidade de Tarefas Bruiser", continuou Jocko, "outra unidade da nossa equipe SEAL teve um grande problema entre o comandante da unidade e um dos comandantes de pelotão. Ambos eram líderes críticos para o desempenho da unidade de tarefas. Mas eles simplesmente não se davam bem. Eles se odiavam. Falavam mal um do outro para o oficial comandante da equipe SEAL e seu pessoal. Por fim, nosso comandante — nosso CEO — declarou que não aguentava mais. Ele lhes deu o fim de semana para descobrir uma maneira de trabalharem juntos. Na segunda-feira de manhã, os dois ainda insistiam que não podiam trabalhar juntos e cada um exigia que o outro fosse demitido. Para surpresa deles, o comandante demitiu os dois".

Demorou para a ficha cair. Darla ficou surpresa. Ela não havia cogitado a hipótese.

"Não quero perder nenhum deles, muito menos os dois!", respondeu.

"Deixe-me perguntar uma coisa", falei. "Eles são líderes homéricos?"

"Não exatamente", admitiu Darla.

Jocko falou: "Eles não encontraram um jeito de trabalhar juntos. Ambos possivelmente estão conversando com outras empresas. E, agora, estão tramando um contra o outro. Tudo isso tem um impacto negativo no desempenho da sua empresa. *Não é exatamente* o tipo de líder que eu gostaria que trabalhasse para mim."

"Mas, se eu fizer isso, o que acontecerá com as equipes deles?", perguntou Darla. Ela estava preocupada com a consequência imediata da perda de conhecimento e experiência técnica para a empresa e como suas equipes reagiriam.

"Você disse que não acha que há fãs obstinados na equipe", disse Jocko. "Mesmo que haja um ou dois partidários, você quer pessoas leais a esses tipos de líderes trabalhando na sua empresa? Pense no seguinte: existe alguém da linha de frente de alto potencial que possa assumir a vaga? Talvez seja hora de uma promoção no campo de batalha. É provável que a pessoa com um conhecimento prático legítimo esteja entre as tropas da linha de frente, que esse conhecimento não venha de Eduardo e Nigel."

"Isso é verdade", disse Darla.

"Sem sombra de dúvida", acrescentou Jim, que ouvia a conversa.

"Qual é a impressão que você quer causar?", perguntei a Darla. "Você quer ser vista como alguém que fica refém das demandas — das ameaças — que eles estão fazendo? Você quer ser vista como indecisa?"

"Não", disse Darla, categórica.

"Como líder, você quer ser vista — *precisa* ser vista — como decidida e disposta a fazer escolhas difíceis. O resultado é incerto, mas você tem compreensão e informações suficientes para decidir", falei.

"Este é um daqueles momentos", disse Jocko. "As pessoas da linha de frente entendem a dinâmica. Elas sabem o que está acontecendo. Elas respeitarão isso, e sua lealdade a você e à empresa aumentará."

"Isso faz sentido", admitiu Darla.

"Vou lhe dizer outra coisa", acrescentei. "Esses caras são tóxicos. Suas atitudes destrutivas se ramificarão pela equipe, contaminando os outros. Quanto mais rápido cortá-los, menos danos causarão, menos negatividade espalharão e, o mais importante, menos pessoas levarão com eles."

"O que você acha, Jim?", perguntou Darla.

"Acho que faz sentido", respondeu. "Jocko e Leif têm insistido para sermos agressivos e trabalhar para obter a máxima vantagem sobre o inimigo; ser decisivos em meio à incerteza. Acho que agora é o momento perfeito para fazermos exatamente isso. Executar."

Darla foi dispensada das reuniões externas por uma hora para elaborar um plano. Ela ligou para o desenvolvedor principal e discutiu sua intenção. Ele adorou e indicou dois candidatos, um de cada equipe, que estavam prontos e ansiosos para crescer. Os dois candidatos já haviam trabalhado juntos e tinham um bom relacionamento profissional. O desenvolvedor os chamou e se reuniu com eles para sondar seu interesse. Logo relatou a Darla que ambos estavam prontos e animados para dar um passo à frente, acrescentando que ambos tinham um conhecimento profundo dos projetos mais críticos em andamento.

Darla relatou a Jim os detalhes do plano. Então o executou de forma decisiva. Ela solicitou ao departamento de recursos humanos (RH) da empresa uma carta de demissão para Eduardo e Nigel. O RH lhes entregou a rescisão, e a segurança os retirou do prédio. O departamento de tecnologia da informação desativou seus e-mails, serviços telefônicos e acesso à intranet. Para Nigel e Eduardo, o jogo acabara. Para Darla e seus novos líderes, um novo jogo acabara de começar.

SEALs Bruiser patrulhando o território inimigo. O ambiente de combate urbano de Ramadi apresentava imensos desafios: todo pedaço de lixo era um IED em potencial; todas as janelas, portas, sacadas e telhados, um possível esconderijo de fogo inimigo.

(Fotografia dos autores)

CAPÍTULO 12

Disciplina É Liberdade — A Dicotomia da Liderança

Jocko Willink

BAGDÁ, IRAQUE: A TRANSFORMAÇÃO DISCIPLINAR

"Alvo seguro", foi a mensagem recebida pelo rádio interesquadrão do nosso pelotão SEAL. Tínhamos acabado de detonar a porta da frente do edifício-alvo com uma grande carga explosiva, e nossos atacantes tinham vasculhado todas as salas, eliminando ameaças e garantindo que estávamos no controle total de toda a estrutura. Agora era hora de determinar quem havíamos matado ou capturado e coletar informações.

Fui comandante de pelotão SEAL em meu primeiro destacamento no Iraque. A maior parte de nossas operações consistia no que chamávamos de missões de ação direta "capturar/matar", ou ataques direcionados. Para essas operações, agíamos praticamente só à noite.

As missões eram semelhantes e um tanto previsíveis. Com base nas informações de nossas sedes superiores ou de operações anteriores, determinávamos a localização de um ou vários terroristas. Nosso pelotão SEAL planejava e executava um ataque ao edifício-alvo — uma casa, escritório ou esconderijo — para capturar os terroristas e reunir informações.

Ao entrar no edifício-alvo, nossos SEALs protegiam todas as salas e dominavam as pessoas que encontravam. Em seguida, interrogávamos rapidamente os homens em idade militar no campo de batalha, identificávamos suspeitos de terrorismo ou insurgentes, e os detínhamos e entregávamos a um centro de detenção, para passar por mais perguntas ou confinamento. Antes de deixar o alvo, revistávamos o edifício em busca de informações e evidências que pudessem ajudar o sistema judicial iraquiano a condenar os capturados. Elas podiam ser material para fabricação de bombas, armas ou qualquer outra coisa que nos levasse a outros insurgentes ou ajudasse a construir um caso contra os suspeitos detidos.

Fomos treinados extensivamente para patrulhar cidades, arrombar portas, limpar edifícios e capturar ou matar bandidos. Mas não éramos policiais. Tivemos pouco treinamento sobre como procurar informações em edifícios e coletar evidências. Mas quão difícil poderia ser? Nas primeiras operações de nosso pelotão, fizemos o que qualquer grupo desordeiro de jovens armados e treinados faria: saqueamos o local. Embora os terroristas tenham se mostrado hábeis em esconder armas e evidências, os SEALs tinham uma habilidade especial em quebrar as coisas para ver o que havia dentro.

Bagunçávamos móveis, esvaziávamos mesas e gavetas no chão, rasgávamos cortinas e quadros. Destruíamos tudo o que parecia ser um esconderijo, incluindo TVs, armários e rádios. Muitas vezes, víamos evidências onde era menos esperado. Mas a confusão era tão grande que tínhamos que refazer o caminho para conferir mais uma vez o que havíamos revistado. Isso significava mover tudo o que fora jogado no chão para procurar debaixo de tapetes por alçapões, onde o contrabando poderia estar escondido.

Embora, muitas vezes, encontrássemos a evidência ou a inteligência que procurávamos, em várias ocasiões eram perdidas ou deixadas para trás, porque ninguém tinha sido designado como responsável pela coleta. Todo o processo de busca levava um tempo substancial — em geral, cerca de 45 minutos — para ser concluído. Permanecer em um prédio-alvo por tanto tempo, depois que o barulho de um explosivo e a equipe de ataque alertara toda a vizinhança de nossa presença, deixava-nos vulneráveis a contra-ataques de insurgentes na área.

Após a realização de várias missões como essa, um novo sistema judicial iraquiano (composto de juízes iraquianos e assessores norte-americanos) impôs requisitos mais rígidos para as evidências coletadas, incluindo uma cadeia de custódia e a documentação necessária para cada item e uma explicação por escrito de onde *exatamente* havia saído — inclusive a sala e o edifício. Dessa forma, no novo sistema judicial, as evidências poderiam ser usadas com um maior grau de confiança.

De repente, o método rudimentar e indiscriminado de busca de nosso pelotão SEAL — o saque — tornou-se ainda mais problemático. Por isso, incumbi meu comandante assistente (oficial adjunto encarregado, AOIC, da sigla em inglês) de criar um procedimento mais eficiente, para garantir nossa conformidade com os novos requisitos da corte iraquiana. Um SEAL jovem, entusiasmado e agressivo, meu AOIC foi acionado para operar e liderar. Ele levou a tarefa a sério e abraçou a missão.

Alguns dias depois, ele me apresentou seu plano. À primeira vista, parecia complexo, uma possível violação do princípio Simplificar. Mas, quando o detalhou, ficou claro que cada pessoa executaria uma tarefa simples, enquanto outros membros da força de ataque realizavam outras tarefas. Era um plano simples e um método sistemático para melhorar nossa eficácia na busca de evidências. O plano designava uma equipe de busca, responsabilizando indivíduos por tarefas específicas: um faria um esboço do layout do prédio e dos cômodos; outro rotularia cada cômodo com um número; outro gravaria vídeos e fotografaria evidências onde fossem encontradas. Cada quarto teria um único operador SEAL designado como "responsável pelo cômodo", tendo que dar conta de tudo que houvesse nele. As investigações aconteceriam de maneira sistemática e organizada, começando do chão em direção ao teto, para que não tivéssemos que vasculhar entre o que fora jogado no chão.

O responsável pelo cômodo coletaria todo contrabando ou possível evidência encontrada e colocaria em um saco plástico que carregava. Ele rotularia a sacola para que todos soubessem quem havia encontrado a evidência e em que sala. Quando a pesquisa fosse concluída, o responsável colocaria um "X" no número do cômodo, para que todos soubessem que já havia sido investigado. Por fim, guardaria as sacolas que coletara até voltarmos à base, onde as entregaria pessoalmente à equipe de exploração de inteligência de maneira sistemática, seguindo os procedimentos da cadeia de custódia. De volta ao acampamento, o desenhista e o etiquetador colocariam fita no chão com os números dos cômodos. A força de ataque então colocaria as provas nos locais apropriados. Quando a equipe de exploração começasse a analisar as informações, já saberia em que prédio e cômodo foram encontradas. Também saberia quem havia coletado a inteligência, caso houvesse dúvida.

Embora o plano parecesse complexo, quando dividido em papéis individuais, era bastante simples. Além disso, imaginei que cada um desses trabalhos levasse, talvez, dez minutos para ser concluído, e que seriam executados simultaneamente; esse procedimento disciplinado nos permitiria concluir a tarefa com muito mais eficiência e velocidade do que o nosso método de ataque caótico.

Meu AOIC desenvolveu um excelente plano, que prometia melhorar bastante nossa coleta de evidências. Agora, tínhamos que o resumir ao nosso pelotão SEAL. Pedi ao AOIC para fazer alguns slides de PowerPoint que descrevessem o novo processo. Era um resumo simples, que explicava os papéis, responsabilidades e a sequência do método. Chamamos o pelotão e começamos a lhe explicar.

Como os seres humanos tendem a resistir à mudança, houve uma discordância imediata. "Isso vai demorar muito", reclamou um SEAL.

"Por que estamos mudando nosso modo de agir? Se não estiver quebrado, não conserte!", acrescentou outro.

"Não vou me sentar no edifício esperando ser baleado enquanto fazemos tudo isso!", exclamou um SEAL sênior. "Isso vai matar alguém." Segundo ele, a implementação significaria nossa destruição iminente.

Praticamente todo o pelotão foi veementemente contra o novo plano.

Então tive que lhes explicar o *porquê*. "Escute", comecei. "Quem aqui revistou uma sala já revistada?" Quase todo o pelotão assentiu. "Quem aqui olhou uma sala bagunçada em um edifício-alvo e se perguntou se já fora revistada?" Novamente, quase todos. Continuei: "Quem revistou o banheiro no andar de cima em nosso último alvo?" Eles me deram olhares vazio. Eu sabia a resposta e lhes disse: "Ninguém." Ao voltarmos, percebemos que o banheiro não fora revistado; deixamos passar. "O fato é que não estamos fazendo o melhor. Os padrões para as evidências estão aumentando. Temos que melhorar. Este método é um bom procedimento operacional para adotarmos. Com disciplina e treinamento, seremos muito mais eficazes em nossos procedimentos de pesquisa. Então, vamos aplicá-lo. Vamos fazer alguns testes e ver se funciona."

Houve resmungos, mas, ainda que com relutância, o pelotão concordou. Sacamos nosso equipamento operacional e fomos para alguns edifícios abandonados na base que usamos para treinar antes das missões. Uma vez lá, conversamos sobre o plano mais uma vez e depois o analisamos — um ensaio geral em grande escala. A primeira busca levou meia hora, um tempo substancial, mas ainda menos do que os 45 minutos anteriores. Fomos para outro prédio e demos uma busca. Agora, as pessoas entenderam suas funções e o fluxo. A segunda rodada levou cerca de vinte minutos. Fomos para outro prédio. Dessa vez, levou dez minutos. Os caras agora acreditavam. A implementação de um método de pesquisa disciplinado melhorou drasticamente nossa eficácia e eficiência. Isso significava que era menos provável que perdêssemos evidências e informações importantes. Também melhorou nossa velocidade, o que significava que gastaríamos menos tempo no alvo, reduzindo o risco de contra-ataques.

Naquela noite, inauguramos o novo método em uma missão de combate real, no centro de Bagdá. Como máquinas, limpamos, protegemos e revistamos o prédio-alvo — tudo em menos de vinte minutos. Quando voltamos ao complexo, todas as evidências que reunimos foram empilhadas, organizadas por sala. Tempos depois, fizemos pequenos ajustes nos procedimentos para obter ainda mais eficiência, como o acréscimo de sacolas ziplock nos pescoços dos prisioneiros para guardar os pertences pessoais e as evidências encontradas neles. Com uma linha de base de procedimentos de pesquisa sólidos e disciplinados, foi fácil fazer pequenos ajustes para melhorar a eficiência e a eficácia de nossa equipe.

Não só ficamos mais rápidos com o novo método, como a qualidade de nossa coleta de evidências melhorou bastante. O método anterior, de saque, as restrições de tempo e a incapacidade de rastrear evidências caóticas nos impediam de revistar vários alvos por noite. Mas, com nosso novo método disciplinado, conseguíamos executar ataques e concluir nossas pesquisas tão rápido que passamos a vascular dois e até três alvos por noite, separando e organizando as evidências. Nossa liberdade de operar e manobrar aumentou substancialmente com procedimentos disciplinados. Disciplina é liberdade.

• • •

A disciplina começa todos os dias, quando o primeiro despertador toca. Digo "primeiro" porque tenho três, como fui ensinado por um dos instrutores mais temidos e respeitados no treinamento SEAL: um elétrico, um alimentado por bateria e um a corda. Assim, não há desculpa para não sair da cama, principalmente com tudo o que se relaciona àquele *momento decisivo*. O momento em que o alarme dispara é o primeiro teste; dá o tom do resto do dia. O teste não é complexo: quando o alarme dispara, você se levanta ou fica deitado confortavelmente e volta a dormir? Se tem *disciplina* para sair da cama, você vence — passa no teste. Se é mentalmente fraco naquele momento e deixa essa fraqueza mantê-lo na cama, você falha. Embora pareça pequena, essa fraqueza se traduz em decisões mais significativas. Mas, se você exercita a disciplina, isso também se traduz em elementos mais substanciais de sua vida.

Aprendi no treinamento SEAL que, se eu quisesse um tempo extra para estudar o material acadêmico que recebíamos, preparar nosso quarto e meus uniformes para uma inspeção ou apenas esticar os músculos doloridos, precisava *criar* esse tempo, porque ele não existia na programação. Quando entrei na minha primeira equipe SEAL, essa prática continuou. Se eu quisesse tempo para trabalhar no meu equipamento, limpar minhas armas, estudar táticas ou novas tecnologias, precisava *criá-lo*. A única maneira de *criar* tempo era acordando cedo. Isso exigiu disciplina.

Acordar cedo foi o primeiro exemplo que notei nas equipes SEAL, nas quais a disciplina fazia a diferença entre ser bom e ser excepcional. Vi isso com alguns dos SEALs mais antigos e experientes. Aqueles que chegavam ao trabalho antes de todos os outros eram considerados os melhores "operadores". Isso significava que eles tinham o melhor equipamento de campo, o equipamento mais bem organizado, os melhores disparos e eram os mais respeitados. Tudo se baseia na disciplina. Com disciplina, quero dizer uma autodisciplina intrínseca — uma questão de vontade pessoal. Os melhores SEALs com quem trabalhei eram os mais disciplinados. Acordavam cedo. Treinavam todos os dias. Estudavam táticas e tecnologia. Praticavam seu ofício. Alguns deles saíam pela cidade, bebiam e viravam a noite. Mas, mesmo assim, chegavam cedo e mantinham a disciplina em todos os níveis.

Quando os SEALs lançam operações de combate, a disciplina é fundamental. Os operadores têm que carregar de 25 a 50 quilos de equipamento. As temperaturas podem ser extremas. Quando estão em patrulha e chega a hora de descansar, os operadores não podem simplesmente se deitar e dormir. Precisam se mover estrategicamente — devagar e em silêncio. Quando querem comer ou beber, não podem simplesmente largar tudo e fazer isso. Eles precisam esperar até que estejam em uma posição segura. Embora possam estar exaustos por falta de sono, quando têm a chance de descansar, devem permanecer vigilantes e atentos para que o inimigo não os surpreenda. Nada é fácil. A tentação de seguir o caminho fácil está sempre lá. É tão fácil quanto ficar na cama de manhã e voltar a dormir. Mas a disciplina é fundamental para o sucesso e a vitória de qualquer líder e equipe.

Embora a disciplina exija controle e entrega, resulta em liberdade. Quando você tem a disciplina de acordar cedo, é recompensado com mais tempo livre. Quando tem a disciplina para manter o capacete e a armadura no campo, acostuma-se e pode mover-se livremente. Quanto mais disciplina tiver para se exercitar, treinar seu corpo e se tornar mais forte, mais leve ficará seu equipamento e mais fácil você se movimentará com ele.

Ao galgar posições de liderança, esforcei-me para melhorar minha disciplina pessoal. Percebi muito cedo que a disciplina não era só uma qualidade vital para um indivíduo, mas também para uma equipe. Quanto mais disciplinados os procedimentos operacionais padrão (POPs) de uma equipe, mais liberdade ela tem para Descentralizar o Comando (Capítulo 8) e, portanto, agir com mais rapidez, precisão e eficiência. Assim como um indivíduo se destaca quando exercita a disciplina, uma unidade que possui procedimentos mais rígidos e disciplinados se sobressai e vence.

Levei a ideia dos POPs para a Unidade de Tarefas Bruiser. Embora houvesse todo tipo de POPs preexistentes, que os pelotões e unidades de tarefa SEAL já seguiam — como reagimos ao contato do inimigo em manobras predeterminadas, chamadas "exercícios de ação imediata", a maneira como patrulhamos um método padrão que varia pouco de pelotão para pelotão —, na Bruiser, nós os levamos ainda mais longe. Padronizamos nossa maneira de carregar veículos. Padronizamos como nos reuníamos em um edifício-alvo. Padronizamos a maneira como "saíamos" dos prédios. Padronizamos a maneira como contávamos as cabeças para garantir que as tropas estavam completas. Até padronizamos nossos procedimentos de voz por rádio, para que as informações mais importantes fossem comunicadas rápida e claramente a toda a tropa, sem confusão. Havia uma metodologia disciplinada para praticamente tudo o que fazíamos.

Mas havia, e há, uma dicotomia na rigorosa disciplina que seguíamos. Em vez de nos tornar mais rígidos e estagnados, ela nos tornava mais flexíveis, adaptáveis e eficientes. Ela ampliava nossa criatividade. Quando queríamos mudar os planos no meio do caminho de uma operação, não era necessário recriar um plano inteiro. Tínhamos a liberdade de trabalhar dentro da estrutura de nossos procedimentos disciplinados. Tudo o que tínhamos que fazer era nos conectar e explicar qualquer pequena parte do plano que tivesse mudado. Quando queríamos combinar e equipar equipes de bombeiros, esquadrões e até pelotões, poderíamos fazê-lo com facilidade, pois todo elemento operava com os mesmos procedimentos fundamentais. Por último, e talvez o mais importante, quando as coisas davam errado e a névoa da guerra se instalava, recorríamos aos procedimentos disciplinados para conseguir enfrentar os desafios mais árduos do campo de batalha.

Embora o aumento da disciplina, muitas vezes, resulte em uma liberdade maior, há algumas equipes que ficam tão restritas pela disciplina imposta que inibem a capacidade de seus líderes e equipes tomar decisões e pensar livremente. Se os líderes da linha de frente e as tropas que executam a missão não forem capazes de se adaptar, isso se torna prejudicial a seu desempenho. Portanto, o equilíbrio entre disciplina e liberdade deve ser encontrado e cuidadosamente mantido. Nisto reside a dicotomia: a disciplina — ordem, regime e controle estritos — parece oposta à liberdade total — o poder de agir, falar ou pensar sem restrições. Mas, na verdade, a disciplina é o *caminho* para a liberdade.

PRINCÍPIO

O líder deve ser um perito em dosagem. Isso é o que faz a liderança tão desafiadora. Assim como a disciplina e a liberdade são forças opostas que devem ser equilibradas, a liderança requer encontrar o equilíbrio na dicotomia de muitas qualidades aparentemente contraditórias, entre um extremo e outro. Essa simples informação é uma das ferramentas mais poderosas do líder. Sabendo disso, ele pode equilibrar mais facilmente essas forças opostas e atuar com máxima eficácia.

Um líder deve liderar, mas também saber seguir. Às vezes, outro membro da equipe — talvez um subordinado, direto ou indireto — pode estar em uma posição melhor para desenvolver um plano, tomar uma decisão ou liderar uma situação específica. Talvez a pessoa júnior tenha maior conhecimento em uma área específica ou mais experiência. Talvez saiba uma maneira melhor de cumprir a missão. Os bons líderes devem ser receptivos a isso, deixando de lado o ego e os interesses pessoais para garantir que a equipe tenha mais chances de atingir seus objetivos estratégicos. Um verdadeiro líder não se sente intimidado quando os outros assumem o comando. Líderes que não têm confiança em si mesmos temem ser ofuscados por outra pessoa. Se a equipe for bem-sucedida, o reconhecimento irá para os responsáveis, mas um líder não deve buscar esse reconhecimento. Ele deve estar confiante o suficiente para seguir outra pessoa quando a situação exigir.

Um líder deve ser agressivo, mas não autoritário. Os SEALs são conhecidos por sua ânsia de enfrentar desafios difíceis e realizar algumas das missões mais difíceis. Alguns podem até me acusar de ter uma postura muito agressiva. Mas fiz o possível para garantir que todos os que estavam abaixo de mim na cadeia de comando se sentissem confortáveis em me abordar com suas preocupações, ideias, pensamentos e até discordâncias. Se achavam que algo estava errado ou que havia uma maneira melhor de agir, eu os encorajava, independentemente da classificação, a me procurar com perguntas e apresentar uma visão oposta. Eu os ouvia, discutia novas opções, e chegávamos a uma conclusão juntos, geralmente, adaptando parte ou até toda a ideia, se fosse viável. Do contrário, discutíamos o porquê e cada um de nós saía com uma compreensão melhor do que estávamos fazendo. Por outro lado, meus subordinados também sabiam que, se quisessem reclamar do trabalho árduo e do esforço incansável que eu esperava deles para cumprir a missão, era melhor se livrarem da ideia.

Um líder deve ser calmo, mas não robótico. É normal — e necessário — demonstrar emoção. A equipe deve entender que seu líder se preocupa com ela e com seu bem-estar. Mas um líder deve controlar suas emoções. Do contrário, como esperam controlar qualquer outra coisa? Os líderes que perdem a paciência também perdem o respeito. Mas, ao mesmo tempo, nunca mostrar sentimento de raiva, tristeza ou frustração o faz parecer frio — um robô. As pessoas não seguem robôs. Obviamente, um líder deve ser autoconfiante, mas nunca arrogante. A autoconfiança é contagiosa, um ótimo atributo para um líder e equipe.

Porém, quando vai longe demais, causa comodismo e arrogância, o que acaba levando a equipe ao fracasso.

Um líder deve ser corajoso, mas não imprudente. Ele deve estar disposto a aceitar riscos e agir com coragem, mas nunca ser imprudente. O trabalho do líder é reduzir ao máximo os riscos que podem ser controlados para cumprir a missão, sem sacrificar a equipe ou gastar excessivamente recursos críticos. Os líderes devem ter um espírito competitivo, mas também saber perder. Eles devem fomentar a competição e motivar a si mesmos e a suas equipes a atuarem no mais alto nível. Mas nunca devem colocar o desejo de sucesso pessoal à frente do sucesso geral da missão, para a equipe maior. Os líderes devem agir com profissionalismo e reconhecer as contribuições dos outros.

Um líder deve ser atento aos detalhes, mas não obcecado por eles. Um bom líder não fica detido pelas minúcias de um problema tático à custa do sucesso estratégico. Ele deve monitorar e verificar o progresso da equipe nas tarefas mais críticas. Mas não pode ser absorvido pelos detalhes e perder a noção do quadro geral.

Um líder deve ser forte, mas ter resistência, não apenas física, mas mental. Deve manter o desempenho no mais alto nível e sustentá-lo em longo prazo. O líder deve reconhecer limitações e saber monitorar o próprio ritmo e o de suas equipes para que mantenham um sólido desempenho.

Os líderes devem ser humildes, mas não passivos; tranquilos, mas não quietos. Devem possuir humildade e a capacidade de controlar o ego e ouvir os outros. Devem admitir erros e falhas, apropriar-se deles e descobrir uma maneira de impedir que aconteçam de novo. Mas um líder deve ser capaz de falar quando é preciso. De defender a equipe e recusar, de forma respeitosa, decisões, ordens ou orientações que prejudiquem o sucesso geral da missão.

Um líder deve ser próximo dos subordinados, mas não muito. Os melhores líderes entendem as motivações dos membros de sua equipe e conhecem seu pessoal — suas vidas e famílias. Mas um líder nunca deve se aproximar dos subordinados a ponto de criar preferências entre os membros, ou colocá-los na frente da missão. Os líderes nunca devem se aproximar a ponto de a equipe esquecer quem está no comando.

Um líder deve exercer a Responsabilidade Extrema. Ao mesmo tempo, Descentralizar o Comando, delegando controle aos líderes subordinados.

Por fim, um líder não tem nada a provar, mas tudo a provar. Em virtude do cargo e da posição, a equipe entende que o líder está no comando. Um bom líder não se vangloria ou deleita de sua posição. Responsabilizar-se por detalhes apenas para demonstrar e reforçar à equipe sua autoridade reflete uma liderança pobre, insegura e inexperiente. Se a equipe entende que o líder, de fato, é quem está no comando, ele não tem nada a provar em relação a isso. Mas, sob outro aspecto, um líder tem tudo a provar: todo membro da equipe deve desenvolver a confiança de que seu líder exercerá um bom julgamento, permanecerá calmo e tomará as decisões corretas quando for preciso. Os líderes devem conquistar esse respeito e provar que são dignos dele, demonstrando, de forma prática, que cuidarão da equipe e de seus interesses e bem-estar em longo prazo. Nesse aspecto, um líder tem tudo a provar, todos os dias.

Além disso, há inúmeras outras dicotomias da liderança que devem ser equilibradas. Quando um líder tem problemas, a causa principal é ter se inclinado demais para uma direção e perdido o rumo. A conscientização das dicotomias na liderança amplia essa percepção e, assim, viabiliza a correção.

A Dicotomia da Liderança

Um bom líder deve ser:

- confiante, mas não arrogante;
- corajoso, mas não imprudente;
- competitivo, mas saber perder;
- atento aos detalhes, mas não obcecado por eles;
- forte, mas resistente;
- líder e seguidor;
- humilde, não passivo;
- agressivo, não autoritário;
- tranquilo, não quieto;
- calmo, mas não robótico;
- lógico, mas não desprovido de emoções;
- próximo das tropas, mas não a ponto de alguém se tornar mais importante do que outro ou do que o bem da equipe; não a ponto de fazer a equipe esquecer quem está no comando;
- capaz de assumir a Responsabilidade Extrema, enquanto Descentraliza o Comando.

Um bom líder não tem nada a provar, mas tudo a provar.

APLICAÇÃO NO MUNDO DOS NEGÓCIOS

O diretor financeiro (CFO) finalmente me pegou sozinho entre as reuniões e esclareceu a questão: toda a divisão elétrica estava perdendo dinheiro. O CFO não achava que Andy, o CEO da empresa, mantivesse a divisão em bom funcionamento. Talvez, no futuro, a divisão pudesse mudar as coisas e se tornar lucrativa. Mas esse futuro não aconteceria em cinco anos — muito tempo no setor de construção, em que as condições de mercado, clima, competição, contratos e custos de mão de obra mudam radicalmente as previsões.

"A única maneira de tornarmos a divisão lucrativa é pagando-lhe de 30% a 40% acima da taxa de mercado. E, se fizermos isso, com certeza, eles podem ganhar dinheiro, mas vamos perder muito mais."

"Por que você acha que Andy está com problemas?", perguntei com curiosidade. "Ele é um cara inteligente. Deve ver o que está acontecendo."

O CFO olhou para o chão e, depois, por cima dos ombros. "É o Mike", disse com um tom solene.

"Mike, o CEO da divisão elétrica?", perguntei.

"Sim. É um velho amigo de Andy", respondeu o CFO, "daqueles de todos os momentos".

"Ok", respondi, entendendo o teor implícito. Andy estava protegendo o amigo.

"Quais as consequências de manter a situação como está?", perguntei.

"Se fizermos isso, continuaremos perdendo capital. Isso, por si só, não vai acabar com a empresa", respondeu o CFO. "Mas, perdendo tanto dinheiro, se surgir um custo inesperado, ficaremos vulneráveis. Não me importo em correr riscos, mas isso simplesmente não tem propósito."

No dia seguinte, sentei-me com Andy. Por mais que eu trabalhasse com a empresa há cerca de um ano, lidava mais com os gerentes de nível médio. Meu último workshop, de dois dias, foi com os executivos de nível C. Andy me chamara para ajudar os outros líderes, mas acabou que ele também precisava de um pouco de orientação.

Esperando uma oportunidade de abordar a questão, sentei-me com Andy para revisar os pontos fortes e fracos de sua equipe de liderança nas divisões. Acabamos chegamos ao Mike.

"Ele é um cara legal", disse Andy. "Conheço ele há anos. Ele entende do negócio, tem uma visão de dentro e de fora."

"Isso é ótimo", respondi. "A divisão dele deve estar gerando muito dinheiro para você."

"Bem, eu vi uma boa oportunidade no setor elétrico e abracei", disse Andy, com desconforto notável. "Com a experiência de Mike, eu sabia que ele poderia dar conta do negócio."

"Então a divisão é lucrativa?", perguntei.

"Ainda não", respondeu Andy, "mas será".

"Em quanto tempo?", perguntei.

Andy fez uma pausa. "Honestamente, pode levar de três a cinco anos."

"Nossa", falei. "Parece muito tempo para esse setor."

"E pode demorar ainda mais. Mantê-lo na operação está nos custando muito dinheiro todo mês", admitiu Andy. "Mas eles não estão conseguindo contratos fora da empresa no momento."

"Você já pensou em demiti-lo?", perguntei, bem direto.

"Já… mas… é que… será rentável em alguns anos", respondeu.

"Deixe-me perguntar uma coisa. E se surgir um imprevisto? Custos inesperados? Um incidente ou acidente grave? Um grande contrato for rescindido? Você poderá arcar com esse tipo de situação?"

"Dificilmente", respondeu Andy.

"Essa é a melhor estratégia para a empresa?", perguntei.

"Olha, não é assim tão simples. Conheço Mike há muito tempo. Muito tempo mesmo", disse Andy. "Ele sempre me apoiou. Não posso simplesmente demiti-lo."

Na mosca. Andy sabia que aquela lealdade era um erro. Eu só precisava fazê-lo perceber isso.

Como Andy acabara de ler meu resumo sobre a Dicotomia da Liderança, usei minhas próprias palavras: "Então, um de seus homens é mais importante do que a missão?", perguntei, sem rodeios.

"Eu não disse isso", insistiu Andy.

"Como líder, você tem que estar perto do seu pessoal", falei. "E, como eu disse no resumo, o equilíbrio compreende que você não se aproxime de uma pessoa a ponto de ela se tornar mais importante do que a missão ou o bem da equipe. Com sinceridade, parece-me que Mike é mais importante do que a estabilidade financeira e o sucesso da sua empresa."

Era evidente que Andy sabia que estava inclinado demais em uma direção. Como acontece com muitas das dicotomias da liderança, a maior força de uma pessoa pode ser sua maior fraqueza quando ela não sabe equilibrá-la. A melhor qualidade de um líder pode ser sua agressividade, mas, se ela for longe demais, ele se torna imprudente. A melhor qualidade de um líder pode ser sua confiança, mas, quando se torna confiante demais, ele não ouve os outros. Neste caso, Andy era um líder muito leal. Conhecia bem seu pessoal e cuidava de seus líderes e funcionários. Mas sua lealdade a Mike estava comprometendo a estabilidade financeira de toda a empresa. Sua lealdade estava causando desequilíbrio. E, além disso, os outros líderes de Andy, de toda a empresa, percebiam o que estava acontecendo, e a liderança de Andy como CEO foi ficando desacreditada.

Por fim, Andy cedeu: "Eu sei, eu sei. Eu deveria demiti-lo, cortar minhas perdas. Mas é difícil em uma situação como essa."

"Claro que é. Ser líder nunca é fácil", falei. "Imagine os marinheiros na Segunda Guerra Mundial, cujos navios foram severamente danificados. Com a água entrando e o risco iminente de afundar, eles às vezes precisavam fechar a escotilha de compartimentos inundados quando homens amigos ainda estavam lá, para salvar o navio. Essa é uma decisão incrivelmente difícil. Mas eles sabiam que, se não o fizessem, arriscariam a vida de todos. Eles precisavam de disciplina para tomar a decisão mais difícil a fim de salvar o navio e a todos os outros homens a bordo. Há uma lição nisso para a sua situação aqui, com Mike. Você precisa de disciplina para fechar essa escotilha e desligar a divisão elétrica, a fim de garantir a segurança da sua empresa — e de todos os outros funcionários."

Andy entendeu a mensagem. Dois dias depois, ele me ligou e disse que havia decidido reduzir as perdas da empresa, e começou o fechamento da divisão de Mike. Ele sabia que era a decisão certa e agora estava confiante disso. Para surpresa de Andy, Mike disse a ele que entendia completamente e até já esperava por isso. A demissão não afetou a amizade deles. Andy encontrou outro cargo na empresa para aproveitar a experiência e os conhecimentos substanciais de Mike, o que lhe fez agregar valor. A economia de custos do corte lhes deu a liberdade de investir em outras divisões mais lucrativas da empresa.

Jocko e o comandante da companhia "Gunfighter", do lendário Exército dos EUA 1/506° 101° Divisão Aerotransportada, coordenando e direcionando o movimento de SEALs, soldados iraquianos e tropas do Exército dos EUA durante uma grande operação de liberação no território inimigo.

(Fotografia dos autores)

POSFÁCIO

Há uma resposta para a antiga dúvida sobre a liderança ser inata ou desenvolvida. Obviamente, alguns nascem com qualidades naturais de liderança, como carisma, eloquência, perspicácia, determinação, disposição para aceitar riscos em situações que outros hesitariam, e a capacidade de permanecer calmo em situações caóticas e de alta pressão. Outros podem não ter nascido com essas qualidades. Mas, com vontade de aprender, com uma atitude humilde, aberta a críticas construtivas válidas para melhorar, prática e treinamento disciplinados, mesmo aqueles com menos habilidades naturais se tornam líderes altamente eficazes.

Alguns que foram abençoados com todo o talento natural do mundo fracassarão como líderes se não forem humildes para reconhecer seus erros, admitir que não têm tudo sob controle, buscar orientação, aprender e crescer continuamente. Com a mentalidade de Responsabilidade Extrema, qualquer um pode se tornar um líder altamente eficaz. As qualidades descritas neste livro podem e devem ser aprimoradas por meio do treinamento, a fim de criar melhores líderes e equipes de alto nível. O treinamento é crítico para desenvolver os fundamentos da liderança e criar confiança nas habilidades de comunicação e liderança.

Nem sempre os líderes criam as estratégias, táticas ou orientações que levam suas equipes ao sucesso. Mas os líderes que exibem a Responsabilidade Extrema sabem tornar os principais líderes de suas equipes aptos a descobrir jeitos de vencer. Alguns dos planos mais ousados e bem-sucedidos da história não vieram dos altos escalões, mas da linha de frente. Os líderes seniores simplesmente tiveram a coragem de aceitar e segui-los.

A Responsabilidade Extrema é uma mentalidade, uma atitude. Se os líderes a exibem e desenvolvem uma cultura compatível em suas equipes e organizações, tudo se encaixa. Logo, um líder não precisa mais se envolver nos detalhes das decisões, mas pode procurar focar a missão estratégica, enquanto as equipes lidam com as batalhas táticas. O objetivo de todos os líderes deve ser ausentar-se de uma tarefa. Isso significa que os líderes devem estar fortemente engajados em treinar e orientar seus líderes juniores para prepará-los para avançar e assumir maiores responsabilidades. Quando orientado e treinado adequadamente, o líder júnior pode substituir o sênior, permitindo que ele avance para o próximo nível de liderança.

Muito do que abordamos neste livro já foi tratado. Não nos consideramos criadores de paradigmas de princípios de liderança. Muito do que aprendemos ou reaprendemos já existe há centenas e, em alguns casos, milhares de anos. Mas, embora seja simples entender esses princípios na teoria, é difícil aplicá-los na vida. Liderança é *simples, mas não é fácil*.

Da mesma forma, liderança é arte e ciência. Não há respostas exatas ou fórmulas específicas a serem seguidas em todos os casos. Em qualquer situação, há uma grande área cinzenta, nem preta nem branca. Há um número infinito de opções para possíveis soluções para qualquer desafio de liderança. Algumas estarão erradas e só levarão a mais problemas, enquanto outras resolverão o problema e colocarão a equipe de volta nos trilhos.

As decisões de liderança são intrinsecamente desafiadoras e exigem prática. Nem toda decisão será boa: todos os líderes cometem erros. Nenhum líder, por mais competente e experiente que seja, está imune. Para qualquer líder, o segredo é lidar com esses erros com humildade. Os subordinados, diretos ou indiretos, não esperam que seus chefes sejam perfeitos. Quando o chefe comete um erro, e depois o reconhece, seu respeito não diminui. Em vez disso, aumenta, mostrando que é capaz de admitir e assumir seus erros e, o mais importante, aprender com eles.

Nenhum livro dirá a um líder exatamente como liderar em todas as situações. Mas este livro é um guia para decisões complexas, uma referência a ser usada como orientação quando dilemas difíceis de liderança surgirem. Embora as especificidades de qualquer situação específica possam variar e os personagens diferirem ligeiramente, os princípios permanecem os mesmos e podem ser aplicados, direta ou indiretamente, para superar qualquer desafio de liderança.

Embora não haja garantia de sucesso na liderança, uma coisa *é* certa: liderar pessoas é o mais desafiador e, portanto, o mais gratificante de todos os empreendimentos humanos. Portanto, com essa recompensa gratificante em mente, aceite o peso do comando e avance para o seu campo de batalha, em qualquer arena em que esteja, com a determinação disciplinada de assumir a Responsabilidade Extrema, liderar e vencer.

APÊNDICE

Perguntas e Respostas sobre Liderança do *Jocko Podcast*

Após o lançamento de *Responsabilidade Extrema* [o original, nos EUA], Jocko Willink lançou o *Jocko Podcast*, que foi classificado como o podcast nº 1 de negócios e selecionado como um dos doze "Melhores Podcasts de 2016" pela Apple iTunes. Com resenhas detalhadas de livros e entrevistas com convidados — veteranos com ampla experiência em combate ou pessoas de outras esferas que vivenciam perspectivas, desafios e experiências únicas —, Jocko e seu colega e produtor, Echo Charles, discutem guerra, liderança, negócios, jiu-jitsu, luta, fitness e a vida como um todo. Leif Babin é convidado regular do *Jocko Podcast*.

Por fim, o *Jocko Podcast* fala da natureza humana, revelada pelas lentes da guerra, dos conflitos e dos julgamentos das lutas coletivas e pessoais. Embora explore alguns dos episódios mais sombrios da humanidade, também procura mostrar constantemente o que há de bom no mundo, que pode ser encontrado e criado, mesmo nos tempos mais sombrios.

No podcast, Jocko costuma responder às perguntas enviadas pelos ouvintes por e-mail, redes sociais e interações públicas. Echo Charles lê as perguntas dos ouvintes do *Jocko Podcast*, que abrangem vários tópicos, incluindo condicionamento físico, realização pessoal, disciplina, superação de vícios e, é claro, liderança. Como muitas das respostas às perguntas contêm informações fundamentais sobre liderança, decidimos incluí-las como uma referência para ajudar os líderes na implementação dos princípios que descrevemos neste livro.

As perguntas e respostas a seguir são baseadas em transcrições de conversas do podcast e, embora seu tom original tenha sido preservado, foram editadas para fins de compreensão e clareza. Veja algumas das perguntas sobre liderança enviadas pelos ouvintes do *Jocko Podcast*, respondidas por Jocko e Leif e lidas por Echo Charles:

De *Jocko Podcast* 1

Echo Charles: Que conselho você daria a oficiais que ingressam em Operações Especiais ou em outros cargos de liderança de elite?

Jocko Willink: Esta é uma pergunta que recebo frequentemente de pessoas que estão sendo promovidas a uma posição de liderança pela primeira vez. Por exemplo, militares ou executivos que estão assumindo papéis de liderança pela primeira vez. Digo a mesma coisa ao pessoal das Operações Especiais e do mundo dos negócios: seja nos negócios ou na batalha, os princípios de liderança permanecem os mesmos.

Então, se você é novato, o que faz? Como assume esse papel de liderança?

Número um: seja humilde. Sei que este é um tema sobre o qual falo o tempo todo, e talvez pareça um disco arranhado. Mas todo mundo conhece e já viu o cara arrogante que assume um papel de liderança e acha que tudo será do seu jeito. É "do jeito dele ou nada". E as equipes tendem, quase sempre, a desrespeitar instantaneamente uma pessoa assim.

Então, como você supera isso?

Você chega com humildade. Respeita as pessoas. E as respeita independentemente do cargo, de quanto dinheiro ganham. Não importa. Você trata a todos com respeito, e, assim, eles o respeitarão.

Você também tem que ouvi-los. Significa muito quando um de seus funcionários vai conversar com você e você se senta e diz: "Ok, deixe-me fazer algumas anotações sobre o que você está dizendo." Isso significa muito para eles. E, às vezes, as pessoas se esquecem de fazer isso. Elas se esquecem do quão horrível é olhar para cima e ver o chefe dispensando alguém ou dizendo: "Não tenho tempo para você agora."

Você tem que ouvir as pessoas, porque o ajuda a se conectar com elas, e é isso o que você deve fazer em uma posição de liderança: construir relacionamentos. Fazer negócios é isso. Liderar em combate é isso. A vida é isso.

É assim que você lidera as pessoas. Você constrói relacionamentos com elas. Leif e eu falamos disso o tempo todo. Claro, eu posso lhe dar uma ordem se você estiver abaixo de mim na hierarquia, e você pode executá-la algumas vezes. Mas as pessoas que realmente seguem você não são aquelas com quem você grita; são aquelas com quem tem um relacionamento real. Esses caras farão qualquer coisa por você.

Os caras que trabalhavam para mim, que eram meus subordinados, fariam qualquer coisa por mim. E eu faria qualquer coisa por eles — eu faria qualquer coisa por aqueles caras. Os caras que estavam na minha unidade de tarefas, aqueles caras eram incríveis, e eu faria qualquer coisa por eles. Eu daria qualquer coisa a eles, e eles fariam o mesmo por mim.

Por quê? Não era porque eu lhes ordenava a fazer alguma coisa. Isso não funciona. Você tem que construir relacionamentos.

E como se constroem relacionamentos? Você faz isso respeitando as pessoas. Sendo humilde. Escutando. Falando a verdade. Tendo integridade e lhes falando a verdade.

Você não pode mentir para as pessoas. E mentir é uma palavra forte, porque não acho que as pessoas mintam regularmente. Mas os líderes às vezes usam meias-verdades e obscurecem as coisas. Você não pode fazer isso, porque as pessoas percebem. Mesmo que alguém não saiba qual é a verdade, definitivamente sabe quando o que está vendo não é ela.

Por isso, sempre fui direto com meus homens. Eu dizia: "Ok, é isto o que está acontecendo. Este é o problema. Estes são nossos erros. Precisamos melhorar nisto. Esta é a pressão que tenho sofrido da sede mais alta. É por tal motivo que estou sob pressão."

Eu não tapava o sol com a peneira. Eu não tentava disfarçar algo para parecer diferente do que era.

Se me dizem para fazer algo em que não acredito, não vou dizer aos meus colegas: "Ei, não acredito nisso, mas vamos fazer assim mesmo." Não. Se não acredito, preciso descobrir o propósito. Tenho que dizer: "Chefe, não entendo por que estamos fazendo isso. Não vejo como isso nos ajudará a vencer a batalha. Você pode me explicar, para que eu possa explicar aos meus colegas?" E meu chefe terá que fazer isso.

Ele terá que fazer isso porque todos estamos tentando vencer a guerra. Meu chefe está tentando vencer a guerra. Eu estou tentando vencer a guerra. Meus homens estão tentando vencer a guerra. Portanto, meu chefe não vai me dizer para fazer algo que não faz sentido nem é útil para nos ajudar a vencer. Então, devo acreditar nisso. Se não, devo questioná-lo.

E este é o tipo de coisa que nos permite construir relacionamentos. Conversa aberta. Assim como a responsabilidade. Ela ajuda a construir relacionamentos. Você precisa assumir problemas quando surgem — e, depois, resolvê-los. Então, quando as coisas dão certo, você deve repassar a recompensa e o crédito para sua equipe. Isso também ajuda a construir relacionamentos.

Então, é isso que eu diria a um líder novato, do mundo dos negócios ou do campo de batalha.

Além disso, trabalhe arduamente. Eu deveria ter dito isso primeiro. Trabalhe arduamente — esta é a base.

E também precisa de equilíbrio. Todas essas coisas, como líder, devem ser equilibradas. Por exemplo: ao ser sincero, ao ser honesto, você também precisa ser diplomático. Ser sincero e honesto não permite que você seja um idiota. Se está trabalhando com seus subordinados e eles cometem um erro, você não diz: "Esse trabalho foi horrível. Você me decepcionou."

Não. A primeira coisa que deve fazer é se responsabilizar e dizer: "Obviamente, não lhe dei orientação suficiente." Depois, discutir o que deu errado. Mas o que estou dizendo é que existem pessoas que são diretas e honestas, e que todos as odeiam porque elas não têm nenhum tato. Elas não têm traquejo. Não fazem jiu-jitsu mental. Não refletem. Não avaliam a situação como um todo. Você precisa ser um jogador de xadrez, não um jogador de damas. Você precisa saber influenciar as pessoas.

Portanto, não confunda honestidade com grosseria, estupidez e falta de sensibilidade. Você tem que fazer jiu-jitsu. E, para quem não o pratica, jiu-jitsu é uma arte marcial bastante matizada, na qual você está constantemente tentando definir as coisas e moldar a situação.

Não é como o boxe. O boxe é uma luta de desgaste. No boxe, tento dar um soco em você; e você, em mim. No jiu-jitsu, tento manobrar a outra pessoa. Tento ficar em uma posição melhor do que a outra pessoa. Tento flanqueá-la e acertá-la de uma direção inesperada. É nisso que reside a arte da liderança.

Qualquer um poderia ler uma lista e dizer: "Ei, esta é a lista do que vocês erraram na missão. Fizeram um trabalho horrível. Consertem." Esse líder não será respeitado. Mesmo sendo sincero, honesto e franco, não o levará aonde precisa.

Há outro jogo que precisa ser jogado. Lidar com egos e personalidades. As pessoas têm personalidades diferentes. Um líder precisa aprender a ser como um artesão de madeira. Ele precisa aprender quais ferramentas usar com diferentes tipos de madeira. Ser líder é isso.

Se liderar fosse tão fácil quanto dizer: "Faça estas sete coisas", eu não teria escrito um livro sobre liderança nem teria fundado um negócio de consultoria em liderança, porque todos seriam grandes líderes apenas dizendo às pessoas o que fazer. Existe uma arte para liderar, e executá-la é muito difícil.

É simples, mas não é fácil. Mas existem etapas simples. Seja honesto. Mostre integridade. Assuma responsabilidades. São etapas simples, mas, ao mesmo tempo, incrivelmente matizadas, e é isso que torna a liderança tão desafiadora. É isso o que a torna tão gratificante também.

Essa mesma pergunta é repetida de várias formas: como lidero quando estou entrando em uma área em que não tenho muita experiência? Como lidero pessoas mais velhas que eu? Como lidero pessoas mais jovens que eu? Como lidero quando estou entrando em um novo setor? Como lidero um monte de homens sendo mulher? Como lidero um monte de mulheres sendo homem? Como lidero quando assumo o lugar de alguém que acabou de ser demitido? Como lidero quando fui promovido entre meus colegas?

A resposta para todas essas perguntas é sempre a mesma e é bastante simples. Seja humilde. Ouça. Respeite as pessoas na cadeia de comando. Aceite sugestões, mas seja decisivo. Seja honesto ao ser diplomático. Mantenha-se equilibrado. Entenda a perspectiva das pessoas da equipe acima e abaixo de você. Assuma o controle de problemas e erros. Dê crédito à equipe. Por fim, construa relacionamentos — bons, sólidos e profissionais — com sua equipe.

De *Jocko Podcast* 19
EC: Como supero a sensação de que sou um impostor como novo gerente? Sou um líder totalmente novato e não sei muito. Sinto que estou prestes a ser desmascarado. Como posso liderar minha equipe de forma eficaz?

JW: Bem-vindo à liderança, meu amigo. Eis a questão: seu medo é de que percebam que você não sabe de tudo.

E o que você precisa saber é que esse sentimento é bom. Não há problema em não saber de tudo. É perfeitamente normal ser novo em uma posição de liderança e não conhecer tudo do mundo. Você não precisa saber tudo sobre um trabalho específico em que está entrando. Você não precisa saber tudo, simplesmente.

O que você precisa fazer é entrar e fazer boas perguntas. Escute as pessoas. Vá e diga: "Nunca fiz esse procedimento" ou "Nunca trabalhei com esse equipamento. Você pode me mostrar como usá-lo? Porque quero ter certeza de ter entendido. Quero ter certeza de que entendi". E, vendo que está fazendo boas perguntas e deseja aprender, as pessoas o respeitarão.

Agora, isso não é uma desculpa para não saber nada. Porque, se assumiu uma nova posição de liderança, deve estudar, ler e aprender sobre seu novo papel, para ter uma compreensão geral dele. Estude os manuais, regulamentos e procedimentos. Não estou dizendo para seguir todas essas coisas cegamente, sem bom senso. Não. Não é isso. Mas há uma base de conhecimento que você deve adquirir muito rapidamente ao assumir uma posição de liderança. Então, dedique-se a aprender, com bom senso.

É a mesma coisa que digo toda vez que alguém me pergunta: como você lidera nessa ou naquela situação? Como lidera novas pessoas? Como lidera pessoas seniores? É a mesma resposta sempre. Seja humilde. Escute-os. Seja pontual. Trabalhe arduamente. Trate as pessoas com respeito. Pese as decisões com cuidado. Converse com as pessoas e depois tome uma boa decisão. Capacite seu pessoal para liderar. Não microgerencie; dê orientações claras sobre as expectativas esperadas.

A liderança é isso. E, quando você é um novo líder, não precisa saber de tudo. Não se espera que você saiba tudo. E mostrar que você é capaz de admitir que não sabe tudo não prejudica sua reputação. Na verdade, ajuda.

Então, mergulhe de cabeça. Seja humilde. Pergunte. Aprenda o mais rápido possível. E está tudo bem.

Olha, nos anos 1980, e talvez até o começo dos anos 1990, quando os homens estavam perdendo o cabelo e ficando carecas, faziam um penteado. Eles puxavam os cabelos laterais para cima, para que não parecessem que estavam ficando carecas. E o que estou lhe dizendo, como líder, é para não fazer essas maquiagens. Faça o que os caras fazem hoje, que é raspar a cabeça. Eles dizem: "Ei, estou perdendo cabelo. Tudo bem. Vou raspar tudo."

E funciona do mesmo jeito para os líderes. Apenas diga: "Sou seu novo líder. Não sei tudo. Tenho tais fraquezas. Você pode me ajudar?"

Não é grande coisa. Não finja. Não esconda. Não faça maquiagens de liderança. Não. Não seja a pessoa que assume o comando e diz: "Vou administrar tudo isso. Eu sei tudo. Ninguém sabe tanto quanto eu."

Essa pessoa não vai ganhar respeito. Mantenha a humildade e não pense que precisa saber tudo.

De *Jocko Podcast* 34, com Leif Babin
EC: Existe uma maneira de praticar as conversas difíceis? Delicadeza não é meu forte.

LB: Bem, fico feliz que delicadeza não seja seu forte, porque também não é o meu. Sou um cara muito direto e um líder agressivo por natureza. Mas isso é algo que aprendi com Jocko. Ele usa a analogia do jiu-jitsu e explica como, muitas vezes, a abordagem direta não funciona. Quando ainda é praticante de faixa branca, você faz um dos três movimentos que conhece. Então, as pessoas sabem qual é o movimento que se aproxima, e é muito fácil se defender dele.

Porém, se você tomar a iniciativa de, subitamente, mudar sua abordagem, é mais provável que ela funcione. Em outras palavras, o uso de abordagens indiretas tende a ser mais bem-sucedido. E com a liderança funciona do mesmo jeito. Muitas vezes, a abordagem direta de dizer "Faça do meu jeito" simplesmente não dá resultado.

Voltando à pergunta: há uma maneira de praticar as conversas difíceis? Sim, existe. Ensaiando. Muitas pessoas pensam que não precisam disso. Os ensaios são absolutamente críticos para o desempenho dos SEALs no campo de batalha. Acho que muitas pessoas não se dão conta da quantidade de ensaios e orientações que realizamos antes de cada operação. Se estamos nos preparando para uma operação, podemos colocar pedras para simular o terreno em que trabalharemos ou fita no chão para mapear estruturas em um local de destino. Podemos reunir nossas equipes para carregar ou descarregar helicópteros ou veículos.

Os ensaios permitem às pessoas, no escuro da noite, quando tudo está louco e caótico, ir ao lugar certo e fazer o que devem fazer. Praticamos até coisas aparentemente tão simples quanto descarregar um veículo. Por exemplo, temos vinte caras na traseira de um grande caminhão de cinco toneladas. Não são apenas SEALs, mas também soldados iraquianos e outros facilitadores para uma missão específica. Para sair, é preciso abrir uma porta gigante e pesada de aço. Então colocar uma escada para fora e todos devem descer por ela, com todo o equipamento. Isso demora.

JW: E pode se transformar em uma cena de *Os Três Patetas* muito rápido!

LB: Sem dúvida. As pessoas podem cair. Podem se machucar. Alguns caras já caíram de caminhões assim e deslocaram seus ombros. Mas o mais importante é que, se a equipe demorar 3 ou 4 minutos para fazer algo assim, serão 3 ou 4 minutos que você não terá armas apontadas para todas as direções, para todas as ameaças possíveis, e isso é crítico. Então, temos que praticar, e praticar, e praticar até que possamos fazê-lo em menos de 30 segundos. E então, se tivermos duas forças de ataque, precisamos garantir que uma equipe de ataque esteja alinhada no lado esquerdo da estrada e outra, no direito, para ficarmos preparados para o ataque. Essas coisas parecem pueris e elementares. Mas mesmo essas coisas simples podem ficar muito complicadas em situações dinâmicas. No entanto, se dedicar um tempo para praticar, seu desempenho será muito melhor quando chegar lá, no escuro da noite, no caos de uma área desconhecida, preocupando-se com os bandidos e onde eles estão. O bom desempenho vem do ensaio.

Então, para ter essas conversas difíceis, é a mesma coisa. Você tem que praticar. Você tem que se sentar com alguém que entenda como a pessoa com a qual você terá a conversa difícil pode responder. Encene. Experimente diferentes cenários. Comece com um cenário fácil, uma bola de softbol e, em seguida, passe para um mais difícil, praticando nos piores cenários possíveis.

Quanto mais você fizer isso, melhor será. E isso é algo que Jocko e eu fazemos bastante com empresas com as quais trabalhamos: dramatizações. Por exemplo, digamos que você precise aconselhar alguém. Pode parecer fácil apenas dizer: "Sabe, você pisou na bola e nós estamos responsabilizando você." Mas talvez este seja um cara legal que simplesmente cometeu um erro. Ele pisou na bola, e agora você tem que conversar com ele para garantir que não cometa esse erro novamente. Mas você não pode ser muito negativo, ou talvez destrua a confiança dele. E, além de tudo isso, você não tem 100% de certeza de como ele reagirá. Será uma conversa difícil, e esse ensaio e dramatização são críticos para prepará-lo. Faz você melhorar e permite que tenha um melhor desempenho. Você tem que treinar.

JW: Absolutamente. E, em três ou quatro iterações com alguém em um cenário de dramatização, elas ficam notavelmente melhores. Você percebe sua melhora a cada vez.

LB: Sim. Ensaiar, ensaiar, ensaiar. E no mundo dos negócios, principalmente nos cenários de liderança interpessoal, isso significa encenação. Significa preparação e prática. É assim que você executa com a maior eficácia e eficiência como líder.

De Jocko Podcast 47

EC: Que conselho você daria para pessoas que têm líderes fracos, pobres ou, de alguma forma, ineficazes? Como você manipula essa situação?

JW: Quando você está em uma situação como essa, quando tem alguém que é um líder fraco ou ineficaz, a resposta é direta: o que você faz é *liderar*. Você lidera. E espero que as pessoas que ouvem este podcast regularmente, e espero que todos, saibam o que vou dizer: quando alguém não está liderando você, você o lidera. Você pega a brecha de sua fraqueza.

Meu líder não quer criar um plano? Tudo bem. Eu farei.

Meu líder não quer dar um resumo? Isso é bom. Eu farei.

Meu líder não quer orientar as tropas mais jovens? Tudo bem. Eu farei.

Meu líder não quer assumir a culpa quando algo der errado? Por mim, tudo bem. Eu vou assumir a culpa. E você tem que pensar nisso. Essa pode ser complicada, porque você pensa: "Se eu assumir a culpa, vou ficar mal. Vou ficar mal na frente da equipe e na frente do meu chefe mais sênior — o chefe do meu chefe fraco."

Mas pense nisso da perspectiva de um líder. Digamos que a missão tenha sido um fracasso, e o chefe chegue para descobrir o que aconteceu. Escute como a situação se desenrola — sou o responsável pela missão e digo: "Desculpe, chefe, falhamos. Mas não foi minha culpa. Foi culpa dele", e aponto o dedo para alguém.

Agora, imagine que o cara para quem eu apontei o dedo diga: "Sim. Foi minha culpa. Foi isso que aconteceu. Cometi esses erros. E farei isso para corrigir a situação da próxima vez."

Quem o chefe sênior respeita mais? O cara que culpou alguém ou o que assumiu a responsabilidade — o cara que se responsabilizou? Claro, é o cara que se apropria dos problemas. Ele ganha o respeito. E o cara que repassa a culpa... o chefe pensa em demiti-lo!

Portanto, tenha isso em mente. Antes de se sentir intimidado por assumir a culpa por algo porque você acha que ficará mal e será demitido, pense na imagem que isso passa ao líder sênior. É quase sempre preferível assumir a culpa.

Agora, estou dizendo isso como uma declaração geral, 100% verdadeira, o tempo todo? Não. Há momentos em que o chefe comete um erro que você não deve assumir. Digamos que algumas informações sigilosas tenham sido comprometidas, e foi seu chefe quem perdeu o controle do material confidencial. Não é hora de assumir a culpa. Primeiro de tudo, você não está dizendo a verdade; a culpa não foi sua. Segundo, o chefe cometeu um erro indesculpável. Portanto, essa não é uma situação em que você deva assumir a responsabilidade. E se seu chefe é tão covarde que tenta impor um incidente sério a você, você não pode permitir isso.

Mas quando você está realizando uma operação ou um projeto em que erros são cometidos e seu chefe tem medo de assumi-los, assuma. Você vencerá em longo prazo.

Agora, aí vem a parte que é crucial e crítica — e a mais desafiadora. Quando você avança para liderar, precisa ter certeza de que não está *se sobrepondo* e *desautorizando* seu líder. Você não deve se destacar. Você não deve se impor na luz e glória da liderança dele. Você não deve fazer isso. Você não pode fazer isso. Em vez disso, você deve fazer com que ele receba todo o crédito. Você não deve fazê-lo se sentir intimidado por você, e isso pode ser difícil.

Porque, quando você assume as coisas, pode ser muito intimidador para a pessoa que está acima de você. Ela pode pensar: "Bosta. Esse cara é ousado. Ele está se mostrando e assumindo o comando." Ela pode até ficar intimidada com isso, então você tem que ter cuidado.

Então, o que precisa fazer é uma guerra de manobras indiretas. Um pouco de jiu-jitsu mental. Por exemplo, se eles não quiserem elaborar um plano, talvez você diga: "Ei, chefe, o que você acha disso? Seria um bom plano?" Você dá o plano a eles, mas deixa que pensem que é deles, ao parecer buscar orientação ou aprovação.

Talvez, se seu líder não estiver orientando os mais jovens, você diga: "Ei, chefe, quero passar um tempo com eles depois do trabalho. Você se importa se eu tiver uma pequena sessão com eles e repassar o que aprendemos em nossa última implantação?" Neste caso, você está pedindo a permissão dele — sem agir por conta própria.

Você pode até dizer: "Acho que seria muito bom para a nossa equipe se fizéssemos isso." Se a equipe está bem, então o líder está bem. E você deve fazer com que seu chefe pareça bem. Você deve fazer isso.

Há várias outras maneiras de avançar e liderar sem passar por cima do seu líder. Porque, se fizer isso, ele pode acabar se sentindo intimidado por você. Isso pode acabar com você sendo colocado na casinha de cachorro, ou demitido, rebaixado ou com algum outro tipo de problema, porque ele se sentiu intimidado por você. Portanto, tenha cuidado.

Também há muitos líderes que não são tão agressivos, mas, quando você começa a se tornar agressivo, eles apreciam. Trabalhei para muitas pessoas que adoravam que eu tomasse a frente e cuidasse dos problemas. Uma das razões pelas quais elas gostavam era porque, embora não fossem os líderes mais agressivos, eram bons e confiantes.

É com o líder inseguro que você precisa ter cuidado. O líder inseguro está sempre preocupado em parecer mal.

E este é outro ponto importante a ser destacado aqui: quando você, como líder, tem alguém que está se destacando e assumindo o comando, e você começa a se sentir intimidado, pergunte a si mesmo: "Por que estou intimidado nessa situação?" É um problema de ego. Você está sendo um líder fraco — é por isso que está intimidado por seus subordinados.

Se o seu subordinado está crescendo e fazendo seu trabalho melhor do que você, não fique bravo. Em vez disso, cresça e descubra como você pode melhorar o que está fazendo. Como você pode olhar para cima e para fora? Em que outras áreas pode se concentrar, já que seu líder subordinado cresceu e está fazendo as coisas acontecerem? Que, a propósito, é exatamente o que você deve querer como líder: que sua equipe se desenvolva. Isso é incrível. Nós queremos isso. Isso é Descentralizar o Comando. Isso cria líderes abaixo de você para assumir seu trabalho, que sempre deve ser sua meta como líder.

Por fim, toda vez que vejo alguém dizer: "Tenho um líder fraco", sempre respondo: "Sorte sua!"

Tire vantagem disso. LIDERE! Faça o que você quer. É uma oportunidade boa ter um líder fraco acima de você. Não fique deprimido por seu líder não o motivar. Motive-se! Assuma o controle. Tire vantagem disso. Faça as coisas acontecerem. É incrível ter um líder fraco. Eu amo. Eu aproveito. Isso me dá muito mais mobilidade no meu trabalho. Se eu tenho um líder forte, obviamente, isso também é ótimo. Mas um líder fraco não é ruim. Cresça e tire vantagem disso. Cresça e lidere.

De Jocko Podcast 32
EC: O microgerenciamento funciona?

JW: Bem, isso pode surpreender algumas pessoas: sim. E, mais importante, às vezes você *precisa* microgerenciar. Por exemplo, se tem alguém que não é bom em seu trabalho, ou não faz um bom trabalho, ou não aparece a tempo, ou não executa as coisas corretamente. Você sabe dar jeito? Você precisa ir lá e microgerenciar. Porque não podemos ter falhas na missão. Mas, depois que você atualizá-los, precisará parar de microgerenciá-los.

Leif, ou o outro comandante de pelotão, ou assistentes de comandante de pelotão que trabalharam para mim dirão que eu era um maníaco por microgerenciamento quando eles começaram a trabalhar para mim. Eu lhes dizia o tempo todo: "Você precisa fazer isso. Não, faça um pouco disso. Não, faça esse ajuste." E eu não lhes dava nenhuma folga.

Então, assim que vi que eles sabiam lidar com seus trabalhos, é claro que eu disse: "Ok, vocês entenderam." Então dei a eles todo o espaço para agir e os deixei livres. E eles detonaram.

Mas começou com o microgerenciamento e se transformou em Descentralização do Comando. Então, às vezes, o microgerenciamento é uma necessidade absoluta. Mas nunca deve ser estático — nunca deve se tornar a norma.

Isso também significa que, se você é microgerenciado, isso pode ser uma bandeira vermelha. Claro, pode ser que seja um funcionário maníaco por controle, que é um microgerenciador compulsivo. Mas também pode ser que ele ainda não confia em você. Então, como você constrói a confiança? Como faz com que ele pare de microgerenciá-lo?

Escondendo-se dele? Não. Sendo aberto. Dizendo: "Ei, chefe, é isto o que vou fazer, exatamente desta forma." Na verdade, você lhes dá mais informações do que eles poderiam querer. Você mostra a eles como é responsável. Você mostra a eles que tem uma boa noção da situação. É assim que se supera o microgerenciador, deixando-o à vontade.

Mas se alguém não está fazendo o que deveria, ou está falhando, ou te decepcionando, então, sim, você precisa entrar em cena e microgerenciá-lo.

A outra situação em que você pode precisar microgerenciar é ao orientar alguém. Como agora, que estou sentado lado a lado com você. Estou baforando no seu cangote. Isso pode ser visto como microgerenciamento. Mas, novamente, às vezes é necessário. Se você ainda não conhece as regras, tenho que lhe mostrar. Isso significa que tenho que sentar ao seu lado e garantir que entenda. Se estou ensinando algo a alguém em um ambiente de trabalho, isso também pode ser visto como microgerenciamento — e, na prática, é. Porque estou dizendo: "Coloque isso aqui. Coloque aquilo lá."

A pessoa que você está ensinando pode dizer: "Espere, deixe eu fazer."

Você precisa dizer a eles: "Não. Você ainda não sabe como fazê-lo. Tenho que lhe mostrar. Estou ensinando a fazer. Quando você puder fazer isso sozinho, fará."

Além de ensinar, às vezes você precisa realmente mostrar às pessoas como fazer algo. Houve um tempo em que um comandante de pelotão estava tendo problemas para liderar seus homens. Eu disse a ele: "Sente-se e assista. Vou comandar esse esquadrão."

Então, ele se sentou e eu dirigi o esquadrão, fui agressivo e disse às pessoas aonde ir e como se mover. E, quando terminei, o comandante de pelotão olhou para mim e disse: "Tudo bem. Posso fazer isso." E ele fez. Assim que me viu fazer uma vez, ele entendeu. Ele sacou tudo.

Então, às vezes, o microgerenciamento é bom. O problema é que você não pode ficar preso à rotina dele. Se lhe dou mentoria, se o ensino, se eu o instruo, se eu lhe mostro o caminho, isso não significa ficar lá e continuar microgerenciando. Porque, se fica microgerenciando, você não está fazendo seu trabalho como líder.

Na realidade, você nem deveria conseguir microgerenciar todos que trabalham para você. Se tem essa disponibilidade, não está fazendo o seu trabalho. Não está seguindo a cadeia de comando. Não está observando. Não está pensando estrategicamente. Seus soldados, sua liderança subordinada, devem crescer e liderar, e você deve esperar isso deles.

Além disso, algumas pessoas microgerenciam por causa de seu ego. Elas querem fazer uma de duas coisas: querem exercer seu poder sobre os outros ou mostrar conhecimento. Como lidamos com esses tipos de microgerenciadores? Trabalhando arduamente. Ficando à frente deles. Fornecendo todas as informações que desejam e ainda mais. Melhorando no trabalho para que eles confiem em você e sigam em frente.

Se precisar microgerenciar por um curto período, deve parecer uma tarefa de que você não gosta, temporária. Você pode chegar e microgerenciar por um certo período, mas então precisa dizer: "Ok, você conseguiu. Você sabe o que está fazendo. Parei aqui." Então, você precisa parar, porque ninguém gosta de ser microgerenciado.

Depois de fazer as pessoas pegarem velocidade, dê um passo para trás e as deixe correr. Deixe seus líderes liderarem.

De *Jocko Podcast* 12

EC: Em relação aos erros, quais foram os seus e os que já viu em líderes que admirava? Como um líder se recupera? Um líder consegue recuperar totalmente a confiança?

JW: Essa é muito fácil. Primeira parte, os erros que cometi? Leia *Responsabilidade Extrema* — a maior parte do livro trata de erros. Erros que eu e Leif cometemos.

Como você se recupera de um erro?

Se cometer um erro, assuma. A pior coisa que você pode fazer se cometer um erro é fugir da culpa. Essa é a pior coisa que você pode fazer. Pense nos chefes que cometeram um erro. Se dissessem: "Não, não foi minha culpa", você perderia o respeito por eles.

Então você não pode fazer isso. Você precisa se responsabilizar.

Novamente, se você pensar nos chefes que arrumaram desculpas, não terá piedade deles. Você é implacável com eles. Você os segrega. Portanto, o passo número um, se cometeu um erro, é assumir a responsabilidade.

É isso que sempre senti quando observava a cadeia de comando. Se eu via um cara que cometeu erros e se responsabilizou, a atitude era: "Ok, o chefe sabe que ele cometeu um erro, e ele o assumiu, por isso vamos apoiá-lo." Do contrário, sem assumir a responsabilidade, tínhamos dificuldades. O nível de respeito caía.

Na verdade, tivemos um motim na fronteira em um dos meus pelotões. Nós, alistados, abordamos o comandante e dissemos: "Não trabalharemos para o comandante do pelotão."

Então, todas essas ideias que as pessoas têm dos militares, que obedecemos às ordens sem questionar e tudo mais, vão de encontro ao que fizemos: procuramos o comandante e falamos que não queríamos trabalhar para o nosso chefe!

Agora, o comandante, para ganhar crédito, disse: "Ouça, pessoal. Vocês não podem fazer um motim. Não sob meu comando, não na minha equipe. Aceitem e descubram uma maneira de fazer isso funcionar. Faça o que lhe é dito. Em formação."

EC: Então, o motim não funcionou?

JW: Na verdade, uma semana depois, ele demitiu o cara. Ele deixou perfeitamente claro para o oficial que tinha tido uma chance, que ele não aproveitou, então foi demitido. Foi muito louco ver isso acontecer. E digo isso o tempo todo: o comandante de pelotão não foi demitido porque não possuía habilidades táticas ou não estava em boa forma. A principal razão para o nosso comandante de pelotão ter sido demitido foi porque ele não seguia o conselho de ninguém. Ele não ouvia ninguém. Quando cometia um erro, ele o encobria. Obviamente, não deu certo para ele.

Quanto a recuperar a confiança, que é a outra parte da pergunta: assim que você admite que cometeu um erro, recupera automaticamente a confiança — é aí que você começa a recuperar a confiança, e a partir daí. Então, você cumpre sua palavra. Esta é outra maneira de criar confiança: faça o que você diz e diga o que faz. Isso ajuda a construir a confiança, o que ajuda a construir relacionamentos. E é isso o que você deve fazer. Obviamente, quando você mente para as pessoas, como cria confiança? E, se você cometer um erro e disser que não é sua culpa, isso é mentira, e todo mundo sabe disso.

EC: Mas as pessoas têm medo de que sua equipe pense: "Nosso líder não sabe o que está fazendo" ou "Ele não sabe lidar com a situação".

JW: Isso não importa. Isso simplesmente não importa. É muito melhor dizer: "Ei, pessoal, eu não sei como fazer isso. Vocês podem me mostrar?" ou "Ei, pessoal, nunca usei esta arma. Podem me explicar como funciona?".

A pior coisa que você pode fazer é ir até a linha de disparo com uma arma que você nunca usou e nem sabe como trancá-la e carregá-la, ou limpá-la e guardá-la. Então você parece um total idiota. E, pior ainda, passa uma imagem de um cara arrogante e inseguro demais para pedir ajuda. Na verdade, é um sinal de insegurança não pedir quando você precisa de ajuda com algo.

Quando você tem vergonha de pedir ajuda, é como se batessem a sua porta dizendo: "Você é inseguro!"

Quando você diz a um de seus funcionários: "Ei, estou preso a esse problema" ou "Cometi um erro e preciso de ajuda", as pessoas não pensam que você é idiota — a menos que você faça isso a cada três segundos, porque demonstra que você não estudou a situação. Porque você tem que estudar. Tem que conhecer seu ofício; você precisa conhecê-lo. E, se não o fizer, precisa aprender. Tem que devorar os livros. Mas, uma vez que tenha aprendido e ainda haja coisas que não entende bem, adivinhe? Basta perguntar.

Seus soldados da linha de frente sabem mais do que você; eles devem saber mais do que você. Fui operador de rádio por oito anos nas equipes SEAL, mas, quando eu era tenente-comandante de uma unidade de tarefas SEAL, eu não sabia tanto quanto os operadores de rádio do pelotão. Então, eu tinha que fazer perguntas. Isso não é nada demais. Se você está seguro com sua liderança, pode fazer perguntas. Nada demais.

Mas você não pode mentir para as pessoas. Não pode dar desculpas.

Volto à pergunta original. Como você recupera a confiança nas pessoas? Diga a verdade.

É um conceito simples. Nem sempre é fácil, mas é simples e eficaz.

De *Jocko Podcast* 11 com Leif Babin

EC: Além do comando, qual é a sua especialidade favorita de operador? Artilheiro, violador, atirador etc.?

JW: Deixa eu dizer o que eu queria que meus pelotões pensassem: eu queria que cada um pensasse que era o mais importante. Queria que o operador de rádio pensasse que era o mais importante, porque ele poderia pedir socorro aos atiradores. Eu queria que o médico de combate pensasse que era o mais importante, porque ele salvaria todo mundo. Eu queria que os snipers pensassem que eram os mais importantes. Eu queria que os metralhadores pensassem que eram os mais importantes, porque começariam o fogo e nos salvariam. Sempre fui um grande defensor de todos eles. E você precisa de todos eles, porque são uma equipe.

LB: Você faz com que as pessoas pensem: "Isso é mais importante" ou "Meu trabalho é o melhor". Estávamos conversando sobre a imagem de Chris Kyle no filme *Sniper Americano*. É preciso que todos os elementos trabalhem juntos. Aquelas metralhadoras. Os soldados. Que os operadores de rádio passem sua posição e digam aos amigos onde você e o inimigo estão, para que consiga ajuda. Tudo isso é crítico.

Quanto a uma especialidade favorita, gosto de atirar. Rifle de combate e tiro de pistola sempre foram meus favoritos. Amo isso nas equipes SEAL. O excelente treinamento, a competição — mover-se e disparar contra alvos de aço e alvos móveis. Fazemos esses intervalos incríveis, e é superdivertido.

E, dito isso, esse não é o meu trabalho. Esta é uma conclusão a que você deve chegar como líder: meu trabalho não é atirar. Há momentos em que tenho que atirar e preciso atirar com precisão para eliminar ameaças. Tenho que ser capaz de fazer isso, como todo mundo no pelotão. Mas, como líder, esse não é o meu trabalho.

Aprendi isso em nosso treinamento avançado; após o BUD/S, há mais seis meses do que chamamos de treinamento de qualificação SEAL. Como Jocko e eu sempre dizemos, o fracasso costuma ser o melhor professor. Eu era líder de esquadrão e lembro que estava tentando atirar e deitar fogo enquanto meu esquadrão estava "sob fogo" no treinamento, e estava tentando olhar ao redor ao mesmo tempo. E recebi uma violação de segurança por tentar disparar e observar ao redor ao mesmo tempo. Adivinha? Não se pode fazer as duas coisas. E eu mereci a violação de segurança. Isso era perigoso. Nunca se deve puxar o gatilho da arma se não estiver olhando para a mira nem a controlando. Era exatamente o que eu deveria ter feito.

Mas foi uma revelação para mim: não posso fazer as duas coisas. E por que eu precisava atirar, então? Havia outros oito caras no esquadrão descendo fogo. Mas não havia mais ninguém observando ao redor. Como líder, é meu trabalho "descarregar" minha arma, o que significa que a arma fica apontada para o céu, sem mirar alvos, e preciso observar. Preciso dar um passo para trás da linha. Jocko costuma falar sobre "desapegar" e olhar em volta. O trabalho de um líder é combinar o comando e o controle da equipe. Se você não está fazendo isso, ninguém está fazendo. Portanto, os líderes sempre devem reconhecer que seu papel é se desapegar.

Você também precisa entender os recursos e as limitações dos diferentes funcionários, especialidades, departamentos e ativos de sua equipe. Mas, como líder, não pode ser sugado pelos detalhes. Você precisa se afastar dos detalhes, sustentar sua arma com força e exercer o comando e o controle para tomar grandes decisões estratégicas.

EC: O que você faz quando sabe que uma ordem é ruim, mas, se não se alinhar a ela, a punição será terrível?

LB: Jocko, você falou sobre isso no podcast ao revisar *As Máximas Militares de Napoleão*. Acho que a citação foi a seguinte: "Todo general-chefe que se compromete a executar um plano que sabe ser ruim é culpado. Todo general-chefe que, em consequência das ordens de seus superiores, luta com a certeza da derrota é igualmente culpado." Isso se resume à Responsabilidade Extrema. Você é o responsável, em qualquer situação.

Você é obrigado a NÃO seguir um pedido ilegal. Está em suas mãos. É de sua responsabilidade. Se é realmente ruim, se é realmente catastrófico, você deve estar disposto a aceitar a punição. Você quer me punir por isso? Ok. Você quer me demitir? Tudo bem. Não vou executar uma ordem ruim, porque vou dormir melhor à noite sabendo que tomei a decisão certa. Não vou seguir esse caminho que leva à destruição da nossa missão ou da nossa equipe. Você precisa se olhar no espelho, e isso é mais importante. Se quer me demitir por isso, que assim seja.

Mas você precisa entender que deve priorizar. Raramente as situações são tão extremas. Há pessoas que têm uma reação exagerada antecipando o juízo final com uma mudança de estratégia ou tática, quando não é bem assim.

Um exemplo em que pensei foi que as pessoas ficam chocadas ao saber como é entrar em guerra no mundo de hoje — os enormes requisitos administrativos. Eu e os outros oficiais de pelotão reclamávamos da imensa quantidade de papelada que tínhamos que preencher o tempo todo — e ninguém reclamava mais do que eu! Na Unidade de Tarefas Bruiser, Jocko dizia que, mesmo em meio a um árduo treinamento para combate, quando nosso comandante pedisse a papelada, faríamos na hora. Dávamos conta o mais rápido possível. Queríamos fazer melhor do que todos os outros.

JW: Adivinha o que eu estava fazendo? Eu estava construindo um relacionamento com o oficial comandante. "Ah, você quer que a parte administrativa seja feita? Não tem problema." Fazíamos todas as pequenas coisas. E então, em um dos raros momentos em que precisávamos declinar de alguma ordem, podíamos argumentar com sensatez e obter o apoio necessário.

LB: Conseguimos declinar o que era realmente necessário porque todas as pequenas coisas, todos os requisitos de papelada que outras pessoas não cumpriam ou das quais se queixavam ao comandante o tempo todo, nós fazíamos. Sim, era um saco. Eu queria fazer outras coisas. Mas nós fazíamos. Essas pequenas coisas aumentavam a confiança do comandante e do restante de nosso quartel-general. E isso nos dava credibilidade para recusar. Quando priorizávamos as coisas que realmente importavam, conseguíamos aprovar tudo o que precisávamos.

JW: Falo sobre isso com frequência: a liderança deve estar alinhada com as tropas da linha de frente — se não houver algo drasticamente errado. É claro que meus chefes queriam que matássemos bandidos, mantivéssemos nossas tropas em segurança e vencêssemos a guerra. Nos negócios, é claro que o chefe quer que você lucre, mantenha suas tropas felizes, entregue um bom produto, sirva ao cliente e seja ético. Essas são coisas comuns e estão alinhadas. Então, se você envia uma ideia para a cadeia de comando ou é instruído a fazer algo e não faz porque não o ajuda a ser lucrativo, por que seu chefe discorda? Tenha o bom senso de saber quando dizer "não" e, em seguida, a coragem moral e a fibra de dizer "não".

O *Jocko Podcast* está no iTunes, Google Play, Stitcher, na maioria das outras plataformas de podcast e na internet, em: www.jockopodcast.com. Há versões em vídeo no canal do YouTube, Jocko Podcast [conteúdo em inglês].

ÍNDICE

Símbolos
1/506º Regimento, 99, 290

A
About Face: The Odyssey of an American Warrior (Hackworth), 56
Al-Qaeda, 93
análise da missão, 209–210
ANGLICO
    Companhia de Ligação Aéreo Naval dos EUA, 134
apoio, 141, 203
apresentação de retorno pra casa
    feitos na, 233
    público para a, 232
    resumo do destacamento, 232
aprovação, 74, 240
As Máximas Militares de Napoleão (Bonaparte) livro, 318
ataque Priorizar e Executar
    IED no, 160
    localização no, 158
    metralhadoras no, 156
    patrulha, 157
    poder de fogo no, 155
    relatórios do, 156
    riscos do, 159
    saída do, 161
autoconfiança, 281

B
Band of Brothers (Ambrose), 99
Batalha de Ramadi, xxi, 9

C
camaradagem, 78, 100
camp corregidor
    ataque no, 91
    disciplina no, 99
    posicionamento no, 96
    riscos pelo, 96
    soldado iraquiano no, 97
    trabalho em equipe, 96
cenário geral, 108
Centro de Operações Táticas (TOC), 6, 236
checklist, 213
Chris Kyle, xviii, 9, 90, 250
    decidir em meio à incerteza, 251, 258
cobrir e mobilizar nos negócios
    atrasos em, 128
    em equipe, 129

missão para, 129
relacionamentos para, 130
comandante
-chefe, 243
(CO), 26
da força terrestre, 202
de pelotão, 55
intuito do, 178
comando e controle, 191, 226
combate, 5, 30, 270
experiência em, 260
negócios e, 12
Semana Infernal comparada ao, 52
urbano, 270
fogo amigo em, 30
competição, 262, 284
compreensão, 233, 248
comunicação, 108, 144
eficaz, 12
na missão cobrir e mobilizar, 119, 122
na missão simplificar, 141
condicionamento, 68
físico, 278
confiança, 70, 103, 105, 243, 284
em Descentralizar o Comando nos negócios, 196
para a missão Descentralizar o Comando, 176, 179
confidencialidade, xxiii
Conquistar, Liberar, Manter e Construir, 9, 114
consciência situacional, 190
contingências, 211
controle, 196, 234
comando e, 191, 226
das emoções, 281
na missão Descentralização do Comando, 178
o ego nos negócios
comunicação em, 107
culpa em, 107
quadro geral em, 108
Responsabilidade Extrema em, 108
COP Falcon. *Consulte também* missão simplificar
ataque ao, 133
defesa ao, 135
limpeza no, 134
patrulha de presença, 136
rota do, 136
crença nos negócios, 81
culpa por, 87
ego relacionado à, 84
estratégia por trás da, 86
mal-entendido na, 83
poder e, 83
Responsabilidade Extrema nas, 87
curso básico de demolição subaquática SEAL, 43
BUD/S, 44

D

Da Guerra, de Carl von Clausewitz, 20
David Hackworth, 56
Dean Lister, 14
decidir em meio à incerteza, 254
erro de identificação, 258
esclarecimento, 254
identificação positiva, 252, 256
nos negócios
agressividade, 264
competição, 262
execução, 268
inatividade, 264
promoção, 266
snipers inimigos, 254
decisivamente engajado, 170
declaração de missão, 195
Descentralização do Comando nos negócios
confiança na, 197
esclarecimento na, 196
organograma da, 193
tamanho das equipes na, 193
desenvolver soluções, xii
Despertar de Anbar, 9
destacamento, 217, 221, 232
diplomacia, 243
disciplina é liberdade nos negócios, 284
dicotomia, 287
experiência, 272
necessidade de, 273
padronização em, 279
perdas, 284
plano, 273
prática, 276
resumo, 274
distanciamento do campo de batalha, 190
distrito de Mala'ab, 66

E

Echelon Front
empresa de consultoria sobre liderança, xiii

equipe
  Bulldog, 114
  crenças das, 13
  de alto desempenho, 15
  de Brigada Ready First, 9
  de Combate Ready First, 10, 114
  desempenho geral da, 126
  de snipers, 179
  espírito de, xviii
  linha de frente da, 127
  MiTT, 136
  SEAL
    líderes ruins nas, 39
    névoa da guerra nos negócios comparada a, 38
    responsabilidade extrema nas, 40
    tática Cobrir e Mobilizar em, 123
    trabalho em, 126
  erros, 28, 293
    em táticas de cobrir e mobilizar, 125
    na missão da crença, 78
  estratégia, 9, 86, 114
  exercícios em campo (FTXs), 218
  experiências operacionais, xix

F
fogo amigo, 24
  missão Descentralizar o Comando e, 186
  no Vietnã, 24, 30
força
  de reação rápida (QRF), 238
  -tarefa Bandit, 134

fracasso, 233
fronteiras da responsabilidade, 189
frustração, 237, 245

G
Guerra
  do Vietnã, xviii
  Global ao Terrorismo, xviii

H
humildade, 95, 105
Humvees, 1

I
identificação positiva, 252, 256
IEDs, 120, 208
  artefato explosivo improvisado (improvised explosive device), 93
imagem incompleta, 261
inimigo, 175, 254
inovação, 13
insurgentes, 2
  mortos, 97
inteligência, 10, 201, 205
interdependência, 126
invasão, 2, 206
irmandade, 71

J
Jocko Podcast, 295
John Paul Jones, 212

L
lealdade, 285
Lei
  de Combate, 14

Comando Descentralizado, 80
  Executar, 5
  Priorizar, 5
lições, 31, 234
  de liderança, 7
  estratégicas, 7
liderança, 8, 202
  alicerces fundamentais, 14
  corporativa, 8
  de combate, xii
  equipes de, 8
  instrutores de, 11
  má liderança, 64
  militar, 13
  morte e, 53
  na Batalha de Ramadi, 11
  treinamento de, 12
liderando a cadeia de comando
  aprovação, 240
  chefe de comando, 243
  CO, 240
  compreensão, 232
  contexto, 233
  envolvimento diplomático, 243
  fracasso, 233
  frustração, 236
  lições, 234
  princípios, 235
  Responsabilidade Extrema, 241
líderes, 32. *Consulte também* líderes juniores; líderes seniores
  atitudes dos
    na semana infernal, 47
    da linha de frente, 177

erros de
  na semana infernal, 52
  juniores, 33, 235
    decisões por, 189
  objetivos dos
    na semana infernal, 50
  responsabilidade dos
    na semana infernal, 52
  ruins, 48, 306
  nos negócios
    BUD/S e, 60
  seniores, 190, 235
  sobrecarregamento dos, 167
  táticos, 190

M
M88 Recovery Vehicle, 42
Mantendo a Vitória, 14
Marc Lee, 11, 53, 200, 228
  metralhadora e, 154
microgerenciamento, 310
Mike Monsoor, 11, 54, 180, 200
missão, 138, 210
  apoio para a, 142
  cobrir na, 142
  comunicação na, 141
  contato na, 140
  estratégica, 126
  para cobrir e mobilizar nos negócios, 127
  qualidade na, 71
  resumo da, 139
  revisão na, 142
  rota para a, 142
  segurança, 143

mujahideen (muj), 20
Muqtada al-Sadr, 70

N
negócios
  combate e, 13
  liderança nos, xi, xiv, xx
névoa da guerra, 19
  nos negócios, 33
    combate comparado a, 36
    ego na, 37
    equipes SEAL comparadas à, 38
    esquema de bônus na, 34
    objetivos da, 33
    oposição na, 34
    Responsabilidade Extrema pela, 40
  princípio da, 32

O
OMTU
  Operações Militares em Terreno Urbano, 177
ordem de operações (OPORD), 215
  criação da, 217
  destacamento relacionado à, 219
  intuito do comandante na, 220
  propósito da, 220
organograma, 193

P
padronização, 212
pessoal de baixo desempenho, 32
planejamento, 209
poder, 83
  de fogo, 156

posicionamento, 159, 180
  na missão cobrir e mobilizar, 120
  no camp corregidor, 96
práticas
  de gerenciamento, xxi
  de liderança, xviii
  organizacionais, xxi
princípios, xii, 235
  Cobrir e Mobilizar, xiv
  de liderança, xii
  de mentalidade e orientação, xxiii
  do cenário incompleto, 260
  do plano
    checklist, 213
    delegação no, 210
    padronização, 212
Priorizar e Executar
  nos negócios
    iniciativas, 170
    passo 1 em, 164
    passo 2 em, 165
    passo 3 em, 165
  planejamento de contingência, 167
  treinamento para, 164
promoção, 266
propósito, 80
  singular, 126

R
Ramadi, Iraque, 1, 93. *Consulte também* Batalha de Ramadi
  Camp Ramadi, 9
reajuste, 151
recursos críticos, 130
relação
  antagônicas, xiv
  de trabalho, 115

respeito, 100
responsabilidade, 52, 307
   Extrema
      para a liderança, 292
resultados extraordinários, 15
riscos, 96, 159
Ryan Job, 157
   morte de, 11, 54, 200, 228

S
segurança, 143
simples, não fácil, 13, 292
simplificar nos negócios
   adaptação, 150
   complexidade em, 146
   compreensão no, 145
   conexão no, 149
   perturbação no, 150
   reajuste, 151
   sucesso no, 151
Sniper Americano (Kyle), xviii, 316
Stephen Ambrose, 99

sucesso, 79
   segredo do, 7

T
tanque de guerra M1A2 Abrams, 184
tempo, 127
   de inatividade, 127
tolerância, 64
tomada de decisões, 12
treinamento, 31, 278
   combate de curta distância no, 191
   de combate, 12
   de equipes, 12
   de equipes SEAL, 67
   de líderes, 12
   FTX, 218
   TRADET, 177

U
Unidade de Tarefas Bruiser, 9
   disciplina é liberdade na, 279
   foto da, 112

V
VBIED
   dispositivo explosivo improvisado transportado por veículo
      (vehicle-borne improvised explosive device), 95
veículo de combate Bradley, 174, 185
Vencendo a Batalha Interior, 14
vida pessoal, 277
Vietnã, 24, 30
volta pra casa
   críticas na, 230
   jornalistas na, 230
   mortes e a, 230